歸來記

大眞相

作者：柯南·道爾（Arthur Conan Doyle，1859～1930）

處處留心皆學問——

福爾摩斯的冷靜智慧

顏世錫

福爾摩斯探案是許多人年輕時代裡鮮明的記憶，也是我早年喜愛閱讀的故事，世界書局在七十年前第一次把它引入中國白話文的世界，如今又重新編修出版。閻初總經理託我爲這套書作序，她是我多年好友，也是我從江兆申老師習字時的小師妹，因此便慨然應允。

故事書中懸疑緊湊的情節，現在讀來仍舊津津有味；但我從事警政工作幾十年來，早已在犯罪的刀光血影中走過千百回，也經歷了各式大小案件，如今重讀此書，感覺最值得玩味的，是福爾摩斯的冷靜、智慧和勇氣。他敏銳的觀察力和縝密的推理分析實是破案的重要關鍵。當然，隨著時代的進步，各種鑑識科技應運而生，爲偵辦工作提供了更多更好的輔助，但這位神探的博學多聞、細心耐心、追求眞理、堅持原則的特質，應該是這套書背後所傳達的重要意涵。這不僅是犯罪偵查人員必須具備的要件，引申到現代生活中，也是一般大衆應該加強的思維。

近年來，治安問題始終是大家關切的焦點，犯罪手法的翻新和犯罪年齡的下降給社會帶來了空前的挑戰。今日，打擊犯罪要靠警民合作，不要妄想仰賴一、二位超人神探，而是要靠許多福爾摩斯的配合——人人都應留意自己周遭的人事物，遇有狀況，冷靜分析，並熱心負起改善治安的責任。青少年朋友更要不盲從、不衝動、多用眼、用腦、用手去開啓自己正確的路。其實，福爾摩斯風靡世界一百年，始終在各個時代裡蟬聯青少年心中的英雄，他永遠光鮮的外表、永遠零亂的書桌、他獨特的衣帽煙斗、千變萬化的喬裝掩飾、冷靜聰明的頭腦、鍥而不捨的作風、濟弱扶傾但尊重法理的俠義精神，不也正符合我們這個時代年輕朋友最「酷」的選擇嗎？與其盲目崇拜偶像，不如冷靜分析什麼是自己該堅持的主張，才不致迷失徬徨。

我想，福爾摩斯雖然是在柯南·道爾筆下塑造的人物，但能跨越時空、歷久彌新，是因爲他以最有趣引人的手法，在許多人的生活中引起共鳴：我們都有探索黑暗與未知的好奇，也都有找出眞相、伸張正義的嚮往；我們都希望具備超人智慧，能先知先覺地解決難題，也都希望在零亂紛擾的疑團中抽絲剝繭地理出邏輯。就在事實與想像裡、在假設與證據間、在科學理論與小說創作下，你我心中都有福爾摩斯的影子！喜見世界書局再一次把他帶進讀者的世界，也希望讀者把他的冷靜、智慧與勇氣帶進自己周遭的世界。

一九九七年十二月二十五日

出版緣起　當福爾摩斯重現世界

閻初

一八四一年，美國，愛倫．坡發表《莫爾格街謀殺案》，偵探小說這個名詞第一次出現。當時，在東方，列強的炮火早已轟開了中國的大門，他們正用鴉片對這個民族進行集體謀殺。林則徐等人企圖緝兇歸案，但終告失敗。

一八八七年，英國，一位身材削瘦、披著斗蓬、叨著煙斗的神探誕生了。當時，正值光緒十三年，慈禧歸政德宗，其實東方也很需要一位智多星，能幫著皇帝懲惡捉奸、撥亂反治。

接著，甲午戰爭、戊戌變法後，晚清的翻譯小說便紛紛出現，一九〇二年，最早的一篇文言福爾摩斯刊登在梁啓超編的《新民叢報》和《新小說》上。

民國十六年，上海，世界書局出版《福爾摩斯探案大全集》，由「中國偵探泰斗」程小青和嚴獨鶴、包天笑等人以白話文翻譯。從此，這位西方的神探便正式進駐龍蛇混雜的十里洋場，而他的傳奇經歷，也快速地傳遍中國各地，成爲家喻户曉的人物。

譯者程小青先生自幼喪父，原本在鐘錶店裡當學徒，工作之餘便到夜校補習英文。他寫作時認眞嚴謹，講究專業精神，除了大量閱讀西方偵探小說外，還特別透過函授，修習美國警官學校的犯罪心理學和偵探應用技術等課程。據聞，每當他開始構思小說情節時，常常跑到杳無人煙之處，苦思冥想，直到倦鳥歸巢，他才返家命筆。透過他的譯筆，福爾摩斯成爲風靡大衆的一個有情、有理、有趣的偶像。

東方古老沈重的社會裡，永遠流傳著包青天、施不全的奇聞軼事，他們是神仙下凡，是老天爺賞給小老百姓的難得恩賜；但洋人筆下的福爾摩斯，卻是科學的、智慧的凡人，他靠冷靜謀略使眞相大白、讓沈冤昭雪、叫惡人伏法，舉凡聰明博學者皆可爲之。福爾摩斯的受歡迎、被認同實也反映了當時社會的背景：問天聽天的封建已被打破，科學民主正是主流，西潮洶湧、人心激盪，而苦難仍是一個接著一個地降臨在小老百姓身上，於是，人們期盼一個合邏輯的救難英雄——福爾摩斯正適合；人們也渴望脫離無解的現實，進入另一個善惡分明、凡事找得到答案的文明世界——偵探小說正是這樣一個非神化的理性空間。

當時的社會背景也符合現在的情境，只是，物慾更橫流、道德更淪喪、犯罪更猖狂！

一九九七年，福爾摩斯重現世界，距離他第一次在我們的白話文世界裡出現恰巧七十年，古人說：「七十而從心所欲，不逾矩。」所以，我們在忠於原著並尊重譯者的原則下，將百餘萬字重新順讀潤飾，並修改程小青先生的上海方言、文白夾雜和人名地名的翻譯，以便更符合現代閱讀習慣。我們相信新的口語、新的包裝，將帶給福爾摩斯新生的體魄，再加上他歷久彌新、雋永沈潛的智慧與勇氣，必更能遊刃有餘地展開工作。然而，現代犯罪花樣的翻新、犯罪組織的龐大，豈可靠一個神探解決，所以，世界書局徵召各方好漢，一起來做他智勇雙全的好幫手。

偵探小說向來不被新文學正視，它只是個生活消遣品，但它確實能反應出某些社會意義。百餘年來，我們中國人從那個問天祭天謝天的封建中走過來，掙著敲打出這個民有民治民享的雛局，但目前的自由和法治眼看正在消失，於是在亂相威逼下，人們方才醒悟到在民主社會中，天子可以推翻，但天道不可悖離，個人的小惡、衆人的姑息，必將鑄成大錯，不可收拾。今日我們撥亂反治，也不能只翹首青天，還是要從每個小人物的細心、關心和警覺心做起。這套「化了妝的社會科學教科書」，或許能啓發我們一些敏銳觀察、分析判斷和沈穩處事的能力。畢竟，花繁柳密處撥得開，方見手段；風狂雨驟時立得定，才是腳跟。我們愛這花花世界，總要在變通與原則之間，找出自己安身立命的方法。

福爾摩斯短篇探案
歸來記

目錄

處處留心皆學問——顏世錫 一
出版緣起 三
空屋(The Empty House) 一
火中祕(The Norwood Builder) 二六
跳舞人形(The Dancing Men) 五五
自行車怪人(The Solitary Cyclist) 八四
蹄痕輪跡(The Priory School) 一〇七
黑彼得(Black Peter) 一四二
脅詐者(Charles A. Milverton) 一六五
六個拿破崙(The Six Napoleons) 一八五
三學生(The Three Students) 二〇九
眼鏡(The Golden Pince-Nez) 二二九

球員的失蹤(The Missing Threel Quarters) 二五二
情天一俠(The Abbey Grange) 二七五
第二血跡(The Second Stain) 二九九
附錄一　真實與虛幻之間——柯南・道爾與福爾摩斯 三二七
附錄二　柯南・道爾年譜 三三四
參考書目 三三七

空屋（原名 The Empty House）

一八九四年的春天，倫敦的人們——尤其是那些上流社會的人——都因隆納德・艾迪亞貴爵被殺的案子感到很驚慌。那案子的情節很離奇複雜，後來因爲警察的偵查，已將犯案的情形披露出來。但所披露的，只是些大略，大部分的細節都被刪去。因爲當時的證據非常地充分，所以裁決的時候就沒有必要一一細究。直到現在，已將近十年了，我方才得到允許，把這案中遺漏的環節披露出來，以便事件能完整的呈現。那案子的本身固然很富趣味，但若和那案子的意外結局比起來，其動人的程度，還相差很遠。這裡面的種種驚奇和駭怖，實在是我冒險生涯中所少見的。雖隔了這許多年，我一想到這事，仍不由得使我想起當時的驚詫、疑訝和歡樂等種種情緒。我還須說明一句，我從前曾將一個非常奇特的人介紹給社會大衆。對於這一件案子，我也早想披露出來，使大家明瞭其中的眞相。但之所以遲遲不宣布的緣故，不是因爲我的關係，而是因爲他的禁止，所以我不便擅自發表。現在這禁止的信約，已在上個月的三日取消了。

我因爲和歇洛克・福爾摩斯相處久了，使我產生了注意罪案的興趣。自從他失蹤以後，我對社會上發生的種種問題仍很留意。有時我因個人的興趣，採用了他的方法，親自實驗。不過結果卻不很令人滿意。在那麼多案件中，我覺得隆納德・艾迪亞的慘劇最讓人印象深刻。官方驗屍的結果，斷定這是一件蓄意謀殺案，兇手在一人或二人以上，卻不知姓名，這使我想起了我的朋友歇洛克·福爾摩斯。自從他在「最後問題」一案中喪亡以後，社會上眞是遭受了一種無形的損失。因爲這件奇案中的種種疑點，在他眼中一定有特別的見解。而且如果這位歐洲一流的犯罪學家還活著，對於警察們一定有不少助力。那一天我把那案件留在腦中，再三尋思，卻找不出適當的解釋。現在我冒著重述的危險，把這案子的偵查結果，扼要記在下面。

隆納德·艾迪亞貴族是梅拿司伯爵的第二子。伯爵那時正擔任澳洲殖民地的總督。艾迪亞的母親因爲眼疾，特地從澳洲回來，準備進行開刀療治。她和她的兒子隆納德、女兒希而達，一同回英倫，他們一塊兒住在公園街四二七號。隆納德回英以後，在貴族社會中往來，外傳他並無仇敵，也沒有特殊的惡行，他曾和加斯太地方的愛笛絲·胡德萊小姐訂過婚，但在數月以前，雙方同意解除婚約，事後也並沒有交惡。除此以外，他的生活圈狹小而普通。他天性冷漠，習慣規律的生活。誰知在一八九四年三月三十日晚上十點到十一點二十分之間，這個容易相處的貴族少年，竟遭遇了奇怪而意外的慘死。

隆納德·艾迪亞喜歡鬥紙牌。他常常玩，但所下的注金卻都很量力，以不致傷害他爲度。他在鮑爾溫、開文迪、貝葛特各俱樂部中都是會員，在他臨死的那天，晚餐以後，他曾在貝葛特俱樂部中玩過紙牌。那天下午，他也在那裡玩過。據和他同局的幾個證人——毛蘭先生、約翰·哈狄爵士、馬萊上校——等說，那天所玩的是灰司特，輸贏各半。隆納德大概輸了五鎊左右。但他的財產很多，區區損失，當然對他不致有什麼影響。他差不多天天在各俱樂部中賭牌，但他的賭法很謹愼，贏的次數總比較多些。又據人家證明，在幾星期以前，他曾和馬萊上校合作，與密耳納、白馬拉勳爵等賭過一次，他竟勝了四百二十鎊。這就是他的近況，是官員們在驗屍時偵查出來的。

在案發當天晚上十點鐘，他離開俱樂部回去。他的母親和妹妹那晚上恰往親戚家去。據女僕說，她聽見他回來後走進二樓的前室，那是他平時的起居室。那僕婦曾把火爐點著，因爲有煙，因此把窗打開。直到母女倆在十一點二十分回來時，室中都沒有什麼聲音。她母親回來以後，要向她的兒子道一聲晚安，想進她兒子的起居室去。但門從裡面鎖著。母女倆雖叩門呼叫，卻始終沒有回應。於是便叫了人來把門撬開，到了裡面，卻見那少年倒在桌子旁邊，他的頭已中了子彈，血肉模糊，非常可怕。但遍尋室中，都找不到什麼兇器。桌子上有兩張十鎊鈔票，和十七鎊十先令的現款。這錢幣分做數疊，每疊的數目各不同，另有一張紙，紙上寫著幾個數目，數目的對面，寫著幾個俱樂部朋友的姓名。從這紙上推想，似乎他在未死以前，正在計算他玩牌輸贏的數目。

就這眼前的情形而論，仔細一想，便覺得這案子很複雜。第一點就是，這少年爲什麼把門從裡面拴住呢？這也許可以假定是兇手拴的，之後便從窗口逃走。但窗口離地至少有二十二呎，下面恰有番紅花的花圃，花上和泥上都沒有腳印。而且在通道和屋子中間的草徑上也沒見什麼痕跡。因此，可知房門一定是少年自己拴的。那麼，他又怎樣死的呢？無論如何，決不可能有人從下面爬進窗口，而不留一絲跡象。假使有個人從下面對著窗口開槍，而且如此準確地命中，那人的本領也似乎太神奇了。況且公園街是一條車水馬龍的街道，離屋子大約一百碼遠，還有一個停車場，竟沒有人聽見什麼槍聲，實在是太奇怪了。但這少年明明是被手槍打死的，那槍彈被取出後，驗明是一種軟頭式的子彈，一經打中，立刻就會致命。這就是公園街兇案的情形。事情非常離奇，想不出有什麼兇殺的目的。因爲我已說過，那少年既無仇敵，屋內又沒有遺失什麼錢財和值錢的東西，實在是難於索解的。

那一天我把這件事在腦中反覆尋思，很想依著我老友探案的方法，找出一種最切近事實的假設。老實說，我思索的結果，實在沒有多大進展。到了傍晚，我一個人在外面閒踱，穿過了公園，到了六點鐘左右，我已踱到了公園街連接牛津街的那端。馬路邊的側徑上有一群閒漢，都仰目瞧著一扇窗。把我的目光也引到那裡，我才知那就是我要去觀察，發生兇案的屋子。有一個瘦瘦高高戴墨鏡的人，我猜他是個便衣偵探。那人正在那裡發表意見，那些閒漢都圍在他左右傾聽。我也走近去聽，覺得他的見解毫無新意，就想走開。正在這時，我忽和一個年老而醜陋的人相撞。那人恰站在我的背後，我回身的時候，忽把他腋下所挾的幾本書撞掉在地上，我記得當我將書拾起來時，看見有一本的書名叫做《拜樹教的起源》。我料想這個老人大概是一個藏書家，或許是他的職業，或是他有搜集古書的嗜好。我當時曾向他道歉，但看那老人的目光，似對於這幾本書非常珍視，我把它撞掉，很讓他惱怒。他的鼻子哼了一聲，便轉身離去。我見他佝僂的背影、白色的鬍鬚，轉瞬間便在人叢中消失不見。

我在公園街四二七號的屋子外面觀察了一會，對於解決疑問，仍沒有多大助益。那屋子的前面，有一排短牆和木欄，和馬路分隔，牆和欄的高度總共還不到五呎。因此，若有人要爬進小園裡去，是很容易的。但要爬進樓上的窗口，卻很困難，因為窗旁並沒有水管等可以攀援，雖是極矯健的人，也不容易上去。我瞧了一會，覺得越發迷惑，因此折回肯辛頓。我回到了自己寓所的書室中還不到五分鐘功夫，我的女僕便進來傳報，說有一個人要見我，最讓我詫異的是，來客竟是先前和我相撞的挾書老人。他銳利的目光，從披散的白髮中射出，他的右腋下，至少挾著十三本他所珍愛的書。

他發出一種奇怪似鴨叫的聲音，說道：「先生，我來見你，你覺得有些詫異嗎？」

我承認我確實有些詫異。

他又道：「先生，我覺得過意不去。我偶然見你走進了這宅屋子，就跟了進來。我決定進來見你，向你道個歉。剛才我的態度雖有些不禮貌，但我心裡沒有什麼惡意，並且我很感謝你剛才幫我拾起書來呢。」

我答道：「這未免小題大做了。但你怎樣知道我的呢？」

老人道：「先生，如果不冒昧的話，我還是你的一個鄰居呢。你還可以看見我在教堂街的轉角開著一間小小的書舖。我很高興認識先生。先生，你可要採購些書嗎？這是《不列顛的鳥類》，這是《克圖拉斯》，和《聖陵戰史》，每一本書都很便宜的。你那第二個書架上還留著些空位，你儘可放五本書進去補滿了。像現在的樣子，看起來不是有些不整齊嗎？」

我回過頭去，向那書架瞧了一瞧。等我再回過頭來時，忽見歇洛克・福爾摩斯站在我書桌的前面，對我微笑。我猛地站起身來，向他呆視了數秒。霎時間，我的眼前出現灰色的漩渦，便即不省人事。等到我清醒的時候，發現我的領口已被解開，嘴唇上還有白蘭地酒的餘味，福爾摩斯正俯身向我瞧視，他的小酒瓶還在他手中。

他說道：「親愛的華生，我實在對不起你。沒想到你竟如此驚駭。」我伸手握著他的手臂，呼道：「福爾摩斯，當眞是你嗎？你當眞還活著嗎？難道你果眞從那可怕的深淵中爬起來了？」

他道：「且等一等。你確定此刻已可以談話嗎？你因我這戲劇性的出現，已受了一次驚嚇哩。」

「我此刻已好了。福爾摩斯，我剛才實在不相信我自己的眼睛。謝天謝地！你此刻竟還能站在我的書室之中！」我邊說邊捏他的手臂，覺得那袖子裡面，他瘦細而有力的臂膀仍和先前一般。我又說道：「太好了，你眞的不是一個幽靈。親愛的朋友，我見了你眞快樂極了。請坐下來告訴我。你如何從那危險的境地裡逃生的呢？」

他坐在我的對面，點燃一根紙煙，還是像以前一樣鎭定。他仍穿著那件書商的舊服，但其他化裝的東西，如白髮，卻已和那幾本舊書一塊兒堆在桌上。福爾摩斯的樣子比從前消瘦而敏銳些，他的臉色蒼白，顯見他近來的生活一定不健康。

他說道：「華生，我現在能在這裡舒展我

的身體，我快樂極了。要一個長人縮小一呎高度數小時之久，那實在不是件好玩的事。我親愛的朋友，現在我們還有一件危險的事情在眼前。我很希望你和我合作。我想我們不如等那件事情完畢以後，我再把我所經歷的事情解釋給你聽。」我道：「我的好奇心已到了極點。我要你現在就說給我聽。」他道：「你今夜可和我一塊兒去嗎？」「無論什麼時候，無論什麼地方，都聽你的便。」

「這眞像回復我們舊日的情景了。我們在動身以前，應進些晚餐。至於我從深淵中爬出來的事，並沒有什麼困難。因爲我根本沒有墜落進去啊。」我道：「你沒有跌進去嗎？」「華生，我當眞沒有跌進去。我那時寫給你的紙條完全是眞的。因我一瞧見兇惡的莫理亞提教授，站在那條通往平安地帶的狹徑上面時，便覺得我的末日到了。我瞧見他灰色的眼中，露出一種狠毒的神情，料想我將無法再倖免。我和他交談了幾句，得到他好意的允許，留一張字條給你。我把那字條和我的紙煙匣子、手杖等放在一起。後來果然到了你的手中。接著，我沿著狹徑走去，莫理亞提仍跟在我的後面。我走到了狹徑的盡端，便站住了等待。他並不用什麼武器。只直接向我撲來，張開長臂，將我抓住。他已知道他的計謀敗露，因此要親自向我復仇。我們在那瀑布邊上互相掙持，我略懂日本的柔道，這一點我不止一次得益。我用力掙脫他，他忽尖叫了一聲，腳亂踢了數秒鐘，兩手向空中亂抓。但他用盡了全力，仍不能保住身體的重心，就跌了下去。我探頭向崖邊俯看，見他墜落得很深，後來觸到一塊大石頭，身子彈了出去，便掉進水裡去了。」

福爾摩斯邊講述，邊吸他的紙煙，我聽了非常驚訝。

我大聲道：「但那足印又怎麼解釋呢？我親眼瞧見有兩個人的足印走到那狹徑的盡端，並不見回來的腳印啊。」

福爾摩斯道：「這裡面是有原因的。當我見莫理亞提教授從崖邊上跌下去時，我便覺得我能不死實在是十分僥倖。我知道那立誓要致我於死地的人實不止莫理亞提一人，除他以外，至少還有三人。他們若知道他們的領袖死了，那麼，要向我復仇的意志勢必更加強烈。他們都是兇險的暴徒，總有一個足以致我於死。但反過來說，如果全世界的人們認為我已喪身，這班惡漢也必要引以為快。他們會疏於防備，那就反使我有撲滅他們的機會，到了那時候，我便可以再度露面，宣布我依舊活著。這一個主意，當時在我腦中非常快速地閃過，當莫理亞提教授還沒有跌到萊亨巴哈瀑布底時，我便打定了主意。那時我站直了，回身查看我背後的石壁。據你的記述，說那石壁垂直不能容足（因我在數月以後，曾讀過你那篇記載）。其實你所記的不盡實在。那石壁上有幾個細小的承足之處，並且上面還有一個凸出的部分。那巖巔很高，緣爬上去，分明是不可能的。但我若想從那潮濕的狹徑上退回，而不留痕跡，那也一樣辦不到。我本來曾想用倒穿鞋子的方法，但如果人家見了有三組足印向一個方向走去，當然會發現我假死的祕密了。因此我想了一會，便決定冒險爬到石壁上去。華生，這眞不是一件有趣的事。那瀑布的澎湃聲響，在我後面怒吼著。我自信不是善於幻想的人，但我老實說，那時我彷彿聽見莫理亞提的聲音，從下面深淵中向我呼叫。我萬一失誤，當然無法活命。好幾次，我手抓的草根忽然拔起，或是我的腳踏在潮濕的石縫之中，又突然滑出，我本以爲要墜下去了，但我仍努力向上爬。最後，果眞爬到了一個凸出之處。那凸出處上面有柔軟的青苔覆蓋，我可以很適意地躺在上面，不致被下面瞧見。親愛的華生，當我正躺在上面的時候，你竟已到了下面來察勘情形。我還見你現出一種惋惜的神情，知道你的確相信我死了。後來你確定了你錯誤的見解，便回旅館去。我仍一個人留在上面。當時我以爲我冒險的經歷已到了盡頭，誰知事出意外，竟還有讓我更驚駭的事情。忽有一塊大石頭從上面墜下，飛過我的頭頂，和下面的狹徑碰撞了一下，便跳落到深淵中去。起初我想這是偶然的事，可是我仰起頭來一瞧，便見那崖邊灰暗的天空中，露出一個人頭。此時，第二塊石頭已落到我躺臥的凸出之處，和我的頭距離不過一呎。我立刻明白這個動作的來由。莫理亞提不是一個人來的，上面的人，必是他的同黨。我雖只看了一眼，已知這同黨正是一個非常險惡的人。當我和教授相搏的時候，這同黨一定在遠處監視，我卻沒有看見。因此教授的死，和我的緣壁逃生，他都看得很清楚。接著，他就兜到巖壁的上面，準備繼續他同黨失敗的計謀。華生，那時我不用多想，便即明瞭這裡面的情由。我第二次又瞧見那可怕的面孔從巖巓往下看，我知道又有一塊石頭來了，所以我打算重新回到下面的狹徑，從巖巓上爬下來，比上去時更加艱難。但我無法再顧慮什麼危險。當我的身子剛離開那凸出部分，第三塊石頭早又掠過我的頭頂而下。我拚命爬下來，爬到一半時，又滑了一跤，但謝謝上帝！我雖然擦傷流血，到底達到了狹徑。於是我就拔腿飛逃，在黑暗的山徑之中，大約走了十英哩左右。一星期後，我便平安到了佛羅倫斯，自信全世界沒有人確知我眞正的情形。只有一個知道眞相的人，就是我哥哥梅格勞甫。華生，我很對不起你。我假死的消息，實在是關係重大，如果你自己不相信我眞死了，那你所記載有關我的不幸事實，便不會如此眞切動人。在前三年，我好幾次想寫信給你，但又怕你因爲對我關懷之故，把我的祕密洩漏出去。爲此，剛才在你撞翻我的書的時候，我的處境非常危險。假使因爲你的驚奇引動人家對我注意，那未免要發生不幸的結果了。至於我所以要告訴我哥哥梅格勞甫，就因我需他的資助。而那件在倫敦解決的案子，竟不及我所料的圓滿。審判的結果，竟讓莫理亞提的兩個黨徒逍遙法外。這兩個人實在是最危險的人物，也是我那勢不兩立的仇敵。我在西藏遊歷了兩年，曾經到過拉薩和喇嘛消磨了數天。你也許讀過一個挪威人名叫雪傑生所著的一本探險記，但我相信你決不會想到這就是你老朋友給你的消息。後來我又經過波斯，到麥加遊玩，最後又到科士穆見回教王。這種種遊歷的結果，我都曾記載了報告外交部，我回到了法國以後，便花了幾個月功夫做一種柏油構成法的研究，是在法國南部蒙比利埃地方的一個實驗室。等到這研究滿意以後，我聽說我的仇敵只剩一個人留在倫敦，於是我就打算回來。在這當兒，又聽見公園街奇案的消息，這不但使我覺得案情離奇，還覺得又有讓我大顯身手的機會。我因此立即回到倫敦，前往貝克街寓所裡去，竟使寓主人哈德遜太太大吃一驚。我見我的房子，我哥哥梅格勞甫仍幫我租著，我的書籍文件等也和先前一樣。我親愛的華生，這就是我經歷的大概情形。今天下午兩點鐘時，我已坐在我舊屋中的那張安樂椅上，那時，我很希望我的老友華生，也能像從前一般地坐在我對面的那張椅子上。」

這一段驚人的故事，我是在四月的一個晚上聽見的。這故事假使沒有那瘦長身子和誠懇面容的人坐在我的對面，我絕對不會相信。我不知道他怎麼知道我居喪的事，他的態度上顯出一種誠摯的同情。他又向我道：「親愛的華生，工作是解憂的最好藥劑。今晚我有一件事。假使我們能夠在這事上得到一個圓滿結果，那麼，我們生活在這世上，也總算有些表現了。」我請他再說些以往的事情，他卻不願，他道：「你在天亮以前，已經夠你聽和看的。我離開了三年，當然有好多事要談。現在姑且忍耐一下，等到九點半鐘，我們便須出發進行那一件空屋案了。」

到了九點半鐘，我們果真像從前一般，並肩坐在一輛兩輪車中。我的手槍已放在我袋裡，心中充滿了冒險的驚奇。福爾摩斯卻很嚴肅而冷靜。當那路燈的光偶然照進車箱裡來時，我見他雙眉緊蹙，薄薄的嘴唇緊閉，顯見他正自在那裡深思。我不知道我們要在這罪惡的倫敦城中追尋什麼黑林中的野獸。但我一見了這個老獵人的態度，便確信這一次的行獵必定是很危險的。可是他嚴肅的面容上面，不時露出些譏嘲似的笑容，因此，我又預料我們今夜的獵物，想必不會有什麼僥倖了。

我以爲我們是往貝克街去的，但到了開文迪廣場，福爾摩斯吩咐車夫停車。我們便走下車去，他向左右很仔細地瞭望了一下，之後我們就徒步前行。每到一個轉角，他一定要仔細瞧察，看有沒有人跟在我們後面。我們的路徑眞是很奇特。福爾摩斯對於倫敦的小徑非常熟悉。這一次他迅速前進，而且經過的道路，都是馬廐矮屋等排列的小街，我竟不知道是什麼地方。最後我們走進了一條小路，兩旁都是黝暗的老屋，從這個路又穿到了曼徹司特街和伯蘭福特街。到了那裡，他急忙走進一條狹窄的通道，經過了一扇木門。就到了一塊荒廢的空地。接著，到了一宅屋子的一扇後門口，他便投鑰開門。我們一塊兒走了進去，他便把那門重新關上。

那屋中完全漆黑，但我已知道是一宅空屋。我們的腳踏在沒有地毯的地板上，地板咯吱咯吱地響著。我伸手碰到牆壁，只覺得那牆上的壁紙，正像絲帶般一條條地掛著。福爾摩斯瘦細的冷指緊緊握在我的腕上，引我前進。我們經過了一個很長的通道，才見有模糊的光線從一扇室門上面的氣窗中透出。福爾摩斯忽折向右，我們便進了一間正方形的大空室。屋的四面黑漆漆的，但中央因外面街燈的照射，略有些微光。那街燈和屋子並不近，窗上的玻璃又封滿了灰塵，因此我們在室中只約略可以瞧見彼此的輪廓。我的同伴把他的手按在我的肩上，他的嘴唇接近我的耳朵。

他低聲道：「你可知道我們此刻在什麼地方？」我努力向那幽暗的窗外瞧視，答道：「這當然是貝克街。」「正是，我們此刻在卡姆登屋中。這裡恰在我們舊住處的對面。」我道：「我們爲什麼到這樣裡來呢？」「因爲這裡可以瞧見對屋的情景。華生，請你走近窗口些。但小心不要暴露你自己。你往上看去，那不就是我們冒險事業的發祥地嗎？我要試試我和你分隔了三年，我那種使你驚奇的能力是否還保存著。」

我輕輕走近窗邊，仰目一望，果然可以瞧見我們舊屋的窗口。可是我往窗上一瞧，竟不由得失聲大叫。那窗上的幕簾已拉下了。室中燈光很明亮，有一個人的影子很清晰地映在窗上。那人似坐在靠窗的一隻椅上，他高突的頭部、方闊的肩膀，和輪廓分明的臉部，這些都是我熟悉的。他側著臉，因此窗上恰映出一個黑色的人影，眞像我們的祖父母在我小時常教我玩的剪影一般。那人影就是歇洛克·福爾摩斯啊！我因驚異的緣故，伸出手來抓著我的同伴，證驗他是否確實站在我的旁邊。他的身體有些顫動，又似在那裡暗笑。問道：「如何？」我答道：「天啊！眞是奇妙極了。」

他道：「我深信我的年齡並不會影響我善變的機智。」他說話的聲音滿含著快樂和驕傲，眞像一個藝術家讚賞自己的創作一般，他又道：「這形像當眞像我嗎？」「我可以發誓那就是你。」「這就是葛拿勃兒的法國藝術家米尼亞的傑作。他費了好幾天功夫方才塑成這個模形，是用蠟製成的。其餘的裝飾，就在今天下午，我到了貝克街後親手安排好的。」

「但是爲什麼呢？」他道：「華生，這是因爲我要讓別人認爲我在家裡，實際上我卻在別的地方。」「那麼，你認爲你這屋子受人監視嗎？」「我確定有人監視。」「什麼人呀？」「華生，就是我的老仇敵。他們的首領雖然已躺在萊亨巴哈的瀑布之中，但餘黨還在，並且只有這班人知道我依舊活著。他們必料到我遲早要回到舊寓中去的，他們已在這裡守候了好久。

今天早晨，他們見我果眞回來了。」「你怎麼知道的呢？」

「當我從我窗口望出去時，看見一個監視的人。這個人名字叫做巴克，但對我不足爲害，他以偷竊爲生，並且善吹口琴。我對於這個人不放在心上，但是他背後的另一個人，我卻不能不防，他是莫理亞提的心腹，也就是那天從巖頂上丟大石下來的人。他是倫敦罪犯中最兇險狡猾的。華生，我確信今天夜裡，這人正想謀殺我。但他決不知我們正在跟蹤他。」

我朋友的計劃漸漸顯露出來了。從這個優越的位置，我們可以監視那監視的人，和刺探那刺探的人。那樓上的黑影彷彿是一種誘餌，我們倆是獵人。我們在黑暗中靜悄悄地站著，看著街上往來的人。福爾摩斯不動聲色，但我知道他的神經十分的緊張，他的眼睛對於街上經過的人們，一個也不遺漏。那天晚上多風且寒冽，蕭蕭的風聲在街上吹著，街上往來的人們，大半都扣著鈕扣和圍著圍巾，有一兩次，我覺得瞧見一個人影，似乎先前已經見過。後來我又見兩個人，站在距離我們舊屋不遠的一家門口，彷彿在那裡避風一般。我正想指給我的朋友瞧，但他似乎有些不耐，依舊目不轉睛地看著街上。他好幾次以手指在牆壁上敲著。我知道他覺得有些不安了，似乎他的計劃竟不能像他預料的順利。最後，將近半夜，街上的行人漸漸稀少了。他在室中往來踱著，似已不能再等的樣子。我正想和他說話，但我的眼睛一瞧到對面明亮的窗口，又不禁像先前一般地驚奇起來，我握著福爾摩斯的手臂，向上面指著。我呼道：「那邊黑影已移動了！」

原來這時候，那窗上的黑影已不是側面，

而是轉了一個方向，背向著我們。三年的時間，仍然沒有把他所有奇巧的心思，和躁急不耐的脾氣改變多少。

他答道：「當然動了。華生，你想我是這樣一個笨蛋嗎？假使我以一個不動的影像放在那裡，你想可能欺騙那些全歐洲最狡猾的人嗎？我們在這屋中已兩個鐘頭了。哈德遜太太已把這蠟像移動了八次，大概每一刻鐘，總有一次的移動。她是在那像的面前移動的，因此她的影子外面不會瞧見。唉！」他說到這裡，忽然屏住了呼吸，顯出一種驚駭的神情。我在那暗淡的光線中，瞧見他伸長了頭頸，全神貫注的樣子。那兩個站在那邊門口的人，那時也許仍隱伏著，但我已沒看見他們了。街上寂靜而黑暗，除了對窗中黃色的燈光，映出一個黑影在窗上以外，別的都瞧不清楚。這樣靜寂了一會，我忽聽見我友從齒縫中發出些微聲，接著，他把我拉到室中最暗的一角，他的手按在我嘴上，禁止我出聲。我覺得他那按在我嘴上的手，有些兒顫抖。我從來沒有見過我的朋友如此驚動。可是外面街上，卻依舊靜悄悄沒有變動。

忽然間，我發覺他敏銳的感覺果真沒有錯。有一個聲音傳進我的耳朵。那聲音不是從前面的貝克街來的，而是從我們匿伏的屋子後面傳來的。接著，聽見開門和關門的聲音。一剎那間，便有腳步聲從那通道上過來。那腳步聲聽來像要保持安靜的，可是在空屋之中，終不能不發出些回聲。福爾摩斯靠著牆壁匍匐著，我也照他的樣子做，我的手卻按在手槍柄上。黑暗中，我瞧見一個高大的黑形，看去比那開著的門口更黑。那人站住了一會，便彎著身子向室中央走來。那人距離我們只有三碼遠了。我料想這可怕的人立即要向我們撲來。可是我雖準備作勢，那人卻似乎沒有瞧見我們。他緩緩地從我們前面經過，走到了窗口，就輕輕將窗拉起了大約半呎左右。當他的身子俯向那拉起的窗口的時候，外面的燈光因沒有塵封的玻璃所隔，便直射在他的臉上。我見這人也露出驚慌的樣子。他的兩眼像兩顆明星，臉部有些皺縮，年齡已大。他的鼻子細長而突出，高廣的額角，髮頂已禿，頷下有灰色的濃鬚，頭上戴著一頂可以摺疊的大禮帽，卻推在顱後，他身上穿一件晚禮服，胸口露出白色的襯衫。他的面容，狡猾中還帶些殘忍的野性。他手裡拿著一根手杖，但他把那手杖放在窗檻上時，卻發出像金屬的碰撞聲。接著我見他從外衣袋中，拿出一個巨大的東西，然後似乎忙著整理什麼東西。最後聽見喀噠一聲，彷彿是一種栓或彈簧合上了榫口。他仍舊跪在地板上，努力裝配什麼東西。到了最後，又有一個磨擦的聲音，並且喀噠一聲。那時他站起來了。我見他手中拿著一把長槍，槍托很特異。他開了槍膛，放些什麼東西進去，又重新把膛口關好。於是他跪了下來。將槍管擱在開著的窗邊，他的頭也低垂下來，眼睛向準星望著，我聽見他發出一種低微的滿意聲。那時那槍托正抵在他肩上，他的目標就是對面窗上的黑影。此刻已沒有任何阻隔。他猶豫了一下，他的手指緊按著板機，忽然砰地一聲，一陣玻璃破碎的聲音傳來，在這當兒，福爾摩斯突然跳上前去，像一隻猛虎向獵人撲咬一般，那人便立即倒在地板上面。但不一會他又跳起，用力握住了福爾摩斯的頸喉。我便忙奔上去幫忙，用我手槍的

柄，在他頭上擊了一下，他又重新倒在地上。我隨即騎跨在他身上，我的同伴也吹響警笛，

他用力握住了福爾摩斯的頸喉

於是一陣急促的腳步聲從屋前的側徑上奔來。有兩個穿制服的警察，和一個便衣偵探，從那屋子的前門直衝進來。

福爾摩斯道：「雷斯特拉，是你嗎？」「正是，福爾摩斯先生。我今夜親自來。先生，我很高興見你重回倫敦。」「我想你也許需要些非正式的助力了。雷斯特拉，一年中有了三件沒有破獲的謀殺案，那實在有些不像樣啊！但你辦理慕爾奇一案，比你以前的——換一句話說，你還辦理得當。」

我們大家都立直了身子，那個犯人被兩個警察左右押著，不停地咻咻喘氣。那時街上已聚集了幾個閒漢，福爾摩斯走到窗邊把窗關了，又把裡面的窗簾拉上。雷斯特拉拿出兩枝蠟燭，警察們也把他們的燈罩移開，我才能仔細瞧瞧那罪犯的面貌。

那人的外表很勇健，闊大的額角，很像一個哲學家，下巴也特別方闊，顯見這個人若不作惡而從事正當工作，會是一個非常的人物。但一瞧見他兇惡的藍色眼睛、下垂的眼瞼、鷹鉤鼻和額角上深刻的皺紋，便可知那都是他兇惡秉性的表現。他不理會我們，只把他的眼光

凝注在福爾摩斯臉上，顯出一種怨恨和驚奇夾雜的神情。他嘴裡喃喃咒道：「你這鬼！你這狡猾的鬼！」

福爾摩斯一邊整理被拉亂的硬領，一邊答道：「上校，這眞像古劇中說的『情侶們闊別後的重會』。自從我在萊亨巴哈瀑布蒙你關愛注意以後，這還是第一次見到你呢。」

那上校以空洞的目光，一眼不眨地看著我友，嘴裡只喃喃咒道：「你這狡猾的鬼！你這狡猾的鬼！」

福爾摩斯道：「我還沒有替你們介紹哩。這一位就是馬萊上校，從前在印度駐軍中服務過。他的行獵本領可算是全國第一。上校，我想你的打虎本領，至今還沒有人敵得過吧。」

那兇惡的老人沒有說話。他野蠻的眼光，仍瞧著我友，他眞像一隻猛虎。

福爾摩斯又說道：「我很詫異，我這小小的計策，竟能夠騙得過這樣一個老手。這種方法，你想必也很熟悉的。當你打獵的時候，不是把一隻小羊繫在樹下，自己卻在樹上架槍等待，專等那猛虎來進你圈套的嗎？今夜這空屋可算是我的樹，你就是我的猛虎。我在打獵時，通常預備數槍，以防同時有許多的虎來，或是我的槍彈失誤時用。」說時他指著我們這幾個人道：「瞧，這就是我多預備的槍械。所以今夜的事，實在和行獵的情形相同的。」

那個人怒吼了一聲，忽想向前撲來，但兩個警察把他抓住，讓他不能如願。但他臉上的怒容眞是可怖極了。

福爾摩斯又道：「不過，有一件事卻是出我意料之外的。我沒有料到你竟也想到利用這宅空屋，和這一扇前窗。我以爲你會就在街上動手的。因此我請了幾個警察等你。今夜我的朋友雷斯特拉也恭候你好久了。除了這一點以外，其他的完全是我預料中的。」

那個人回頭向雷斯特拉說道：「我不知道你有沒有正當理由可以逮捕我，但無論如何，我總不應聽憑這個人任意訕笑。假使我此刻已在法律的掌握之中，就以合法的手續處置我吧。」

雷斯特拉道：「好，這話也合情理。福爾摩斯先生，我們在動身以前，你大概不會再有什麼話吧。」

福爾摩斯這時已從地板上將那猛烈的氣槍取起，正自察驗那槍的機關。

他說道：「這眞是一種特別且罕見的武器。這槍的射擊力非常大，聲音卻不很大。我知道這槍是已故的莫理亞提教授，授意德國的盲機械師馮赫德造的。我久仰這東西好幾年了，卻從來沒有機會見過。雷斯特拉，我請你注意一下，並且也須妥爲保存這槍彈。」

雷斯特拉一邊指揮警察們押著犯人從屋子裡出去，一邊答道：「福爾摩斯先生，你放心。這東西我們當然會保管的。你現在還有別的話嗎？」

福爾摩斯道：「我要再問一句。你準備控告他什麼罪名？」

雷斯特拉道：「他的罪名嗎？那當然是蓄意謀害歇洛克·福爾摩斯先生了。」

「不要，雷斯特拉，我不願在這件事上露臉。這個人被捕，你儘可一個人承功。眞的，雷斯特拉，我恭喜你。你今夜憑著你的能力，已捉住一個大人物了。」

「大人物嗎？福爾摩斯先生，你這話有什

麼意思？」

「這個人就是警探們費了全力捕捉不到的人——馬萊上校，就是在上個月三十日在公園街四二七號，用氣槍向二樓窗口裡打死隆納德·艾迪亞貴族的兇手。雷斯特拉，這就是他最大的罪名，華生，你如果受得了破窗裡吹進來的風，我想請你到我的書房中吸半小時的雪茄。我還可提供你些有趣的資料呢。」

我們從前居住的屋子，因梅格勞甫·福爾摩斯供給的租金，和哈德遜太太的隨時整理，因此並沒有改變舊狀。我進了書房，見裡面整理得非常潔淨，一切器物的位置都像從前一般。那隻染滿酸素斑痕的化學實驗桌，仍舊放在壁角。書架上依舊排著許多黏貼新聞紙條的冊籍和參考書等，要是別的人，這些書籍必早已做了生火之物了。還有那些掛圖、提琴匣子、煙斗架和那常放板煙的波斯拖鞋都歷歷在目。這時室中有兩人——一個是哈德遜太太——我們進去的時候已笑臉相迎了——另一個就是那奇怪的蠟像，這蠟像在今夜的冒險中，竟也佔著一個重要的地位。那像的臉孔，和我友的竟完全相同。像的下面有一個小小的座子，肩上披著一件福爾摩斯的舊衣，因此從下面街上瞧視，一點也瞧不出破綻。

福爾摩斯問道：「哈德遜太太，我想你剛才一定很謹慎從事的。」「先生，我依你的話，在移動的時候，跪著走近去的。」「好啊，這件事你幹得再好沒有了。但你可知子彈打在那裡？」哈德遜太太道：「先生，我瞧見了。我怕子彈已把你美麗的蠟像弄壞了。因那子彈從這像的額角上穿過，又打在壁上，我已從地毯上拾了起來。這個就是。」

福爾摩斯接過子彈，又拿給我瞧，說道：「華生，這是一種軟頭的手槍子彈，是特別製造的。你想這樣的子彈，誰想得到是從氣槍中打出來的呢？哈德遜太太，好了。我很感激你的幫助！華生，現在我希望你坐在你的老座位上。我還有幾個要點，要和你談呢。」

他把那一件舊的外衣脫下，穿了一件灰色的便服，便回復了往日的福爾摩斯。

他在那蠟像的額角上仔細察驗了一下，笑著說道：「這老猾賊的手還不抖，他銳利的眼光也還沒有喪失哩。你瞧，那子彈從顱後中央打入，穿透了額角出去。他是印度最好的槍手，就是倫敦城中，也找不出幾個比他好的人。你可曾聽過他的名字嗎？」我答道：「不，我沒有聽過。」福爾摩斯道：「他是一個著名的人物。我記得你從前也不曾聽過莫理亞提教授的名聲，其實他可算是本世紀的大思想家之一，現在請你把書架上的人名錄取下來給我。」

他接過書以後，以身子靠著椅背，一邊懶洋洋地將書一頁頁翻著，一邊縷縷吐出他藍色的雪茄煙霧。

他道：「我這本人物名錄的確很有用。M字這一類資料更豐富。這就是莫理亞提教授，他不論在那方面都非常傑出；這是毛根，他是一個著名的製毒藥的人；還有墨瑟司，這個人也很兇惡，他曾在查林格洛斯車站的候車室中，打落我左邊的一顆牙齒。唉！這就是我們今晚的那個朋友了。」

他把那本翻開的書拿給我看，我念那記載道：「馬萊上校，無職業，從前在班克羅先鋒隊服務。一八四〇年生於倫敦。他是前駐波斯公使奧古斯塔斯爵士的兒子。曾進過伊頓公學和牛津大學，又曾參與過喬基和阿富汗等戰役。一八八一年出版過一部著作，叫做《希馬雅拉山西部行獵記》。一八八四年又完成一部著作，書名叫《森林中的三月》。他的地址是在康杜特街、英印俱樂部、坦克維耳俱樂部、貝葛特俱樂部等處。」

我又瞧那記載的旁邊另有福爾摩斯的親手筆記，寫著：「倫敦城中第二號危險人物。」於是我把那巨書重新還給福爾摩斯，說道：「這眞是很奇怪。這人過去的歷史分明是一個高貴的軍人啊。」

福爾摩斯答道：「是啊。他的才幹本來很卓越，他的意志堅定，膽量又夠，在印度至今還有人談起。他曾蜷伏在陰溝之中，掩捕一隻受傷的食人老虎。華生，在植物界中，有幾種樹長到了某種高度，會忽然變成古怪的樣子。

這種情形在人類中也常見。我有一種理論，每一個人的行爲，受他祖先的遺傳影響很大，因此一個人忽然變好變壞，大概是和他祖先的血統有關。換句話說，每一個人都可以表現他家族中的歷史。我相信這理論是正確的。」

「我卻覺得很玄妙。」

「馬萊上校本是一個名門貴族。現在卻走上歧路。他在印度惡名尚未張揚，因此有許多人仍佩服他，他回到了倫敦，他的惡行便暴露出來。之後他便和莫理亞提教授結合，莫理亞提供他金錢，利用他做了幾件不是尋常罪犯所能幹的案子。你大概還記得一八八七年時，勞德地方史都華太太慘死的事吧？我確定這件事就是馬萊幹的。但是沒有法子證實。馬萊非常狡獪，莫理亞提的祕黨雖已破獲，馬萊卻仍能逍遙自在。你可記得有一次我到你寓中來，特地將百葉窗關上嗎？就是因爲我怕他的氣槍，你那時也許以爲我太神經質，其實我的舉動決不會無的放矢。我確知有這樣一種武器，又知道運用這武器的人必是一個稀有的射槍能手。當我們在瑞士的時候，馬萊和莫理亞提等尾隨在我們後面。當我和莫理亞提決鬥以後，我在萊亨巴哈石壁上時，那個把石塊擲向我的人，必定就是馬萊無疑。我到了法國，雖然隱姓埋名，但對於報紙上的新聞，仍時常注意，希望得到機會可以捕住他。因爲他若留在倫敦，我的性命便不免危險。他必日夜守伺著我，無論我怎樣防備，遲早總不免要落在他的手中。我能如何對付他呢？我雖然當面見他，卻不能就開槍打死他，這樣我自己就犯罪了。我也不能提起控訴，因爲這種事在法官眼中必以爲只是我個人的懷疑，當然不會受理。因此，我實在沒法可施。我只能注意那罪案的消息，預料不久終可以把他制服。後來我忽聽說隆納德·艾迪亞被害的消息。於是我的機會到了！我推想這案子應該是馬萊上校幹的，他起先必曾和這貴族少年一塊兒玩過紙牌，後來就從俱樂部中跟蹤他回家，接著就用他的氣槍，從窗口把他射死。這點是毫無疑惑的。這軟頭的槍彈就是一種確證。我立刻回到寓所，但被那監視的人瞧見。那人必立即報告上校我已回來，他一得到這個消息，勢必立刻覺得，我回來一定和他的犯罪事情有關，他也不能不留意。我確知他立刻要謀害我，以免成爲他的障礙。至於謀害我的方法，不消說仍要利用他那把可怕的氣槍，我在樓窗上映著那個蠟像影子，又暗囑警察們埋伏著。華生，你剛才見他們躲在那附近的門口，你的眼力不錯。但我當時以爲我們的位置很好，儘可以默察他的行動，卻不料他竟也想到利用對面的空屋。這一點眞是出我意料之外的。我親愛的華生，你可還有別的事要我解說嗎？」

我道：「有的。你還沒有說明，馬萊上校要打死艾迪亞貴族，究竟有什麼目的。」

「唉，華生，這一點也不容易推想。無論怎樣富邏輯的頭腦，假使憑空猜想，終究難免失誤。現在你所問的問題，照眼前的情形而論，你的假設和我的假設都有可能對。」

「那麼，你已有了一種假設了嗎？」

「就事實而論，也不難推解。你知道馬萊上校和艾迪亞二人曾合資而賭，他們贏了一大筆錢。但我知道馬萊的賭法一定用欺詐的手段。大概那天馬萊的詐術被艾迪亞發覺。艾迪亞也許和馬萊密談，要求他自動取消俱樂部會員資格，並且以後不再到俱樂部賭紙牌，否則他就要暴露他的詐騙行爲。這句話也許是艾迪亞虛聲恫嚇，或許他眞要實行他的話，但馬萊卻不免因此恐慌起來。他的生活專靠欺詐的賭術來維持，假使果眞脫離了俱樂部，那豈不要致他於死嗎？於是他就跟蹤艾迪亞回去，開槍將他打死。那時候艾迪亞想必正在核算他和馬萊合資而用詐術贏來的錢，以便分還給輸錢的人。因爲這樣，他就鎖住了門，以防他在核算和分配錢的當兒，被別的婦女們進來瞧見。你想這一種假設可通得過嗎？」

「我確信你的話和事實相差不遠。」

「是否有差異，等到審問的時候，就可以明白了。就眼前而論，那馬萊上校再也不會纏擾我們了。他那著名的氣槍也勢必要進蘇格蘭警場的陳列室去了。同時歇洛克．福爾摩斯先生也可以專心一志，重新研究倫敦繁複社會中所發生的種種有趣問題了。」

火中祕（原名 The Norwood Builder）

歇洛克・福爾摩斯說道：「從犯罪學家的眼光看來，自從那可憐的莫理亞提教授過世以後，倫敦城已變成了一個枯燥乏味的地方了。」

我答道：「我想你這樣的說法，大部分的市民絕對不會同意的。」

他道：「唉，不錯，我不該這麼自私的。」說時他微微笑了一笑，又把他的椅子從餐桌旁挪後了些。他又繼續道：「這樣人們當然是求之不得。只有那些犯罪學家才覺得無趣。因爲他這時已無事可爲了。華生，從前我們每天在報上瞧見些瑣碎的事情，但據我看來，那背後卻隱藏一個偉大的犯罪頭腦，就像我們見了蛛網的邊際微微搖動，便知網的中心必有一個大蜘蛛躲著。而那些小小的竊案、兒戲般的襲擊，和無目的的暴行等等，在我眼中看來，都是相關的。我常覺得研究犯罪行爲的人們，若要搜尋資料，在歐洲各國的首都中，沒有比倫敦更適宜的。但是現在——」他說到這裡，聳了聳肩，便忍住了不再說下去。

當我和他作這一番談話時，福爾摩斯已回來了好幾月。我因爲他的提議，已把我的診所出讓給人，重新回到貝克街的舊寓裡來。那個接替我在肯辛頓診所的醫生名叫范納。他對我所開的高價，竟一口答應。這一點很讓我驚訝，直到數年以後，方才明白，原來范納是福爾摩斯的一個遠親，當時他所出的承頂款，其實是福爾摩斯幫他籌集的。

我和他同住以後，所遇的事情，實在並不

像他所說的這樣平淡。從我的記錄上看來，在這期間，接連發生了幾件巨案，例如卸任總統穆烈洛的文件案、驚人的荷蘭汽船案等都是。汽船案不但驚動一時，連我們倆也差點喪命。但他冷淡和傲岸的性情，往往不喜歡接受公衆的稱譽。因此，他常禁止我把他成功的案子、偵查的方法，和關於他的一切情形向外面披露。但這禁約此刻已經取消了。

歇洛克·福爾摩斯說了一串古怪的議論後，把身子靠著椅背，打開晨報，正懶洋洋地打算閱讀。忽然聽見一陣鈴聲，接著又有叩門聲音。不一會，我們聽見前門開了，有一陣急亂的腳步聲衝進通道，奔向樓梯上來。突然間，一個面容灰白、頭髮散亂的青年，瞪大了眼睛，滿露著驚惶的神色，匆匆奔進室來。他向我們倆瞧視了一下，見我們疑問的眼光，他似覺得這樣不客氣地直闖進來，不能不道一聲歉了。

他說道：「福爾摩斯先生，我很抱歉，請你不要見怪。我快要瘋了。福爾摩斯先生，我就是不幸的約翰·麥克法蘭。」

他說了這幾句話，似乎表示他只要說出了他的姓名，便足以解釋他的來意和這種匆亂的狀態。我見我同伴的臉色，知道他和我一樣地莫名其妙。

福爾摩斯把他的煙盒遞過去，說道：「麥克法蘭先生，請吸一枝紙煙。我確信照你這樣的狀況，我的朋友華生醫生一定要給你開一服鎮靜劑了。這幾天天氣很熱，我看你現在似乎略略安適些了。請你坐在那隻椅上，緩緩地告訴我們你有什麼見教。你雖已自陳姓名，好像我早已知道。其實我從你明顯的特徵上，只知道你是一個單身的律師、工黨的黨員，和有喘疾的人。此外一無所知。」

我對我朋友的觀察方法，雖然很熟悉，但我實在不能和他一樣有推斷的眼光。我只見那人衣服不太整潔，袋中塞滿了公文紙，錶鏈上繫著一種徽章，呼吸的時候特別急促。但我們的委託人聽了我的朋友的話，很詫異。

他道：「福爾摩斯先生，你的話完全對。除此以外，我此刻實在是倫敦城中一個最不幸的人。福爾摩斯先生，請你看在上帝的分上，不要拒絕我。假使他們在我說完我的故事以前，便來捉我，請你讓他們略為寬限一點，以便我把這事的全部眞相告訴你，我若知道你能在外面替我設法伸冤，我就是進監牢裡去，也可以安心了。」

福爾摩斯道：「捉你嗎？這倒很有意思。你犯什麼罪要被捕呢？」

麥克法蘭道：「我的罪名就是謀殺諾伍德的喬納．烏而達先生。」

我見福爾摩斯的臉上顯出一種同情，其中還含著幾分滿意的神情。

他道：「唉，剛才吃早餐的時候，我還對我的朋友華生醫生說，近來驚奇的案子已從報紙上絕跡了。」

我們的來客伸出一隻顫抖的手來，從福爾摩斯的膝上，把那張《每日電訊報》拿起。

他道：「先生，你假使已看過了這張報紙，那你一見我的模樣，便可知我此刻到這裡來有什麼事情。我知道我的姓名和我不幸的遭遇，此時已成了人們茶餘飯後談話的焦點。」他把報紙翻開來，翻到了中央一頁，又繼續道：「這裡就是了。你若願意，我可以讀給你聽。福爾摩斯先生，你聽著。這新聞的標題是：『諾伍德的詭祕事件——著名建築家失蹤，疑是謀殺縱火——罪犯的線索。』福爾摩斯先生，這裡所說的線索就是指我。此刻他們已著手進行了。我從倫敦橋車站開始已被人跟蹤。因此我深信他們一領到了逮捕狀後，便會著手逮捕我。我假使被捕，我母親的心要碎了。」他說到這裡，兩手緊握著，顯出一種非常驚恐的樣子。

我仔細向這個背負殺人嫌疑的人瞧著。他的頭髮鬈曲，眉目很端正，藍色的眼珠含著驚怖，臉上修得很光潔。他的嘴唇露出一種柔弱而善感的樣子。他的年紀大約二十七歲，服裝顯示出是一個上流人物。從他淺色的外套袋中，露出一卷文件，足以表示他的職業是一個律師。

福爾摩斯道：「我們應該把握眼前所有的時間。華生，你能把報中的這一節新聞讀給我聽嗎？」

我從那委託人剛才讀過的幾行標題下面，開始朗誦那一節詳細的記載：

「昨天夜裡——或是今天早晨，在諾伍德發生了一件重大的罪案。喬納・烏而達先生是鎮上的一個著名的住戶。他是一個建築師，在鎮上執業多年，烏而達先生已五十二歲，是個單身漢，住在雪鄧海路盡端的帝波敦山莊。人家都說他是一個有怪癖的人，平日喜歡深居靜養。多年來，他已累積了一筆財富。他的屋後有一個小小的木場，昨夜大約十二點鐘，場中的一個木堆上，忽然發生了火警。救火車雖然立即趕到，但那乾燥的木材著火猛烈。直等到整堆木材全部燒完，方才撲滅。這一件事從外表看來，原是一種尋常的天災，但有幾種跡象顯示是一樁嚴重的犯罪行爲。因在失火的時候，主人並不在場，這點非常令人懷疑。後來經查明，才知烏而達已失蹤。因爲偵查他房間的結果，發覺他的床上並沒睡過的痕跡，房中有一個鐵箱，箱門開著，有許多重要的紙件滿地四散。最後又發現幾種謀殺的跡象。室中有幾點血跡，另有一根橡木的手杖，杖柄上也留著血跡。據說昨夜烏而達先生曾有一個訪客到他的臥房裡去，那所遺的手杖，已證明就是那個訪客的東西。那人是倫敦的律師，名字就叫約翰・麥克法蘭。他和葛萊海在倫敦格利興大樓四百二十六號合夥開設律師事務所。警方已掌握了充分的證據，預料不久便能有驚人的發現。」

「最新消息——本報付印的時候，外界謠傳約翰・麥克法蘭先生已因謀殺喬納・烏而達先生的罪名被通緝。且有一點已可確信，就是逮捕狀已發出。據聞在諾伍德中，又有幾種新的發現。除了那建築師室裡的爭鬥痕跡以外，又查到樓下臥室中的長窗，也已被打開。另有跡象顯示，似乎有什麼巨大的東西從窗口拖過，直拖到後面的木堆上去。並且在那堆火燼中，還有燒焦的骸骨。因此偵探們表示，這一定是一件驚人的謀殺案。他們推測那不幸的建築師一定是在他臥室中被殺害，他的文件隨即被人盜走，屍體被人拖到木堆上面，然後引火焚燒，以便滅跡。現在這件案子已交給蘇格蘭警場的警探雷斯特拉著手偵查。他已憑著他平素的能力和機智，朝著所得的線索上進行了。」

歇洛克・福爾摩斯閉著眼睛，兩手指尖抵著指尖，斂神靜聽這一節驚人的報導。

他等我唸完，才開口說道：「這案子有幾

點確實很有注意的價值。麥克法蘭先生，我先問你一句。據事實看來，已有充分的證據將你逮捕。但你此刻怎麼還自由呢？」

麥克法蘭道：「福爾摩斯先生，我本和我的父母住在黑草鎮的鐸林登屋。但昨夜我因和烏而達先生接洽些事，時間很晚了，所以就住在諾伍德的旅館裡面。今天清早，我就從那裡直接到我的辦事處來。我根本不知道這一回事，直到上了火車，從報紙中讀到了你剛才聽的那節消息，於是我知道，我已處在一種很危險的狀況，因此便直接趕到這裡來求你幫助。我確信我若回我的辦公處，或在我家裡，此刻必已被捕無疑。我覺得在倫敦橋的車站上，似有一個人尾隨著我，因此我料想——哎呀，什麼人？」

這時有一陣門鈴聲，接著有一陣沈重的腳步聲走上樓來。轉瞬間，我們的老朋友雷斯特拉已站在門口。我從他的肩頭瞧去，他背後還有兩個穿制服的警察。雷斯特拉開口道：「約翰・麥克法蘭先生。」我們那位不幸的委託人便哭喪著臉，站起身來。雷斯特拉又道：「我現在以你在諾伍德，謀殺喬納・烏而達的罪名逮捕你。」

麥克法蘭先生回頭瞧著我們，顯出絕望的神情。他重新倒在椅中，好像已到了完全絕望的境地。

福爾摩斯說道：「雷斯特拉，請等一等。如果耽擱半小時，對你也不致有什麼影響。現在這一位先生，正要把這一件值得注意的事告訴我們。這樣也許可以幫我們查明這事的眞相。」

雷斯特拉莊容道：「我覺得這件事的眞相

已經很清楚了。」

「不過，如果你答應。我很想聽他的陳述。」

「好，福爾摩斯先生，你既要如此，我也不能拒絕。因你從前曾幫助我們一兩次。你實在對我們蘇格蘭警場有功。現在我可以在這裡等。但我必須警告我的犯人，他說的話，將來也許就要做他犯案的證據的。」

我們的委託人答道：「那再好沒有。我所請求的，只是你們靜聽和瞭解這事的眞相。」

雷斯特拉瞧瞧他的錶，說道：「我允許給你半個鐘頭。」

麥克法蘭便說道：「我須先說明，我並不認識喬納・烏而達。但他的名字我很熟悉，因爲我的父母和他交往過好幾年，但後來他們突然斷絕往來。因此昨天下午三點鐘，他到我在倫敦的辦公處來時，不禁使我非常詫異。他把來見我的意思說明了後，我更覺驚異。他手裡有幾頁從記事冊中撕下來的紙，紙上寫滿了字。這紙現在我帶著。他把紙放在我的桌上，說道：『這是我的遺囑。麥克法蘭先生，我要你把這紙上的話寫成合法的格式。我可以坐在這裡等你。』我依著他的話，把那紙上的字句抄錄下來。後來我發現他的遺囑中，竟把他全部的產業傳給我。這一點完全出我意料之外，你們可想像我當時的驚愕了。他是一個奇怪而瘦小的人，他的眉毛是白色的。當我抬頭看他的時候，見他灰色而敏銳的眼睛，正帶著開心的眼神，凝視在我臉上。當我讀到了遺囑的這一節，幾乎不敢相信我的眼睛。他說從前和我的父母相識，又常聽說我是一個有志的少年，所以他願意把他的財產留給一個適合的人。我聽了他的話，只有結結巴巴地說些感謝的話。

那遺囑寫成後，他簽了名字，又叫我的書記做了證人。那是一張藍色的紙寫的，他帶來的幾張小紙就是草稿。烏而達先生又告訴我，他有許多文件，例如房契、票據和抵押的契約等等，我都應該看個安心，因此他請我在昨天夜裡到他在諾伍德的家裡去。他還叫我去的時候，把遺囑帶著，以便和我接洽一切。最後，他說道：『孩子，你記著。在這件事情洽妥以前，你不可向你的父母說起。我們應保守一下祕密，以便給他們一個意外的驚喜。』這一點他似很堅持，且要我一定做到。福爾摩斯先生，在那時候，我對於他的任何請求，都不容易拒絕。他既是賜惠給我的人，他的意思我自然只有完全順從。因此，我發一個電報回到家中，說有一件要緊的事情，我自己也不知道晚上什麼時候才可處理好。烏而達先生叫我在九點鐘時和他同進晚餐。但在九點以前，他也許不在家中。後來我因爲他的屋子不容易找，直到九點半鐘，方才到他家中。我見他……」

福爾摩斯插口道：「等一下。誰給你開門的呢？」麥克法蘭道：「有一個中年婦人，我想是他的管家婦。」「那麼，給你通報的也就是她嗎？」「正是。」「好，請你說下去。」

麥克法蘭抹了一抹額上的汗，又繼續說道：「我被這個婦人引進一間起居室，室中已擺著簡單的晚餐。餐後，烏而達先生領我到他的臥室去。那裡有一個巨重的鐵箱，他開了箱門，取出一束文件，我們倆就一塊兒看。直到十一點多，我們方才看完。他說我們不必驚動那個管家婦來開門，他就自己領我從那法國式的長窗裡出來，那窗一直是開著的。」

福爾摩斯問道：「那窗的窗簾，可曾拉下

來呢？」

「我不太確定。但我覺得似乎拉下了一半，啊，我記得了。他開窗的時候，曾把那窗簾拉起來。我正在找我的手杖，卻找不到。他說道：『我的孩子，那不礙事。以後我常要和你見面。我可以幫你把手杖放好，等你下次來再拿就好。』於是我就和他分離。那時鐵箱的門仍舊開著，許多紙件，紮成一束一束地放在桌上。我出了他的屋子，因時間已晚，來不及回到黑草鎮去，所以就在諾伍德的恩訥里旅館中住了一夜。除此以外，我別無所知，直到今天早晨，才從報紙上得知這一件可怖的事情。」

雷斯特拉聽麥克法蘭解說的時候，眉毛揚起了幾次。等他說完，才發問道：「福爾摩斯先生，你可還有別的話要問他嗎？」

福爾摩斯道：「眼前不必再問了，我須到黑草鎮去一趟再說。」

雷斯特拉道：「你的意思，也許要去諾伍德吧？」

福爾摩斯笑了一笑，答道：「不錯，正有此意。」

雷斯特拉因屢次的經驗，已知道一定有什麼他沒發現的問題，而福爾摩斯敏銳的腦筋，卻已一目瞭然的。他向我的同伴瞧了一會，忽道：「歇洛克．福爾摩斯先生，我有一句話要向你說。」接著又回頭向我們的委託人道：「麥克法蘭先生，現在有兩個警察在門口等你。下面又有一輛四輪馬車，你們先動身吧。」

那可憐的少年站起身來，又以最後懇求的眼光，向我們倆瞧了一瞧，才緩緩走出室去。門外兩個警察，就押著他下樓登車。雷斯特拉卻仍留著不去。

這時福爾摩斯已把那幾張遺囑的草稿取起來仔細察驗。

一會兒,他把這幾張紙給雷斯特拉,說道:「這紙中有幾點線索。雷斯特拉,你以爲如何?」

那蘇格蘭警場的警探取起紙張,顯出很疑惑的樣子。

他道:「我只能讀開頭的幾行、第二頁中間的數行,和最後的一二行。這幾行寫得像印的一樣清楚。但除了這幾處以外,寫得非常不清楚,並且有兩三處,我完全看不出是什麼字句。」

福爾摩斯道:「你對於這一點有什麼看法?」雷斯特拉反問道:「你有什麼看法呢?」

福爾摩斯道:「我推想這東西是在火車中寫的。那端整的幾行,是在火車停止時寫的;醜劣的字跡,是在火車開動時寫的;至於那模糊不能辨識的數字,一定是火車經過交軌時所寫的。一個懂得科學方法的專家,一見這紙,便能知道這紙一定是在郊區的鐵路線上寫的。因爲除了大城市的附近,絕沒有這樣接二連三的交軌處。假使我們假定他全部的行程,都花在寫這一張遺囑的事上,可知那火車一定是一班快車,並且只在諾伍德和倫敦橋之間停過一次。」

雷斯特拉忽笑了出來道:「福爾摩斯先生,你的分析能力,我實在是及不上。但這與案子有什麼關係呢?」

福爾摩斯道:「自然有關係的。這一點可以印證那少年所說的話。這遺囑確是喬納·烏而達在昨天的行程中寫的。你想這樣重要的文件,卻如此草率地繕寫,豈不奇怪?可知他根本不重視這件事。他若打算立一張事實上並不能履行的遺囑，那自然就隨隨便便地寫了。」

雷斯特拉道：「他的性命卻是在這一張紙上斷送的。」福爾摩斯道：「你以爲如此嗎？」「你難道不這麼認爲嗎？」福爾摩斯道：「那也許可能。但這案子的情由我還不明白。」

雷斯特拉道：「不明白嗎？這樣的事還不明白，怎樣才明白呢？試想，若一個人知道有個老人過世，他就可繼承一筆財產，他會怎樣打算呢？他會暗中計劃，卻不向任何人說起，然後託故在夜間去見他的委託人。他等到屋中的另一個人睡了，走進那老人的屋裡，動手結束了他的性命，再把他的屍體拖到木頭堆上，縱火滅跡。最後，才到鄰近的旅館中去過宿。那室中的血跡很微小，他可能以爲謀殺時並未流血，如果把他的屍體燒燬，那就可以掩滅所有罪證了。這種種跡象，不是都很明顯的嗎？」

福爾摩斯道：「我的好雷斯特拉！在我看來，罪證是太明顯些了！你可惜不曾稍加運用你的想像力。假使你和這個少年易地而處，你若有謀害的意念，可會在立遺囑的當夜急著動手嗎？這兩件事發生的時間這樣近，你難道不會覺得危險嗎？再進一步說，你要幹這樣的事，是否願意讓別的人知道？你可能堂堂皇皇地叩門，讓一個傭人領他進去嗎？此外還有一點，你既費了許多心思氣力燬滅屍體，但你自己的手杖卻反而留給人家，當你犯罪的鐵證，你會如此愚蠢嗎？雷斯特拉，你老實承認吧！這種種證據都是不合情理的。」

雷斯特拉道：「福爾摩斯先生，你說起這根手杖，雖然可疑。但你應該知道，犯罪人的舉動思想，當然及不上頭腦淸醒的人周密。他事成以後，勢必不敢重新回屋裡去，因此留下了那根手杖。請你另尋一種假設，以便印證這件罪證吧。」

福爾摩斯道：「你要別的假設，我可以立即給你半打。現在我姑且給你一種比較近事實的假設。當那老人把那巨價的文件取出來給麥克法蘭瞧時，也許外面恰有一個路過的閒漢經過。那時窗上的窗簾拉起一半，室中的事情，就被這路人瞧見。後來麥克法蘭離開後，那閒漢不懷好意，就走了進去。他見有一根手杖留在旁邊，就取了這杖，把烏而達打死。接著，這閒漢把老人的屍體燒燬以後，便逃走。」雷斯特拉道：「但這流氓爲什麼要把屍體燒燬呢？」「既然你這樣問，麥克法蘭爲什麼要燬屍呢？」「他是要消滅證跡。」「那麼，那流氓所以如此，也許要使人相信那地方並無謀殺的事情。」「但他又爲什麼並不取走一些東西呢？」「因爲他後來知道這些文件並不能當場換錢，他取了也無所用，因此就空手而去。」

雷斯特拉搖了搖頭，但他的態度，似已不像之前那麼堅決了。說道：「歇洛克・福爾摩斯先生，你儘可以照你的意思去找那流氓。我們在你找到他以前，實在不能輕放我們已捉住的人。究竟誰是誰非，將來終可以知道。但有一點，我請你注意。我們知道烏而達的重要文件並沒遺失，因此愈證明犯罪的就是麥克法蘭，因爲他既是合法的繼承人，無論什麼文件，遲早終要到他手中，他自然不必竊取了。」

我的朋友似乎被這幾句話打動了。他尋思道：「我並不否認這裡面有幾種證據確實合乎你的假設，不過我也願意指點你，除了你這種見解以外，還有別的可能的。你說得很對，究竟如何，將來終可眞相大白的。今天我要到諾伍德去，瞧瞧你怎樣進行。」

那蘇格蘭警場的警探離去後，我的朋友站起身來，做種種的準備，那時他的精神振作，顯見正負著一種重大的任務。

他一面把外衣穿上，一面向我道：「華生，我已說過，我第一步往黑草鎭去。」

我問道：「你爲什麼不先到諾伍德去呢？」

他道：「因爲這案中有二件奇怪的事緊接著發生。警察們專心注意在第二件事上面，那未免錯誤。但他們所以注重這點，就因爲第二件事的犯罪跡象比較明顯。不過就邏輯而言，我要進行這件案子，必須先從第一件事上探得些線索——例如，那奇怪的遺囑突然成立，和憑空把麥克法蘭當做財產繼承人，都是有研究價値的。這問題如果解決，以後的事便可以迎刃而解了。唉！我的好朋友，我想這件事你不能幫我。據我看來，這裡面不見得有什麼危險，否則我也決不會單獨出去。我自信今天傍晚見你的時候，定能爲那個求助的不幸少年盡些力。那時你當然也可以聽好消息了。」

福爾摩斯回來時已很晚了。我一瞧他懊喪多慮的面容，便知他出去時所抱的成功希望實際上並沒達成。他足足拉了一個鐘頭的小提琴，似藉此慰藉他紛亂的情緒。後來他把樂器放下，便把他那沒結果的冒險經歷說給我聽。

他道：「華生，這件事弄錯了，而且錯得非常離譜。我在雷斯特拉面前已誇口過了。但這一次他也許已走對了方向，我們卻已誤入了岔路。我全部的假設集中在一個方向，但事實的方向卻完全相反。恐怕英國的陪審團還沒那個程度，所以他們可能會忽視雷斯特拉的證據，而贊成我的假設的。」

我道：「你可曾往黑草鎮去？」

「華生，我去過的。我一到那裡，就聽說已故的烏而達是一個作惡的無賴。後來到了麥克法蘭的家裡，麥克法蘭的父親已出去找他的兒子，只有他的母親在家，她是一個瘦小藍眼的婦人，那時她充滿了恐懼和惱怒。她自然不承認她的兒子有犯罪的可能。她對於烏而達的慘死，既不表驚奇，也不覺得憂傷。她很痛恨他，但她不自覺的怨恨態度，反而使警方獲得更有力的證據。因爲她的兒子假使聽過她對烏而達的怨語，也許也使他養成恨惡的成見。所以，那後來的謀殺舉動，當然更有可能了。她對於死者烏而達的評語，實是深恨痛惡的。她說道：『他是個可惡而狡猾的猴子，不是個人。他從少年時代到現在，始終這樣子的。』我道：『你在他少年時就認識他嗎？』『正是，我和他非常熟識，老實說，他那時還曾向我求過婚。謝謝老天！那時我做了正確的抉擇，與他斷絕，和另一個貧苦卻更好的人成婚。福爾摩斯先生，我那時本已和他訂婚，後來聽到一個可怕的消息，說他把一隻貓放進一隻鳥籠裡去。因此，我害怕他的殘忍，就決定和他斷絕來往。』她說到這裡，便打開一隻抽屜，找出一張照片，照片中是一個女子的形像，但有許多刀痕，縱橫滿紙。她又道：『這是我的照片。他弄成這個樣子，在我結婚的早晨寄給我，以表示他的詛咒。』我道：『至少他現在已原諒你了。因爲他把他的全部財產歸給你的兒子。』她正色答道：『無論我或我的兒子，決不願從喬納．烏而達手裡接受什麼東西。福爾摩斯先生，老天有眼，老天既要降罰這個惡人，祂自有權衡和時間。我的兒子決不會謀害他的。』

我另外又問了幾句，卻問不出什麼事情足以對我們的假設有所幫助。有幾點卻反而牴觸，我只得告別，向諾伍德去。帝波敦山莊是一宅別墅式的磚屋，前面有一個草地，種著幾棵桂樹。屋子的右方，就是那個著火的木場，距離通路略遠。這就是我在記事冊上所繪的屋子草圖。左邊的一扇窗，是通到烏而達室中去的。你瞧，若有人站在路上，也可以瞧見室中的情形。這一點算是我今天惟一聊以慰藉的發現。我到那裡時，雷斯特拉並不在場，有幾個警察守著。他們剛才又發現了些東西。他們搜尋燒燬的木灰，除了燒焦的骨骼以外，還發現了幾種變了色的金屬圓物。我把這東西仔細驗過，知道那定是褲鈕。我還仔細檢查那鈕扣，有一個還鑄著海姆司的名字。後來我知道，那就是烏而達的裁縫師的姓名。接著我在草地上尋覓足跡，但因爲風很大，已把地上吹得似鐵一般乾硬。我瞧來瞧去，不見什麼，只見有一種像重物或屍體的東西，被拖過一排短樹的圍籬，那籬就是圍著木場的。這幾個線索都和雷斯特拉的假設符合。我的背曬著烈日，在草地上爬來爬去，費了一個鐘頭的功夫，卻仍沒有更好的結果。

我空忙了一陣，就進他的臥室裡去察驗。室中的血跡很小，並且顏色已變。那手杖已被人移走了。床上的痕跡也很小。這手杖是我們委託人的東西，他已經承認。地毯上有兩個人的足印，可以明晰辨出，但實在找不出第三個人。這一點也是和雷斯特拉的假設符合。所以我這番勘驗的結果，只覺他的假設有可能，我卻仍毫無進步。我雖然也得到了一絲的希望，結果卻仍等於零。我曾把鐵箱中的東西檢查過。箱中的文件，大半已取出來放在桌上。那些文件都已裝入封口的信封之中，有一兩個信封已被警察開驗。據我看來，這些紙並無重要的價值。從銀行的存摺上看，也不足以證明烏而達先生很有錢，但我猜想那所留的契券，並非全部的契券，也許另有什麼有值價的證券早已不見。假使這一點我們能夠確實證明，那自然可以證明雷斯特拉的話有所矛盾。因他曾說過，一個人既然不久便能繼承那東西，又何需再竊盜呢？最後，我從各方面偵查，尋不到什麼端倪，就決定向那個管家婦試探一下。那管家婦名叫藍克辛，是一個矮小而靜默的婦人。她的臉色略黑，目光斜睨，似很可疑。我覺得她假使願意，一定能透露給我們一點線索。但她始終不肯實說。她承認在九點半，開門讓麥克法蘭先生進去。這一事她很後悔，眞希望當初不曾讓他進來。到了十點半時，她便上床去睡。她的臥室在屋子的另一端，所以無論有什麼聲響，她都聽不到。據她的回想，麥克法蘭先生進門的時候，將帽子和手杖放在客廳中。最後直到火警發生，她方才醒來。她也深信可憐的主人已被人謀害了。我又問她的主人可有什麼仇敵。因爲一般人，總不免有一二個結怨恨惡的人。但烏而達生前，除了在生意上和人交往以外，絕少有往來的朋友。她也見過從灰燼中撿出來的鈕扣，確信這鈕扣就是她主人那夜所穿的衣服上的。那木堆因爲好久沒有下雨，十分乾燥，一經著火，便勢不可遏。當她趕到的時候，只見火燄滿空，已看不見什麼東西。她和救火的人當時都嗅出肉燒焦的臭味。至於那些文件，她並不知道，對於烏而達的私事，她更無所知了。我親愛的華生，你瞧我這一番經歷，便可知我已快到失敗的境地了。可是，可是——」他說時緊握著拳頭，顯出堅決的樣子，他又接續道：「我知道這完全是錯誤的。我敢說我確有這種直覺。這裡面一定隱藏著什麼關鍵沒有暴露。這關鍵那管家婦是知道的。我見到她的眼光中含著一種惱怒和輕蔑的神情，這就表示她知道犯罪實情。華生，現在我們不必多談了，這件案子若沒有僥倖的機會，我怕這件諾伍德的失蹤案子，那就不能夠列入我們的成功紀錄中了。」

我道：「我瞧這青年的樣子，不像爲非作惡的人。陪審員想必不致於就定他的罪吧。」

「我親愛的華生，這一點是靠不住的。你還記得一八八七年時，那可怖的貝特·史帝芬司嗎？他明明是殺人的眞兇，卻來求我們爲他辯白。而他的樣子，不就是柔和可親地像一個主日學校的少年嗎？」「不錯，這話倒是。」

「因此，除非我們能夠成立另一種假設，這個人一定沒有希望了。照眼前的情形看來，一切都證明他有罪，沒有一絲足以平反的空隙。並且現在的種種偵查，也無非使他犯罪的理由更加明顯。不過那文件尚有一個小小的疑點。我們似可在這一點上加以查究。我見烏而達銀行存摺上的數目不多，因爲去年他曾開出幾張巨額的支票給一個柯尼利先生。我覺得這個柯尼利很有研究的價值。那個退休的建築師爲什麼和這個人有如此巨額的金錢往來呢？你想這件案子，這個人可會早已知道？這個柯尼利或許是一個股票掮客，但在各種收據之中，卻沒有這筆款子的收據。我的許多假設都已失敗，所以眼前著手的方向就是到銀行去，探聽那個把這巨額支票兌現的人究竟是什麼人。但我只怕在我們的調查沒有結果以前，雷斯特拉卻已先把我們的委託人定罪吊死。那麼，那勝利榮譽自然都要歸蘇格蘭警場了。」

我不知道那天夜裡，福爾摩斯是否睡過。但我在第二天早晨下樓吃早餐的時候，見他面容慘白而沮喪。因爲黑眼圈的關係，反顯得他眼睛的明亮。椅子周圍的地毯上面散滿了許多紙煙尾，並有幾種早版的晨報，桌子上有一張拆開的電報。

他把那電報推過來給我，說道：「華生，你想這電報怎樣？」

那電報是從諾伍德發的，電詞如下：

「重要的新證據已得,麥克法蘭的罪已定,請你放棄這案子吧。」

我道：「聽起來像是眞的。」福爾摩斯苦笑道：「這可以說是雷斯特拉的告捷文了。但我覺得他叫我放棄這件案子似乎還嫌太早。他說的重要新證據有可能是一把雙刃的刀。也許這證據所暗示的線索，和雷斯特拉的假設完全相反也未可知。華生，你先吃了早飯，我們可一塊兒出去，瞧瞧我們還有什麼行動可以進行。我想我今天需要你的幫助。」

福爾摩斯自己並不進早餐，這就是他的一種特別習慣。他在事態緊張的時候，往往停止飲食，必等到他那強健的體魄，因饑餓而支撐不住時方才進食。假使我以醫生的身分，勸他吃些東西，他一定要答道：「眼前我的精神和力氣，決不能隨便浪費在消化上哩！」所以他那天並不進餐，在我原是見慣不以爲奇的。接著，他便和我動身往諾伍德去。到了帝波敦山莊，見那屋子果然是一宅鄉村別墅，屋子的左右仍圍集了許多看熱鬧的人。進門以後，雷斯特拉便出來迎接我們，他臉上充滿了勝利的神情，他的態度也得意極了。

他說道：「福爾摩斯先生，你可已證明我們的錯誤了？你假設中那個過路的流氓可已找到了？」

我的同伴答道：「我還沒有得到什麼最後的結論。」

雷斯特拉道：「但我們昨天卻就已得到結論了，而且此刻也已證實。福爾摩斯先生，這一次你應承認，我們總算比你略勝一籌了。」

福爾摩斯道：「我瞧你的神情，你一定已得到了什麼意外的發現。」

雷斯特拉高聲大笑。

他道：「你當然也像我們一樣，不願意敗在人家手裡的。但事情決不可能永遠照著自己的意願進行。華生醫生，你覺得如何？先生們，請這裡走。我可以給你們看一個最後的證據，以便使你們確知約翰．麥克法蘭就是犯這案子的眞兇。」

他領我們經過了一條通道，走進一個黑暗的客室裡面。

他說道：「這裡就是麥克法蘭在犯案以後進來取他帽子的地方。你們看這裡。」他擦亮了一枝火柴。我們從火光中，看見那白色的牆上，有一個血跡。雷斯特拉把火柴湊近些，我看得很清楚。原來那不但是一個血跡，而且是一個很清楚的大拇指印。

雷斯特拉道：「福爾摩斯先生，你用你的放大鏡來看看。」福爾摩斯道：「我正在看。」「你該知道，世界上不會有兩個相同的大拇指指紋的？」「這道理我聽說過。」「那麼，請你拿這個蠟製的指模型比較一下。這就是麥克法

雷斯特拉道：「福爾摩斯先生，你用你的放大鏡來看看。」

蘭右手的大拇指印，今天早晨我吩咐人取了他這指印，製成這蠟型的。」

當雷斯特拉把蠟型拿到血跡的旁邊，不用什麼放大鏡便可以確知這兩個印子是同一手指上印下來的。這時我不能不替我們的委託人擔憂。有了這一個證據，他一定沒有希望了。

雷斯特拉道：「這一點就是關鍵了！」我也不期然而然地接口道：「正是，這是關鍵點。」福爾摩斯也說道：「不錯，這是關鍵點了！」

我聽他說話的聲音，有點詫異，不禁回頭看他。他臉上表情有了顯著的改變，是他心裡愉快的表示。

我見他兩隻眼睛灼灼閃動著。臉上的肌肉牽動，好像要高聲大笑，卻忍著不讓他笑出來。

最後，他驚異道：「哎喲！這樣的事，誰想得到呢？這事的外表的確很詭異。麥克法蘭看上去是一個好少年啊。這實在是一種教訓，教我們決不可固執成見。雷斯特拉，你以爲對嗎？」

雷斯特拉道：「正是，福爾摩斯先生。我們同道中，的確有些人太自以爲是。」他說話的時候態度傲慢，但我們也無可奈何。

福爾摩斯道：「這個少年在帽架上取帽子的時候，竟會留一個指印在牆上，那實在是天意了。你如果在這一點上仔細想想，必定也會承認，這眞是一種自然的舉動。」福爾摩斯的外表仍很平靜，但我看他的眉宇之間顯出竭力忍住感情的樣子。他又道：「雷斯特拉，我要問一句。這血印是誰發現的呀？」「就是管家婦藍克辛。她發現了後，指給守夜的警察看的。」「那個守夜的警察，當時在那裡呢？」「他那時在那案發的臥室中看守，以防有人移動室中的東西。」「但昨天警察們怎麼沒有看見這血印呢？」「我們當時沒有必要在這客室中仔細勘驗，況且這地方又不太明亮。」「當然是不明亮的。我想這痕跡是昨天留下的，大概不會有什麼疑問吧？」

雷斯特拉向福爾摩斯看著。他詫異的眼光，似覺得福爾摩斯瘋了。我聽了福爾摩斯的話，和他奇異的神態，也不禁暗暗訝異。

雷斯特拉道：「我想你不會說，麥克法蘭昨夜從監獄中逃出，特地到這裡印一個手印，以便做他定罪的證據吧？這個指印是否是屬於麥克法蘭的，不妨請專家來查驗。」

福爾摩斯道：「這一點倒沒有疑問。這的確是他的指紋。」

雷斯特拉道：「這樣，就足夠了啊。福爾摩斯先生，我是一個重視證據的人，我既得到了我要的證據，那就可以下結論了。假使你還要我說什麼話，你可到起居室裡來找我。我要去寫報告了。」

福爾摩斯已回復了他鎮靜的神態。但我瞧他的神情，似他心中仍含著些愉快的意味。他道：「華生，你想這豈不是一個令人難過的發展嗎？可是這裡面有幾個疑點，對於我們的那位委託人卻還有些希望。」我高興地道：「我很高興聽你這麼說，我正怕他已完全絕望了。」

「我親愛的華生，我並不這樣想。須知這一個證據，在我們的朋友雷斯特拉眼中算是關鍵點，其實這裡面卻有一個重大的漏洞呢。」我道：「福爾摩斯,眞的嗎?是什麼呀?」「因爲我昨天在這裡察驗的時候，這牆上還沒有血印呢。華生，現在我們且到外面散散步。」

我陪著我的朋友在花園中散步，腦子裡雖是模模糊糊，但心中卻已回復了熱烈的希望，福爾摩斯在屋子的每個地方仔細察驗，非常地謹慎。後來他回到了屋子裡，從最下層的地窖開始,到最高的閣樓爲止,都加以仔細地觀察。有許多房間都是空著沒擺家具，但福爾摩斯也沒放過。最後,我們在樓上的一條通道中站住。那通道中有三間臥室，室中都沒有人住。福爾摩斯似乎發現了什麼，突然非常高興。

他道：「華生，這案子中當眞有好幾處特異之點。我想此刻可以向我們的朋友雷斯特拉說明了。他剛才嘲笑過我們，假使我對這案子的推論沒錯,我們也可以回敬他一次了。是的，我想我已知道怎樣著手了。」

當福爾摩斯走進起居室裡去的時候，那蘇格蘭警場的偵探仍在那裡忙著寫報告。

福爾摩斯道：「我知道你在這裡寫案子的報告。」「是啊。」「你不覺得此刻就寫報告，有些太早嗎?我想你的證據還沒有完全呢。」

雷斯特拉素來知道我朋友的話是不隨便說的。他把筆放了下來，抬頭看著我友道：「福爾摩斯先生，你這話是什麼意思?」

福爾摩斯道：「這案中有一個重要的證人，你還沒有見過。」「這人是誰?你能指出來嗎?」「我想我能夠的。」「那麼,請你指出來。」「很好，我會盡我的能力。你現在有幾個警察呢？」「有三個人，一叫就來。」

福爾摩斯道：「好啊！我再問一句，這三個人可都是身材壯碩而聲音宏亮的嗎？」

「我確信這三個人都像你所說的樣子。但我還不知道，你要他們有宏亮的聲音作什麼用處？」

福爾摩斯道：「我可以立刻讓你知道，同時還可以讓你體會一件別的事情。現在請把你的人叫進來。我不妨就試一下。」

五分鐘後，那三個警察已進了室中。福爾摩斯吩咐道：「在那外面的小屋中，你們可以瞧見有一大堆稻草。請你們拿兩捆進來。」那警察們應命而出，福爾摩斯又向雷斯特拉道：「我想，我若要把那個證人請來和你見面，這稻草是很有用的。啊，來了。謝謝你們。華生，我想你口袋中該有火柴的。雷斯特拉先生，現在我要請你們陪我一塊兒到樓上去。」

我剛才已經說過，樓上有一條寬闊的通道，通道中有三間空著的臥室。我們幾個人聽福爾摩斯的指揮，都站在通道的一端。警察們都覺莫名其妙。雷斯特拉呆看著我友，那驚奇、期望和譏笑的樣子，在他臉上層層變化。福爾摩斯站在我們面前，他的樣子，眞像一個魔術師正要表演他的戲法。

他向雷斯特拉道：「你可派一個警察去取兩桶水來嗎？這稻草先放在地板上，不要和兩邊的牆壁接觸。此刻我們一切都準備好了。」

雷斯特拉的臉色忽然漲紅，發怒道：「歇洛克．福爾摩斯先生，我不知道你是否要和我們開什麼玩笑。你如果知道什麼，儘可以說出來，何必這樣子亂搞。」

「我的好雷斯特拉。我老實對你說，我這

種舉動是有用意的。你總還記得，在數小時前，你曾奚落我。那時你占了上風。此刻我這小小的把戲，你當然也不該有什麼怨言。華生，請你把那窗子打開，再點燃一支火柴，丟到那稻草堆上去。」

我照著他的話，把草點燃，因爲窗口進來的風，霎時間燃燒的稻草嗶啪作響。一縷縷灰色的煙霧在通道中迴旋。

福爾摩斯呼道：「雷斯特拉，你請瞧著，我也許可以向你們介紹那證人了。我請你們一塊兒喊『失火了』。好，大家留意著！一，二，三——」於是我們便同聲叫道：「失火了！」「多謝你們，請你們再喊一次。」「失火了！」他道：「先生們，再喊一次，大家一塊兒來。」「失火了！」這宏亮的叫聲，我想全諾伍德都聽見了。

那叫聲剛停，一件驚奇的事情發生了。在那通道的盡處，原本像是一面堅實牆壁的地方，這時忽有一扇門打開了，一個瘦小而憔悴的人從裡面奔出，好像一隻兔子從泥穴中逃出來一樣。

一個瘦小而憔悴的人從裡面奔出

福爾摩斯很平靜地說道：「好啊，華生，你拿一桶水倒在稻草上，這樣就可以了！雷斯特拉，現在我向你介紹，這就是你遺漏的證人，喬納・烏而達先生。」

那蘇格蘭警場的警探，以驚異的眼光看著那個出來的人，那人見了通道中燦亮的光線，一時張不開眼睛，只瞇著眼向我們看著，又回看那澆息的餘火。我看這個人的面貌，確實很狡猾、兇暴、狠毒的。他淡灰色的眼睛、白色的眉毛，也是難得瞧見的。

最後，雷斯特拉問道：「這究竟是怎麼一回事？你這兩天在這樣裡幹些什麼事呀？」

烏而達勉強地笑了一笑，見了那偵探怒紅的臉孔，不禁退後一步。答道：「我並沒作什麼壞事。」

「沒做壞事嗎？你想盡辦法要把一個無辜的人送上絞架。假使沒有這一位先生，你的計劃說不定就成功了。」

那面容枯槁的烏而達忽然嗚咽起來。道：

「先生，我只是開一個玩笑罷了。」

「唉！這是一種玩笑嗎？那麼，我老實對你說，這樣的玩笑，一點都不好笑。警察們，押著這個人下去。把他留在起居室中，等我來發落。」警察們押著那人下樓去後，雷斯特拉又繼續道：「福爾摩斯先生，我當著警察們的面，未免有些不便，現在在華生醫生面前，我不妨實說。這一件案子事，我雖還不知道怎樣解決，但我敢說，這是你功績中最出色的一樁。你已救了一個無辜的人的性命，又平息了一場可能發生的流言，不讓我的名譽因此破產。」

福爾摩斯微微笑著，伸手拍著雷斯特拉的肩膀。

他和婉地說：「我的老朋友，現在你的名譽不但不會破產，並且可因此聲名大噪。你只要在你的報告上略改幾句，那麼，倫敦的市民便可知道偵探長雷斯特拉的眼光犀利無比，雖是細微之事，也逃不過他的眼睛。」

「那麼，你不願意以你的名字公布嗎？」

「不願意。我努力工作，就是我的報酬，將來我若答應這一位熱心的朋友記述的時候，我的功績仍可以有披露的機會。華生，你說對嗎？現在我們姑且看看這狡猾的耗子，究竟藏在什麼樣的地方。」

那通道的盡端，是用抹過灰的木板隔著。其實這並非眞正的盡端。這堊壁中隱藏著一扇小門，後面還有六呎寬的空間。我們見這密室裡的屋簷縫中透些光進來，有幾件家具，此外有些食物、飲水和書籍報紙等物。

我們出來時，福爾摩斯說道：「這就是建築師的好處了。他可以造一個小小的密室，卻不必有幫手。不過，他的那位管家婦一定是知情的。雷斯特拉，我想爲了你的報告完備起見，決不能放過這一個婦人。」

「我一定遵照你的指示辦理。福爾摩斯先生，你怎麼知道這密室的呢？」

福爾摩斯道：「我早料定烏而達必藏在這宅屋中。我在通道中察看的時候，發現樓上的通道比樓下的少六呎，就知道他藏在這個地方。我又料想他雖然狡猾，但若一聽見火警，想必也不敢再藏匿在裡面了。雖然，我們可破門進去捉他，但我覺得讓他自己出來，比較有趣些。還有，今天早晨，你譏笑我，故而我決定要弄一齣小小的把戲，和你開一下玩笑了。」

雷斯特拉道：「唉，先生，你這樣已經向我報復了。但你是怎麼知道他藏在屋中的呢？」

「雷斯特拉，我是從那個拇指印上知道的。你當時說這指印是全案的關鍵，我也贊同。不過意義卻完全不同。我確定那牆上昨天還沒有這個指印。你該知道，我在察驗時，任何細小的事物從不遺漏的。昨天我察驗那間客室，確實不見牆壁上有印子。因此，可知那指印是昨夜弄上去的。」

「奇怪，那是怎樣印上去的呢？」

「那很簡單。那天夜裡，烏而達和麥克法蘭二人看完那些文件以後，烏而達便把文件封好，並用蠟封固。那時烏而達必曾叫麥克法蘭用他的拇指按在軟蠟上面，封固其中的一個文件。這件事既然臨時起議，又並無可疑之處，那少年自然並不在意。並且當時在烏而達心裡，也未必想利用它。但這案子發生以後，他躲在密室之中，忽然想起若能利用一下麥克法蘭的指印，一定可做他犯案的鐵證。至於他要從那蠟印上假造他的血指印，也是最簡單的事。他只要把蠟印取下，自己刺出些血來，塗在印上，然後再印到牆壁上去。他假造血印必定在昨天夜裡，他親自動手，或是那管家婦印上去的，此刻我還不知。我想你若能把他帶進密室的文件檢查一下，一定還可以得到那一塊有拇指印的蠟片呢。」

雷斯特拉呼道：「啊，多麼奇妙啊！現在一切都已眞相大白了。福爾摩斯先生，但這樣的詭計，又有什麼目的呢？」

這時我見那警探的態度，就像一個小孩子在請教他的老師，和先前傲慢的樣子比較，已完全不同了。

福爾摩斯說道：「這一點也不難解。這一位在樓下等我們的朋友，的確是一個心計險詐的惡漢。你可知道他早年時，曾被麥克法蘭的母親拒絕婚約嗎？唉，你還不知道哩。我早對你說過，你應先往黑草鎮去，然後再到諾伍德來。你若這樣，這一段故事自然也知道了。原來他受了那一次的拒絕，心中便牢牢記著。他從少年時代至今，始終不忘報仇，只是沒有機會。在過去一兩年中，他的機運不佳，大概因投機的緣故，已到了很窘迫的狀況。他就決定詐騙他的債主。他故意把好幾筆巨款，付給一個柯尼利先生。據我看來，這個姓名是他自己假造的。我還沒有查出支票的下落，但我料烏而達必曾在什麼鄰近的市鎮，假託柯尼利的名義，把這款子存在別的銀行之中。他必定已打算用另一個姓名去提他的存款，然後悄悄的往別處去度他的餘年。」

雷斯特拉點頭道：「這推論也是很近情理的。」

福爾摩斯又道：「他必也想到既要失蹤，就不要讓別人發現，同時又想起他早年的怨恨，要向那婦人復仇。他想設計一種計謀，使那婦人以爲他是她的獨生兒子所害死的，這樣她兒子既不免伏罪，她也會非常悲傷。這眞是一個狠毒的陰謀，他卻能安排得十分周密。你想他立的那張遺囑，就是要做那青年犯罪的證據，然後他悄悄地去見那青年，卻不讓他的父母知道，後來他更故意藏去那根手杖，佈置地板上的血跡，和那木堆中的獸骨、褲鈕等等，實在是很狡猾。他佈下這樣一個羅網，把那青年牢牢網住，幾乎沒有生路。不過他的本領還有些欠缺。他不知道他的計謀已很完備，卻還想更進一步把那網繩拉得緊些，以便立即致那少年於死。不料弄巧成拙，反而壞了他的計劃。雷斯特拉，我們下去吧。我還有一兩個問題要問他哩。」

那惡漢坐在他自己的客室中。他的兩旁，各有一個警察監視著。

他強辯道：「先生，這眞的是一個玩笑，一點也沒有別的意思。先生，我老實說，我所以要藏匿，就是要看看我失蹤後的情形如何。我想你們也不會認爲我有什麼惡意，要叫那麥克法蘭先生吃苦的。」

雷斯特拉說道：「這問題須讓陪審團決定。現在你即使沒有蓄意謀殺的罪，我們至少也要控告你密謀的罪。」

福爾摩斯也說道：「我想你不久也會知道，你的債權人將要阻止銀行將巨款付給柯尼利先生了。」

那瘦小的人吃了一驚，以他兇惡的眼睛瞧著我的朋友。

他咬牙切齒道：「眞謝謝你。我欠你的，將來終有回報的一天。」

福爾摩斯淡然微笑。

他道：「我想你在未來的數年中，還沒有機會分身報償哩。還有一點，你在那木堆之中，除了你的舊褲以外，還放些什麼東西呢。一隻死狗嗎？一隻兔子嗎？或是什麼呢？你不肯告訴我嗎？唉，那未免太不客氣了。也好，我敢說那血跡和焦骨大概就是兩隻兔子。華生，你如果要記錄這件案子，你不妨寫做兔子吧。」

跳舞人形（原名 The Dancing Men）

福爾摩斯默默地坐著，有數小時之久，彎著瘦長的身子，正在試驗一種有特別氣味的化合物。他的頭垂在胸前，從我這裡望過去，好像一隻瘦長的怪鳥，披著灰黑的羽毛。

他忽然向我說道：「華生，你不是不願意買南非洲的股票嗎？」

我被他驚嚇得直跳起來。我對於福爾摩斯的超人才能已很熟知，但這一次他竟猜透我心裡頭的事情，實在不可思議。我便問道：「咦，你怎會知道的？」

他從板凳上轉過身軀，手裡拿著一個冒著氣的試管，深沈的眼睛裡露出愉快的神情。

他道：「華生，這回你一定要承認佩服我了。」我道：「是的，非常佩服。」「這件事情，我要請你簽個字，承認你確實佩服我。」「爲什麼呢？」他道：「因爲五分鐘之後，等我把理由說清楚，你又要認爲這是平淡無奇的了。」「我絕對不會這麼說。」

他把試管插在架子上，就講他猜透我心思的理由，他的神情活像一位教授在課堂上演講的樣子。他道：「我親愛的華生，不論什麼案件，你應先構成幾種推論，這並不是很困難的事情，然後從第一層，推論到第二層，逐層的推想。那時你便能尋出幾個推論的集中點和結論，然後向聽眾宣布結論，此時就會令人感到非常驚訝。雖然這樣只不過教人眩奇，卻也很有趣。現在這事也同樣不困難，經我的觀察，看了你左手的食指和拇指間的虎口，我就可以知道你不想把你的小小資產，投資在那金礦裡面哩。」

「我倒不懂有什麼關係。」

「表面上似乎是沒有直接關係，但是我可以很快地告訴你，確有密切關係。你且聽我一層一層的說來：第一層，你昨夜從俱樂部回來時，你左手食指和拇指之間有白粉痕跡。第二層，那白粉一定是你在打彈子時，要穩定球桿所用的。第三層，你除了和特司登同局之外，是不常打彈子的。第四層，在四星期以前，你告訴過我，說特司登在一個月以內，在一個南非洲的公司有加股權，他希望你同他合資加股。第五層，你的支票簿是在我的抽屜裡，你卻沒有向我拿鑰匙。所以我知道你不打算投資在那個礦業公司裡。」

我聽完呼道：「呀，這是簡單得可笑哩！」

他有些不快，說道：「果然如此！每個問題只要我解釋給你聽後，你總是這麼說。但是現在有一個未經解釋的。華生老友，我倒要瞧瞧你的本事哩。」他把一張紙扔在桌上，接著他又開始做他的化學分析。

我看那張紙上，都是可笑的人形圖，覺得非常疑異。

我道：「怎麼？福爾摩斯，這是小孩子們畫著玩的罷了！」他道：「咦，這是你的高見？」「不是如此，那麼，難道有別的意思嗎？」「這個問題就是喜爾登．邱比特先生所急欲知曉的。他住在諾福克，是利特林托柏古堡的主人。這一張紙是早班郵車送來的，他本人將坐第二班火車趕來。華生，門鈴響了。我想是那位先生來了。」

我們聽見樓梯上一陣沈重的腳步聲，不一

會，便走進一位高壯的紳士。他那清明的眼睛和紅潤的面頰，顯出他的生活和這貝克街的情況是大不相同的。他走進來的時候，似乎帶來了一陣清新的海濱空氣。他已經同我們倆握了手。正想要坐下去，眼睛忽觸到桌子上那張滿佈奇怪符號的紙，就是我察看後隨手放在桌上的。

他就高聲說道：「福爾摩斯先生。好極了，好極了。你對於這東西，有所發現嗎？人家對我說，你很喜歡研究神祕的怪事，我覺得，應該沒有比我這件東西更奇怪的了。我先把這一張紙送來，讓你在我未來之前，可以有時間先把它研究一下。」

福爾摩斯道：「這確是一件神秘的東西，起初看起來，好像是小孩子們的玩意兒。這上面橫列著的，是許多可笑的跳舞人形。如此可笑的一樣東西，你爲什麼竟這樣重視呢？」

「福爾摩斯先生，我並不認爲重要，但是我的妻子卻認爲非常重要。她看了這東西後，幾乎嚇暈。她自己沒有說什麼，但是我可以從她眼睛裡看出她的恐懼。所以我必須把這東西徹底地加以研究。」

福爾摩斯把這一張紙拿到陽光下察看。這紙是從記事冊上撕下的一頁，那許多符號，是用鉛筆寫的，現在抄在下面：

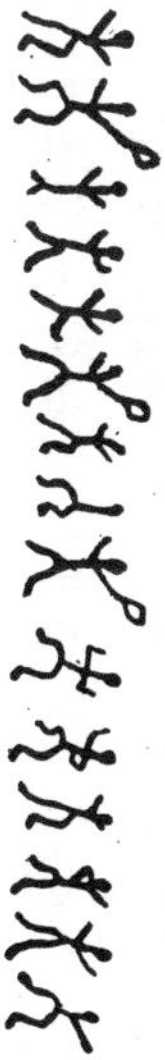

福爾摩斯察看了一會，然後很鄭重地摺疊起來，放在他口袋的記事冊裡。

他道：「這事情可以算是一件非常有趣的事。喜爾登・邱比特先生，你的信中已經告訴我許多事，但是我想請你再詳細說一遍，讓我的至友華生醫生也可以聽聽。」

那客人大而有力的手，有時緊握，有時放開，顯出心中很煩擾的樣子。他聽了我友的話，便道：「好，但是我是拙於表達的。我若有說得不太清楚的地方，二位可以隨時問我。我要從去年我結婚時講起。但是我要先說明，我雖然不能算是一個富翁，但我家在秉特林托柏已經有五世紀之久，並且在諾福克郡中，也沒有比我家更著名的了。去年我去倫敦參加猶太五千年大慶典，因爲我們教區的牧師柏格就住在那裡羅素廣場的大旅社裡，所以我也決定住在。那裡還住著一位美國女郎，名叫愛爾雪．巴特里克。不久，我們便做了朋友。後來我愛她達到極點，我們便悄悄地在登記處結了婚。婚後，才回到諾福克。福爾摩斯先生，你一定以爲我瘋了，因爲像我這種身份和家世。竟娶了個身世不明的女郎，未免不稱。但是如果你們見了她，就可以明白我要娶她的理由了。她很直爽。她曾經給我改變主意的機會，但我沒有那麼做，她曾說：『我從前有過不名譽、不高尚的同伴，我希望完全忘掉這一些人。我希望永不再提到過去的事情，因爲那會使我非常的痛苦。喜爾登，如果你要娶我，你娶的婦人，將有她個人所抱的隱痛。但是你要相信我的保證，並且要答應我，永遠不提到我嫁你之前的事情。如果你認爲困難，那麼，你就回到諾福克去，讓我仍在你遇見我的地方，孤寂地生活吧。』這許多話，就是在她嫁我的前一天說的。我告訴她說，我對她的條件能夠接受，願意娶她，並且直到如今，我也遵守我的諾言。現在我們結婚已有一年，我們十分愉快。但在大約一個月之前，也就是六月底，就發生了這件麻煩的事。有一天，我妻子接到一封美國來的信，因我看見上面貼的是美國郵票。她讀了信後，臉色忽變蒼白，立即把它扔到火裡。之後也從不提及一個字，我也沒問她一句，因爲我必須遵守先前的允諾。但是自此之後，她就沒有一刻覺得安心愉快。她的臉上常顯出一種恐懼的神情——那種神情，像在等候什麼，又像希望什麼。她應當知道我是她最親愛的丈夫。我眞希望她能完全信任我。但是我只能等她自己說，卻沒有什麼辦法。福爾摩斯先生，你要知道，無論她過去的經歷史中有什麼困難，都不能說是她的污點。我不過是一個諾福克的紳士，但是在英國的紳士裡，沒有一個比我把自己的門風看得更重的了。她知道這情形的，並且在未婚以前，她已經知道。她不願爲我的聲譽帶來任何污點——這是我確知的。好啦，我現在要講到這事件的奇怪部份了。大概一星期之前——是上星期二，我在一個窗檻上，發現許多很可笑的跳舞人形，就像那紙上所畫的樣子，是用粉筆畫的。我起初以爲是馬房裡的小孩子畫的，可是那孩子發誓說他一點也不知道。無論如何，那一定是夜裡來畫的。我就叫僕人洗去，後來我便把這事情告訴我妻子。令我驚訝的是我妻子聽見之後，頓時非常慌急，並且請求我以後如有發現，必須給她看一下。此後一星期內沒有什麼發現。直到昨天早晨，我在花園裡的日規臺上，看見放著這一張紙，我就拿給愛爾雪瞧。沒想到她一看就暈倒了。以後她就像在做夢一般，精神恍惚，眼中充滿了恐懼。那時我就寫了一封信，寄到你這邊來。這事情是不能報警的，因爲他們必會笑我無知，但是我想你一定可以幫助我的。我雖不是富翁，但若有什麼危險臨到我妻子身上，我就算傾家蕩產，也要保護她的。」

那來客富有英國舊家子弟的精神。他是一個很清秀的人，直爽而溫文，有一張文雅的臉龐，和一雙誠實的眼睛。他對於夫人的愛情和信任，從他的外表上可以看得出來。福爾摩斯非常專注地聽他陳述，等到來客說完，他默坐在那邊思索。

隔了一會，他問道：「邱比特先生，你可同意最好的辦法就是直接去詢問你的夫人，並且叫她把她的祕密告訴你？」

喜爾登·邱比特搖頭道：「福爾摩斯先生，我的承諾是要當一回事的。如果愛爾雪肯告訴我，她老早說出來了。如果不肯，我決不強迫她。我決定由我這方面進行，我寧可如此的。」

「那麼，我願意盡力幫助你。首先，你最近聽說過你的鄰近有陌生人來嗎？」「沒有聽說。」「那是一個偏僻的地方，若有新面孔，一定會引起人家的懷疑對嗎？」「是的，我的鄰近確是這樣。但是離我們不遠處有些漁舍。那邊有時也招待過路旅客住宿的。」

「這些人形圖畫一定有某種意義的。這單獨的一張紙，我們不容易去解析他。如果寫得有了系統，我敢說我們絕對可以徹底了解。但是這一張紙如此簡短，使我無可著手，你講的事實又如此散漫，我實不能得到研究探索的根據。現在我可以指導你的。就是你回到諾福克去，留心觀察。如果發現有什麼新的跳舞人形，你就仔細把它描摹下來。之前你沒有把窗檻上粉筆畫的形像描下來，那是非常可惜的。此外如果鄰近發現有陌生人，必須很慎重地去查問他。如果你另外得到什麼新的證據，請你再到此地來。這就是我所能對你的忠告。如果再有什麼新發現，我預備親自到你諾福克家裡去察看。」

這一件事情，竟使歇洛克・福爾摩斯反覆思索。之後的幾天，我常見他從他記事冊裡拿出這一張紙，久久注視這上面的許多奇怪的人形，細細地研索，但是他嘴裡從未提及。直到差不多二星期後的一個下午，我正想出門，他忽把我叫住道：「華生，請你最好不要出去。」「爲什麼？」「因爲今早我接到喜爾登・邱比特的一封電報——你還記得這名字和這跳舞人形嗎？他在今天一點二十分會到利物浦街車站。因此隨時可能到此地來。我從他的電報上看起來，可能又有些新發生的重要事故了。」

我們等候了不久，那諾福克的紳士果眞下了火車，直接坐一輛馬車趕來。他的神情頹喪，憔悴了許多，顯出疲憊的眼光，額上也新生了皺紋。

「福爾摩斯先生，這事情幾乎要叫我神經錯亂哩。」說著，他就坐到扶手椅上，像是很困乏的樣子。他繼續道：「這事情眞糟。你想，假如你換成了我，被許多無形的人包圍著。那些人又都是設計來作弄你的，你豈不難受？再進一步說，他們正逐步地折磨著我的妻子，讓她皮肉和血液銷蝕到無可忍受。現在我的妻子正被他們的毒計磨蝕——並且要教我眼睜睜地看著。」

「那麼，她說過什麼話嗎？」

「沒有，福爾摩斯先生，她一句話也沒有說。但是可憐的她好像有好幾次想要說什麼，卻沒有勇氣開口。我用盡方法請她開口，但是我的法子不好，反而使她嚇得不敢說。有一次她說到我的世系和我的家族在本郡的聲譽。我家純潔的門風，可以傲視一切，我覺得這是絕好的機會，可以引她談到這件祕密，但是在將要談到緊要地方時話又岔開了。」

「那麼，你自己有所發現嗎？」

「好多好多，福爾摩斯先生。我又找到幾件新的跳舞人圖形，可以供給你研究。最要緊的是我已經瞧見這個壞傢伙哩。」

「什麼，可是畫這些圖形的人嗎？」

「不錯，我看見他正在作畫。但是容我按著次序來講。當我拜訪你回去以後，最先發現的是在次日早晨，我看見這一個新的跡舞人形。這許多圖形是以粉筆畫在工具屋的黑木門上面。那門在草地的那邊，面對著我房間的前窗。我很仔細地臨摹下來，就是這一張。」說著，他展開一張紙，放在桌子上面，就是這張圖的抄本：

福爾摩斯說道：「好極了！好極了！請你接著講下去。」

「當時我抄好了之後，就把門上的圖形擦去。但是兩天後的早晨，我又發現了一排新的。我又把它抄在此。」

福爾摩斯見了，搓著他的兩手，現出愉快的樣子道：「我們需要的資料，很快地彙集起來了。」

「三天之後，又來了一次。那是畫在紙上，放在日規臺的一塊晶石下面，紙上畫的，和前一次的完全相同。自此以後，我決定要守候他。我就拿出我的手槍，坐在書房裡。因爲那裡可以看見前面的草地和花園。大約半夜兩點鐘，我坐在窗口，燈已熄滅，滿屋漆黑，只有外面的月光。那時我聽見背後有腳步聲，我知道是我妻子穿著她的睡衣過來。她來請我去睡。我很坦白地告訴她，我一定要守著，瞧瞧那個和我們惡作劇的是什麼人，她回答說這是無聊的玩笑，不必介意。她道：「喜爾登，如果你覺得厭惡，我們可以出去旅行，避掉這許多煩惱。」我道：「什麼！我們被這無聊的玩笑，趕出我們自己的住宅嗎？若眞這樣，全村的人們都要笑我們了！」她道：「那麼，去睡吧。我們明早再討論吧。」當她說話時，我看見她臉色愈變愈白，雖然在月光底下，我也看得淸楚，同時她的手，把我的肩膀捏得很緊。那時，我忽見一個東西在工具室那邊走動。有一個黑影沿著牆角爬過去，潛伏在那門的前面。我就拿起手槍，想衝出去。那時我妻子忽用全身的力氣把我圍抱住。我用力想推開她，但是她拼命抱住我，使我無法走出去。最後，等我推開她，開了窗到那屋邊，那人早已走了。但是他卻留下到過的紀念。原來在那門上又發現一排跳舞人的圖形，就像我發現過兩次，抄在紙上的一樣。我雖然四處搜尋，卻一點也沒有這怪客的蹤跡，但是這個怪客一直沒有離開。因爲隔天早晨我再去查驗那門時，我在已經看見的圖形下面，又添上一行新的圖形。」

「那新的圖形你也抄下來嗎？」

「抄下了。很短，就是這一張紙。」說著，

他又拿出一張紙。那新的跳舞人圖形，就像下面的樣子：

福爾摩斯道：「快告訴我。這新的圖形是否是緊接在上次圖形的下面，還是明顯地和上次圖形區隔的呢？」那時，我從福爾摩斯的眼光裡，知道此時他異常高興。「那是畫在門上另外一塊鑲板上的。」

「好極了！在我們的研究上，這一點比別的還要重要哩。這使我充滿了希望。喜爾登·邱比特，請你把這有趣的事繼續陳述下去。」

「福爾摩斯先生。其餘的沒有什麼事可講了。不過我對於我妻子有些抱怨。如果她不把我抱住，我或許可以把這可恨的惡棍捉住了。據她說，她是怕我受到傷害。但是當時我閃過一個念頭，或許我妻子是怕我傷害到那個傢伙。我毫無疑異地確定她是認識那個人的，並且她也知道那些奇怪符號的意義。但是，福爾摩斯先生，我聽了我妻子的聲音，並且看她眼睛的神情之後，我便祛除疑心，我知道我的安全確實是她心裡最重要的一件事。這件事情，我已完全向你報告了，現在我願聽你的指示，我應當如何行動？我自己已經派出六個小孩子，躲在附近一帶的森林裡，如果那個傢伙再來，我們就可以找到他，把他逐出去了。」

福爾摩斯道：「恐怕如此神祕的一個案件，不是這一種簡單的計策能奏效的。你能夠在倫敦停留幾天嗎？」

「我今天必須回去。我不希望我妻子一個人在夜間遇到什麼事情。她也很慌亂，叫我必須回去的。」

「你的話不錯。但是假使你可以在此停留，在一二天之內，我可同你一起回去。現在請你把這幾張紙交給我。我想我大概不久就會去拜訪你，並且對於這案件，也許可以有些線索。」

我是熟知福爾摩斯性情的，所以我知道他此時十分起勁。但是他在那位客人離去以前，仍舊保持他慣常的冷靜態度。等到喜爾登・邱比特一離開，我友急忙跑到桌邊，拿出這許多畫著跳舞人圖形的紙張，放在面前，很仔細地分析。我等了他有兩小時之久，他在一張一張的紙上，寫滿了許多號碼和字母。他的精神，完全貫注在工作上，已忘了我的存在。有時研究得順利，他就一邊工作，一邊吹著口哨；有時發生疑惑，他便皺著眉頭，瞪著眼睛。最後，他從椅子上跳起來，嘴裡發出一種表示滿意的呼聲。他搓著兩手，在室中不停地踱來踱去。接著，他就寫了一通電報，發出去以後，才向我說道：「華生，如果回電能如我所望，你的筆記裡面又可以多一樁有趣味的案件了。我希望明天我們到諾福克去，可以帶些新消息給我們那位朋友，並談一談他那惱人事件的祕密。」

我承認我充滿了急欲知曉的心情。只是我了解福爾摩斯的脾氣，若要他宣布他的祕密，總要等到他認爲可以的時候。所以我只能耐心等候，到他能公布的時間再說。

但是那回電卻遲遲不到。這兩天裡，福爾摩斯非常焦急，每逢有門鈴響，他總是側著耳朵留心。直到第二天晚間，才接到喜爾登・邱比特的一封信。他說一切都很平靜，只有今天早晨，在日規臺的石基上又發現一長行的圖形，他把他臨摹的寄來，就是附在下面的一圖：

福爾摩斯拿了這一張圖形，注視了一會，忽然叫了一聲，直跳起來。他的聲音，在驚訝中含著慌張，臉上頓現焦急之色。

他道：「我們把這事情辦得遲了。今夜有火車到北渥爾沙姆嗎？」

我拿起火車時刻表一看，末班車剛剛開走。

福爾摩斯道：「那麼，明早我們早點吃早飯，搭頭班車趕去。我們必須動身，不容遲延了——我們希望的電報來了。哈德遜太太，等一等，或許要回電哩哦，不要了，正像我所預料的。這消息更重要，我們要趕緊把這事的實情告訴喜爾登·邱比特。這是一個危險的羅網，那不幸的諾福克紳士已陷在裡面了。」

他所料的果眞不錯，後來也都證實了。只是先前我以爲兒戲的怪舉，卻變成凄慘恐怖的結果。我雖希望給讀者們聽些帶點希望的結果，但是此書是完全記實的，我只能照著事實詳述出來。那件事不久就傳遍了全英國。

次日，我們到北渥爾沙姆站時，天還沒有全亮。我們說出我們的目的地，那站長卻向我們問道：「二位是倫敦來的偵探嗎？」

福爾摩斯臉上頓現惶急的神色，急忙問道：「你爲什麼這樣問？」

「因爲偵緝長馬丁剛從諾威奇經此趕去。你們是外科醫生嗎？那女的還沒有死——她只剩一口氣了。你們趕快去，還來得及救她。即便救活了，也不過送她上斷頭臺罷了。」

福爾摩斯益發顯出焦灼的神色來。他道：

「我們是到利特林・托柏古堡去的。但我們對於你說的事情，還一點都不知道。」

站長道：「這是一件可怕的事情。喜爾登・邱比特先生和他夫人都是被槍彈打死的。他先打死夫人，然後自殺——這是他家僕人說的。他已經死了，夫人的性命恐怕也絕望哩。唉！這是諾福克最古老、最有名望的一族啊！」

福爾摩斯一聲不響，急忙坐上一部車子，在七英哩的路程中，他都沒開口。我從沒有見過他如此失望的。從城裡動身到此，我不曾見他舒服過一刻。我見他翻著那些晨報時就憂心忡忡，現在聽見了這一個壞消息，益發使他沮喪。他斜靠在座位上，很深沈地在那邊思索。但是兩旁的風景卻很賞心悅目。因爲我們經過的是絕好的鄉村風景，散佈的綠楊村舍，和矗立的方塔教堂，點綴在平疇之間。大片的綠野，象徵著英國東部的富庶。後來望見紫色的日耳曼海的邊際，就知道已近諾福克了。那御者以鞭子指著隱約露出在短林那邊、兩宅磚木造的古屋，說道：「這就是利特林・托柏古堡。」

我們下了車，走到走廊的前門。我先注意到前面，在網球場之外，就是工具室的黑門，和日規臺的基石。就在那邊，我們看到了這些奇怪的圖形。這時候有一個短小精悍的人，長著短鬚，精神奕奕，舉止敏捷，恰好從一輛兩輪馬車上下來。他自己報名說是諾福克警局的警長馬丁。但他聽見了我友的名字，似很驚異。

「怎麼，福爾摩斯先生，這命案不過在今晨三點鐘發生的！你在倫敦怎麼也已知道，竟和我同時到達呢？」

「我是預先料到的。我來此，本是希望要遏止這慘劇的。」

「那麼，你一定已經有重要的證據了。我們是完全不知道的，據說他們是一對很恩愛的夫婦。」

福爾摩斯道：「我只有幾張畫著跳舞人圖形的紙。待會兒，我可以解釋給你聽。現在既然已經來不及遏阻這幕慘劇，我急想用我已得到的線索，求一個公道的裁判。你要和我一起合作著探查呢？還是我們各自進行？」

那警長很誠懇地說道：「福爾摩斯先生，如果你願意和我合作，那是我的榮幸。」

「既然如此，我們應立即著手偵查證據，檢查屋內，不能稍有延遲。」

警長馬丁是很聰敏的。他完全聽我友的話，讓我友方便行事，他則很仔細地記錄這事的情形。本地的外科醫生是一位白髮的老人，恰從邱比特太太的房裡出來。他說她傷得很重，但是還不致於致命。子彈是從前額擦過的，一時或許不能夠回復知覺。至於是否她自己打自己，還是被人家槍擊的，卻不敢斷定。這子彈一定是從近距離發射的。在這裡只找到一枝手槍，裡面已空了兩粒子彈。喜爾登先生是被槍彈擊穿心臟的。或許是他打死了她，然後自殺，也或許她是兇手，兩種說法都說得通。因為地板上那枝手槍，恰正在二人的中間。

福爾摩斯問道：「他的身體可移動過嗎？」醫生道：「我們除了夫人之外，別的都沒有移動。因為她受傷未死，不能叫她長躺在地板上的。」「醫生，你來了多久？」「從四點鐘到現在。」「有別的人在此嗎？」「有，就是這一位警察。」「你沒有動什麼嗎？」「沒有。」「很好，你辦事很謹慎。誰來請你的呢？」「那個女傭，叫桑德絲。」「是她報的警嗎？」「她和一個廚傭金恩太太一同來報的。」「他們現在在什麼地方?」「在廚房裡。」「那麼，我想最好立刻叫二人出來，聽她們說明這件事情。」

那一間高窗椽壁的大廳，成了我們預審的法庭。福爾摩斯坐在一隻巨大的古椅上，果決的眼光，在他憔悴的面龐上閃著。我從他堅毅的眼光裡，知道他正專心一志的處理此案，雖然他已不能救活所要救的人，他也要想法代他報仇雪冤，才肯罷手。他與那位英俊的警長馬丁、白鬚的鄉下老醫生、我自己和一個村上的警察，共同組成了一個奇怪的法庭。

那兩個婦人把這事情敍述的十分清楚。她們從睡夢中被一響槍聲嚇醒，一分鐘後，又聽到一聲。她們二人的臥室是互相毗聯的，金恩太太先跑到桑德絲的房間裡，兩人便一起走下樓來，那書房的門開著，一枝蠟燭點在桌子上面。她們的主人俯臥在地板中央，已經死去。他的夫人跌伏在靠窗的一邊，她的頭斜靠著牆壁，也傷得很重，一邊臉上滿布鮮紅的血。她呼吸急促，但是無法說話。走廊裡和房間裡充滿著彈藥的煙氣。窗戶是關著的，並且從裡面鎖上，這兩個婦人都確定如此。她們看見之後，立即去請醫生和警察。然後再叫馬夫和小馬夫一同把受傷的夫人搬到她的臥室裡。出事前她和她的丈夫都已睡了，但又起來。她穿著睡衣，她丈夫則在睡衣之外，加一件長外套。書房裡的東西都沒有移動過。據她們所知，她們主人夫婦從來沒有口角過，是非常親愛的。

這些話就是兩個女傭口供裡的重要部份。馬丁問她們，各處的門是否都鎖上了，她們說清清楚楚都是從裡面鎖上的，所以絕對沒有一個人可逃出去。她們回答福爾摩斯，據說兩人都記得，從頂樓房間跑出來時，就聞到火藥味。福爾摩斯對一同辦案的馬丁說：「這一點很重要，必須注意的。現在我們應該檢查這屋子。」

書房是一間小屋子，三邊都排滿了書籍，靠窗的一邊，放著一張寫字檯，從窗裡可以看到外面的花園。我們首先注意的是那不幸紳士的屍體，直躺在地上。瞧了他不整齊的衣服，知道他是從床上很匆忙地起來的。那子彈從他前面打來，打進了心臟以後，並沒有穿透，還留在身體裡面。所以知道他的死，是極快且不痛苦的。在他的衣上手上都找不到火藥的痕跡。據醫生說，夫人是臉部受彈，因此痛得很厲害，但是她手上也沒有火藥的痕跡。

福爾摩斯道：「有了火藥痕跡，雖然可以提供一些線索，然而沒有了也無多大關係。除非很差的槍彈，發槍時會有火藥噴出，平常一個人連放許多槍彈，也可以不留一點兒痕跡在手上的。現在我以爲邱比特先生的屍體不妨移動一下。醫生，我想你還沒有找到打傷夫人的槍彈吧。」

「要取出子彈，必須進行一個使她非常痛苦的手術。我見這手槍裡只剩四粒子彈，放出了兩粒，恰有兩人被害，那一定是每人都中了一粒了。」

福爾摩斯道：「似乎不錯。但是還有一粒，很明顯地打在窗邊上。這一粒你可也算到了？」說時，他忽然回過身子，他那瘦長的手指指著下面的一條窗檻，在離開底邊大約一吋的地方有一個槍洞。

警長馬丁叫道：「天呀！你怎會發現這個的？」他道：「因爲我就是在找它。」

那鄉下醫生也叫道：「怪極了！先生，你

眞料事如神。那麼一定有人開過第三槍？一定有第三個人到過這兒的。但是誰到這兒來的？又怎樣逃出去的呢？」

歇洛克·福爾摩斯道：「這就是現在我們所要解決的問題了。馬丁警長，你要記住，那些僕人說，她們一踏出自己房間，就嗅到一陣火藥氣味，那時我就注意到，這是全案中重要的一點。」

「是的，不錯，但是我承認我那時沒有像你一樣的想法。」

「從這一點，可以知道當時的門窗都是開著的。不然，火藥的氣味，決不會如此迅速地從這室中吹出。那時必定有外邊的空氣流通，才能吹到樓上。但是那門窗開著的時間，也只有片刻工夫。」

「你如何可以證實？」「我見蠟燭並沒有燒成淚凹。」警長不禁說道：「高妙極了！高妙極了！」「我覺得發生這慘劇時，那窗戶一定是開著的，所以我料到有第三個人參與這件事。那個人站在窗外，並且朝裡面開槍。或者屋內的人，向那個人開槍，誤中了窗框。我已瞧淸楚，那邊確是子彈的遺痕。」

「但是那窗戶怎麼又關上鎖上呢？」「女人出於本能地，總覺得最要緊時，就是把窗戶關緊，以爲可以避免危險。但是，唉呀！這是什麼東西？」

那書桌上，有一個婦女的手提錢袋——一隻鱷魚皮、銀鑲口、很精緻的錢囊。福爾摩斯把錢囊打開，將裡面的東西都倒出來。其中有英國銀行五十鎊的鈔票二十張，以一條橡皮帶捆在一起，其餘任何東西都沒有。

福爾摩斯把這錢袋和鈔票，都交給警長，

說道：「這是必須保存的，因爲這東西在出庭時必須作爲證物。現在當務之急，是要研究出那第三粒子彈——那就是從屋裡打出去，擦損窗框的那一粒。我想再問金恩太太幾句話——金恩太太，你說你是被一個很響的槍聲嚇醒的。你說這句話的意思，是不是說這一聲比第二次的更響呢？」「先生，這一聲是把我從睡夢中嚇醒的，所以我不敢確定。但的確很大聲。」「據你的意思，可覺得這一聲是兩枝槍同時發射的聲音呢？」「先生，這點我不敢斷定。」「我認爲這是斷然無疑的。馬丁警長，我想在這屋裡所有的證據，都已查完了。如果你願意同我出去，到花園裡查看，也許我們可以找到一些新的證據。」

在那書房窗下都是花臺。我們走近去仔細檢查。那上面的花已被踏壞，軟泥上滿印著腳印。都是很大的腳印，有特別長尖的鞋頭。福爾摩斯細細地在草裡葉裡查察，像獵鳥人找尋獵物的樣子。不久，聽見他發出一聲滿意的呼聲，並俯身向前，撿起一個小銅殼來。

他道：「我早料到那手槍一定有退下的彈殼。現在我已找到了第三粒子彈了。馬丁警長，我以爲這案件不難偵破。」

那鄉下警長的臉上，因看見福爾摩斯那種敏捷果斷的偵查手法，滿現著詫異的神色。起先他偶爾還會插入一些意見，但是現在一肚子的欽佩，沒有別的話，簡直對福爾摩斯惟命是從。他問道：「你懷疑兇手是誰呢？」「以後再告訴你。這裡面有幾處疑點我還不能解釋給你聽。現在最好請你照著我的意思進行，再等一會兒。我便可把它他完全說個明白。」

「福爾摩斯先生，悉隨尊意。等捉住了那

兇手再說。」

「我並非眞要嚴守祕密，不過現在沒有這許多工夫做冗長複雜的解釋。我已經完全掌握這件事的線索了，即使那婦人不回復知覺，我們也可以清清楚楚知道昨晚慘案的情形，得到一個公正的判決。第一件事情，我想知道鄰近有沒有一個旅店叫愛里其的？」

那些僕人一個也不能回答，都說沒有聽過這樣的旅店。但那個小馬夫卻能回答。他記得有一個農夫叫這名字，住在距離這兒數哩的東羅司登地方。

「那是一處偏僻的地方嗎？」「是的，非常偏僻。」「或許那邊還不知道此地夜裡發生的慘案呢？」「先生，那邊大概不知道。」福爾摩斯想了一想，臉上露出一種奇怪的笑容道：「好孩子，你且騎一匹馬去，我想叫你替我送一張字條到愛里其那邊去。」

他從袋裡拿出許多跳舞人圖形的紙張。他轉身伏在書桌上，把這許多紙張攤在面前，忙了一會。最後，他拿出一張紙條，交給那孩子，叫他把這字條送到收信人手裡。又吩咐他送到了就走，無論那個人問什麼話，都不要回答。我看那字條的外面，寫的字跡凌亂，決不像出自於福爾摩斯平常的工整字體。上面寫著寄交諾福克東羅司登的愛里其農場，給艾貝·司蘭尼先生。

福爾摩斯道：「警長，我想你最好打個電報，再去叫些警員來。如果我的計劃成功，那麼，你將會有一個特別危險的犯人要送到郡監獄裡去？我差這孩子帶信，可以順便把你的電報一齊帶去發。華生，如果下午有到城裡的車子，我們最好就回去。因爲我有一些有趣的化學分析，還沒有結束，這一件案子，卻很快將有結果了。」

當那孩子拿了信出去以後，福爾摩斯便吩咐所有僕人。如果有什麼人到此地來，問起喜爾登·邱比特太太，不許向他說起她的現況，立即就把他引到客廳裡來。他吩咐這幾句話的時候，顯出非常鄭重的樣子。最後，他引我們一起走到客廳裡去。他的樣子像是這案子現在已經與我們不相干，我們儘可以放鬆一下，等到再有什麼發現再說。那時那醫生已經回去看他的病人，只剩警長和我留在這裡。

福爾摩斯把椅子拉近桌子，拿出許多畫著跳舞人形的紙片，一張張鋪在桌上。他道：「我想我現在可以請你們二位度過這有趣而舒服的一小時。華生我友，我先要向你致歉。因爲我讓你懷著好奇心已經很久了，卻一直不能讓你有滿意的解答。警長，這一件案子對你也很重要，而且將有助於你職務上的學問。我必須先告訴你喜爾登·邱比特先生到貝克街來和我商量的那些詭奇的事情。」接著他便很簡要地把前面所記過的事情講了一遍。

「我面前放著的這些小紙片，如果人家不知道這是一幕如此恐怖慘劇的前兆，一定會覺得可笑。我對於各種密碼符號自信很有研究，並且我也曾做過一篇專門討論這東西的論文。在那一篇論文裡面，我分析過一百六十種不同的符號，但是我承認對眼前這一種玩意卻一竅不通。發明這東西的人，目的是要以這東西傳遞信息，即使給人家看見了，也必以爲只是小孩子們無聊的塗鴉。但是我已經可確定這符號是代表著字母的。我再應用其他各種密碼的判斷程序，那就很容易分析了。我所看到的第一封信很短。在那封信裡，並沒發現什麼。我憑常理判斷，假定  是代表E字。這一層你們也可以想到。因爲E字在英文字母裡面是用得最多的一個，即使是在一句極簡短的句子裡面，也一定會用到很多的E字。在第一封信十五個符號裡，有四個同樣的符號，所以我覺得很有理由把它看做是一個E字。再看有許多人形拿著一面方旗的符號，有許多處卻沒有，我便想這或許有一種意思，大概這符號的作用是把句子裡的字母分隔成完整的單字的，我視它爲可接受的假設，並且認定  是代表E字。

但是這時又發生了很困難的問題。英文字母中，E字之外的字母，出現頻率差別並不顯著，在各種印刷品上所見的平均數可能與在一個短句中的相反。大體上說來，字母按出現次數多寡的排列順序是：T，A，O，I，N，S，H，R，D，L，但是T，A，O，I時常並駕齊驅，我要是把它一個個試著裝進去，來尋找可解的意義，那是非常困難的事情。所以我那時只能暫時擱置，靜候發現了新資料再說。在喜爾登·邱比特先生第二次來看我時，他抄給我的兩句短句和一封信，信上沒有小旗，所以我認定它是一個完整的單字。就是這樣（見圖四）。這個字裡面，一共只有五個符號，而第二個和第四個是我假設E的字。在英文字裡面，一個字有五個字母，而第二、四都是E字的，可能是Sever（切斷）、Lever（槓杆）和Never（決不）三個字。這一個字我確定他是對於某件事情的答覆，並且知道是夫人寫的回答，所以知道三字裡面，只有Never（決不）一字合用。我既肯定是正確的，那麼，便可知道其中    的符號就是代表N，V，

R三個字母的。那時，我還是覺得有很大的困難，但是又非常快樂，因爲我又發現了幾個其他的字母。我假設那發信的人，是夫人早年的熟人，所以有一個新字，在兩個E字母中間夾著三個字母的，或許是一個女子的名字Elsie。我試驗之後，見這一種結合式的字，在這封信裡面，竟有三次重複出現。更可以明白這是對於Elsie請求的話。因此，我又得到了三個字母。但是這裡面說了什麼話呢。我見在Elsie前一個字，只有四個字母，末一個是E字，那一定是Come無疑。我也曾用了許多四個字末一個E的字試驗，但都不適合。所以我又確定了C，O，M三個字母。我再進一步應用它來研究第一次所見的信，把這些已經知道的字母放進去，分成了單字，不知道的地方用黑點代表。就成了下面的樣子：

•M•ERE••E SL•NE•

現在，第一個字只有A字可以合用，這是我最得力的發現，因爲這一個字在這句子裡出現三回；又經過試驗，適合第二個字第一個字母的只有H，把它放進去，便變成下面的樣子：

AM HERE（在此）A•E SLANE•

如果把最後一個字認定是個人名，只有Y比較適合，便成爲：

AM HERE A•E SLANEY（譯意：我已到……司蘭尼）

我既明白了這些字母，就有了極大的信心，我把它應用到第二次的信，成了下面的樣子：

A•ELRI•ES

這裡面我只能把比較適合的T和G放進去，我猜是那寫信的人所居住的旅店或者人家的名字。」

我和馬丁警長聽著我友詳細清晰的敍述，都覺得很有趣。在我們都以爲困難得不知如何是好的事情，沒想到他竟得到如此一個結果。

那警長問道：「先生，你以後怎麼辦呢？」

「我憑了許多理由，假設這名字叫艾貝．司蘭尼的是個美國人，因爲艾貝是個美國式的名字。而那一封美國來的信，便是這種種禍害的起因。我事先便已想到，這裡面或許含有犯罪的意味。那夫人對於過去事情的悔恨，和對於她丈夫的不信任，不肯公開，都引我想到這一層。我於是就打了個密電給我在紐約警局的朋友威爾森．哈格立夫，這個人常協助我們辦案。我問他是否知道艾貝．司蘭尼這個名字。他的回電說：『此人是芝加哥最險惡的一個騙子。』就在接到回音的這天晚上，我又得到喜爾登．邱比特寄給我，司蘭尼發出的最後一封信，我把已知的字母放進去，成下面的樣子：

ELSIE • RE • ARE TO MEET THY GO •（譯意：愛爾雪……去見你的……）

我放了P字和D字進去，完成這一封信：

ELSIE PREPARE TO MEET THY GOD（譯意：愛爾雪，預備見上帝吧！）

在這信裡面，我知道那個惡徒勸說無效，要用危險的手段了。並且我已知他是芝加哥的著名兇徒，他所說的話，一定很快會實踐的，我便立刻同我的老搭擋華生醫生到諾福克來。但是不幸得很，已經遲了一步，慘劇已經發生了。」

那警長很誠懇地說道：「眞是莫大的榮幸，可以和你一同處理這件案子。之前如果在言詞上有所得罪，還要請你原諒。你對於你所要明白的事件，已經弄得很淸楚。只是我必須要上報長官。如果那個住在愛里其家裡的艾貝·司蘭尼的確是個兇手，我去捉他時他卻已經逃走，那我就要陷入困難的處境了。」福爾摩斯道：「你無須憂慮。他決不會想逃的。」「你怎麼知道的呢？」「他要是要逃，那就是自認罪狀哩。」「那麼，我們快去捉他。」福爾摩斯道：「我想不久他自己就會到此地來的。」「但是他爲什麼要來呢？」「因爲我寫信去請他來的。」「呀！福爾摩斯先生，這是不可能的！他怎會因爲你請他，就自己來呢？並且恐怕你這一種邀請，引起了他的疑心，不是反叫他跑掉嗎？」

歇洛克·福爾摩斯道：「我不是已編出那封信了？如果我沒看錯，此人已經來了。」

這時，一個人正向大門的路上走來。他是一個高大文雅的人，穿著一套灰色法蘭絨的衣服，帶著一頂巴拿馬草帽，短短的黑髫，大鷹鉤鼻，走路時揮著一根手杖。他大搖大擺地走上這一條路，好像這地方是屬於他的，不一會，我們就聽到一陣很大聲的門鈴聲音。

福爾摩斯低聲說道：「我想我們最好都躲在門後。想與這個傢伙周旋，我們必須先有充分的準備。警長，你先把手銬預備好，讓我來跟他說話。」

我們默然無聲了一會兒——這一會兒，我永不會忘記的。門開了，那個人大步地踏進來，福爾摩斯便拿出一支手槍抵在他的頭上，馬丁立刻以手銬銬住他的兩腕。如此周密敏捷的動作叫他措手不及。他用疑惑的眼光對我們注視了半晌，才迸出一陣苦笑。

「好！現在你們把我捉住了，我似乎碰到

福爾摩斯拿出手槍抵在他的頭上

了勁敵哩。但是我到此地來，是喜爾登·邱比特太太叫我來的。她是否在這裡，你可以告訴我嗎？還要請你告訴我，可是她和你們一同設下這個陷阱的嗎？」

「喜爾登·邱比特太太傷勢嚴重。現在快死了。」此人聽見這句話，便大叫了一聲。

他表情慌張地說道：「你胡說！受傷的是他，並不是她。誰會去傷害小愛爾雪呢？我是恐嚇過她，但是，上帝原諒我，我並不想碰傷她一根美麗的頭髮。你——你要收回你這句話，你要說她沒有受傷啊！」

「大家都看到了，她的確傷得很重，倒在她已死的丈夫身旁。」

他長嘆一聲，倒在一隻長椅上，以兩隻巨手，掩住了面孔。靜默了五分鐘，他再抬起頭來，臉上現出一種絕望的神色，冷冷地向我們說話。

「諸位，我對於你們，也不必隱藏什麼了。如果說我開槍打死這個人，那是在他開槍先打我之後，不能說是我謀殺他。但是假使說我開槍打傷了那個女人，那麼，是你們不知道我和她的關係。我要告訴你們，世界上再也沒有一個男子愛一個女人，比我愛她更深切的。我有權娶她，她父母從前便把她許配給我了。那個英國人是什麼東西，竟橫梗在我們倆的中間。我告訴你，我有權娶她。我來此不過來要求我自己應得的權利罷了。」

福爾摩斯很嚴肅地說道：「不錯，她自從知道了你的人格，就想躲避你。她從美國逃到此地，就是要避開你，她嫁給了英國一位很體面的紳士。你尾隨著她，要她跟你過悲慘的生活。你要叫她背離她恩愛敬重的丈夫，跟著她非常厭惡畏懼的你，一塊兒逃跑。你這計畫的結果，是讓一個貴紳士喪命，又讓他的夫人自盡。這就是你幹的好事。艾貝·司蘭尼先生，你等著接受法律的制裁吧。」

那美國人說道：「要是愛爾雪死了，我也不管前途如何了。」他展開一隻手，看著手掌裡捏著的一張紙，頓時現出詫疑的神色。他喊

道：「先生，你不是在騙我吧？如果她果眞像你所說的傷勢嚴重，她怎麼會寫這字條呢？」說著，他把這一張紙扔在桌上。

「這是我寫了叫你到此地來的。」

「你寫的嗎？這種跳舞人形的祕號，除了我們同一個團體裡的人，我敢說全世界沒有人懂得的。你怎麼會寫這東西呢？」

福爾摩斯道：「世界上的事情，只要有人能夠發明，就有別的人可以破解的。司蘭尼先生，現在囚車已經預備好了，要請你到諾威奇去。我希望你對這一次罪行可以稍做一些懺悔。人家都懷疑喜爾登·邱比特太太謀殺她的丈夫，使她蒙著不白之冤。幸虧我在此地，憑著我所發現的線索，把她從罪案裡救出來，你知道嗎？你若爲了她，至少要向大家說明白，她對這次的慘劇，不論直接或間接，都毫不相

關。」

那美國人道：「我非常願意。我認爲最好的辦法就是說出實情。」

那警長喊道：「我有責任警告你，這是對你不利的。」他說著，現出非常熟悉英國法律的樣子。

司蘭尼聳了聳肩膀，說道：「聽運氣吧。現在我要告訴諸位，我在她還小時就認識她。我們有七個人，在芝加哥組織一個祕密的團體，愛爾雪的父親就是這團體的領袖。老巴特里克是一個異常聰敏的人。他發明的這一種密碼，總讓人家以爲是小孩的玩意，都不會留意。沒想到你竟會解釋出來。愛爾雪那時已知道了我們的事情，她不肯與我們做相同的勾當，並且她自己有一些正當的財產，所以她就離開我們，悄悄地跑到倫敦。她在離開前已經許婚給我，要是我幹了另一行，她早已嫁給我了；但她卻不願和我們同幹不正當的事情。我找到她的行蹤，是在她剛嫁給這個英國人之後。我寫信給她，可是沒有回音。我見書信沒有用，就趕到此地，設法把音信放在她一定看得到的地方。我到此地已有一個月。我住在農莊裡，屋子非常隱僻，可以在夜間出入，沒有人比我更周密的了。我想盡種種法子，要引愛爾雪跑走。我知道她已經看過我的密訊，因爲她有一次曾經寫回信拒絕我。於是我不禁發怒起來，便用恫嚇的語言寫給她。她就給我一封信，懇求我離開此地，她說如果有什麼羞辱她丈夫的事發生，簡直要使她心碎的。她說我若能答應立即離去，使她平平靜靜地生活，她會在凌晨三點鐘，等丈夫睡熟之後，到樓下窗口來同我說話。後來她果眞如約而至，並且把錢給我，要求我離去。我那時聽了她的話，幾乎發狂。我拉著她的胳臂，要把她拉出窗來。就在此時，她的丈夫忽然拿著手槍衝了進來。愛爾雪就跌倒在地板上，只剩我和他面對面站住。我很想逃走，就拔出我的手槍，要逼他讓我走開。他忽然開槍，卻沒有打中我。同時我也開了一槍，他就跌下去。我從花園逃走，那時聽見有關窗的聲音。上帝在上，諸位，我是沒有一句謊話的。以後我就沒聽見什麼，直等那個孩子騎了馬來，拿這字條給我，叫我到此地來，我活像一隻小鳥被你捉到手裡。」

當這美國人滔滔不絕地說著時，囚車已經開到。兩個穿制服的警察，坐在裡面。馬丁警長便站起來，用手拍拍這犯人的肩膀道：「現在是我們動身的時候了。」「可以讓我先見她一面嗎？」「不能，她還沒有回復知覺。歇洛克．福爾摩斯先生，我惟一的希望，就是如果再有什麼重大案件發生，我還要請你指教我，幫助我，那就是莫大的榮幸了。」

我們站在窗前守候這囚車開去。當我回轉頭來，我的眼睛接觸到犯人扔在桌子上的那張紙。這就是福爾摩斯騙他來的字條。

他微笑著向我道：「華生，你看看這一張紙，能懂得嗎？」

這上面沒有一個字，只畫著些跳舞人形。

福爾摩斯道：「你如果試用我剛才解釋的法則，你就可以明白這是一個很簡單的意思，說『立即到此。』我寫出如此一個請柬，叫他不致拒絕，因為他以為這字條，除了夫人之外，沒有第二人能寫的。親愛的華生啊，這些跳舞人形，本是作惡的工具，現在卻被我們利用著，得到了好的結果。我想起來，這也可實踐我允許你的話，你的記錄上總可以添上一件很不平凡的事情了。現在，我們若坐三點四十分的車，我想我們正好回到貝克街去吃晚飯呢。」

容我再說幾句話，做個結尾。

這美國人艾貝·司蘭尼，在諾威奇冬審時，本已定了死罪，但是後來因爲這事確實是喜爾登·邱比特開槍在先，罪行減輕一些，改判終身監禁。

至於喜爾登·邱比特太太，我聽說後來她身體痊癒，至今仍孀居著，守著她丈夫的遺產，專心致力於慈善事業。

自行車怪人(The Solitary Cyclist)

從一八九四年到一九〇一年，歇洛克・福爾摩斯先生一直非常忙碌。在這八年裡，我敢說，國內各種困難的案子，沒有一件不來請教我友，至於私人案子，更不下數百件。這裡面有許多饒富趣味且具特色的案件，他都辦得有聲有色。有許多很成功，但也有一些不可避免的小失敗，大部分我都參與其中。我想把一件一件的案子，詳詳細細地記錄下來，供讀者欣賞，一時竟無從著手。我只能秉持我的慣例，挑選些並不是暴力行爲的罪案，專選一些富於構思而有研究趣味的案件。因爲這個緣故，現在我要介紹給讀者的，就是衛歐萊特・史密斯小姐與卡林登自行車怪人，這件事最後是以悲劇收場。這件案子，在我友所著名的才能上，並不能增添什麼特異的色彩，但是在我這小小的罪案紀錄裡，卻有幾點耐人尋味之處，值得記一記。

我查考記事簿，我們第一回遇見衛歐萊特・史密斯小姐是在一八九五年四月二十三日星期六。我還記得她來的時候，福爾摩斯非常不歡迎。因爲他那時正全神貫注在一個奧妙複雜的問題上——就是煙草大王約翰・文生特・哈騰所受的窘迫事情。我友的脾氣，在他專心研索的時候，最恨有什麼事情打斷他的思緒。但是他也不是固執的人，所以他不可能拒絕那位秀麗端莊的女子來向他陳述案情。她在晚上到貝克街來，要請求我友的指教和助力。當時我友的時間雖然已經被別的案件佔滿，但是對她說了也無效，因爲她抱定決心，要向我友陳述她的事情。她的神情很明顯的表示，她沒達到目的，決不肯離開此地的。福爾摩斯勉強露出笑容，帶著不得不聽她說話的神情。就請這一位美麗的不速之客坐了下來，請她慢慢兒地把所遭遇的危險告訴我們。

那時他尖銳的目光，注視在她的身上，向她說道：「無論如何，那一定不是關於你身體健康的問題。因爲如此善騎自行車的人，身體一定很強壯的。」

她滿現著驚異之色，朝自己腳上一望。那時我也注意到，她鞋底的一邊都有輕微的磨痕，那是在踏鐙上面擦損的。

「是的，福爾摩斯先生，我是常喜歡騎自行車。我今天特地來拜望你，有些事情求教。」

我友拉起這婦人沒有帶手套的一隻手，很仔細地驗看著，活像一個科學家在看一種標本的樣子。

不一會，他把她的手放下，說道：「我知道你一定會原諒我的。這是我應有的職務，我差點誤會你是一位打字的人。顯然，你是位音樂家。華生，你注意到了嗎？這指端的橢圓形，就是這兩種職業共有的特點。但是看她臉上的那種特殊氣質，那是打字人所沒有的。所以我知道你是位音樂家。」

「是的，福爾摩斯先生，我是教音樂的。」

「我從你的外貌上觀察，敢說你是在鄉下授課的。」

「先生，是的，近法納姆，在薩萊邊境。」

「那是風景很好的地方，充滿了有趣的人們。華生，你總還記得我們破獲那私鑄犯亞啓·司丹福，就在這個地方。衛歐萊特小姐，你在近法納母地方遇到了什麼事情呢？」

於是那位年輕的姑娘，很清晰鎮定地說出下面一大段奇怪的事來：

「福爾摩斯先生，我的父親已過世。他叫詹姆斯·史密斯，是帝國劇場的樂隊指揮。他過世之後，只剩我母親和我。除了一個叔父之外，沒別的親族。我叔父叫勞而夫·史密斯，他到非洲去了二十五年，我們卻從來沒有接到他的音信。我父親去世之後，我們非常困苦。有一天，別人向我們說起，有人在泰晤士報上刊登廣告尋找我們。二位也可以想到，我們那時是如何地高興。因爲據我們看來，一定是有人要給我們一筆遺產。我們就照著廣告上的話，找到一個律師那邊去。我們在那邊遇見兩個紳士——卡路特司先生和烏得雷先生，他們都是從南非洲回來的。他們說我叔父是他們的摯友，數月前已在約翰尼斯堡過世，身後非常蕭條。他臨終的時候，託他們尋覓他的姪女，並且託他們設法好好兒地照顧。這一件事情似乎非常突兀，因爲我叔父生前一點也不管我們，何以死後卻如此關切。但是卡路特司解釋說，我的叔父在將死之前，才知道我父親已經過世，又知道我伶仃孤苦，所以非常關心我們。這終算是他應有的責任。」

福爾摩斯道：「對不起。我要問那是什麼時候的事情？」「去年十二月——四個月以前。」「好了。請繼續說下去吧。」

「烏得雷先生是個非常討厭的人。粗胖的臉、紅的鬍髭，頭髮分披在額角的兩邊，時常向我擠眉弄眼的。我認爲他是個令人討厭到極點的東西，並且我知道雪力爾一定不願意我認識他的。」

福爾摩斯微笑著說道：「噢，雪力爾是他的名字！」

那女子臉色微紅，不禁笑道：「福爾摩斯先生，雪力爾・馬頓是個電氣工程師，我和他希望在夏末結婚。呀！我怎麼忽然說起他來呢？我想說的是烏得雷先生是個極端討厭的人，但是那個卡路特司先生年紀大一些，卻很和藹可親。他很瘦，臉上總是刮得很乾淨，沈默寡言，舉止有禮，而且時露笑容。他詢問我們的境況，他知道我們非常窮困，就請我到他家裡教他一位十歲的女兒。我說我不願遠離我的母親，他就說每星期六，我可以回家探望她。他願給我一年一百鎊，這數目的確是很優厚的薪金。所以我就受了聘約，到他住的契爾特農莊那邊去，那裡大概離法納母六哩之遙。卡路特司先生是一個鰥居的人。他雇用一個管家婦照料他的家務。她是個很老成持重的人，名叫狄克孫太太，他的女兒也是很可愛的。卡路特司先生性情很溫和，又很喜歡音樂，所以我們每天在一起，總是很快樂。每個星期六，我都會回家看我的母親。我快樂時光的第一件不愉快的事，就是那紅鬍髭烏得雷的光臨。他來住了一個禮拜。呀！我感覺竟好像有三個月之久！他是個可怕的東西，人家都覺得他是個兇悍的人，我尤其厭恨他。他向我百般搔擾，表示他愛我。他又自誇他的富有，說如果我肯嫁給他，我就可以有全倫敦最好的鑽石。後來他見用盡心機，毫無效果，有一天飯後，他突然硬把我摟住——他的蠻力，竟像一隻牛——並且他說如果我不吻他，他就不肯放我。那時卡路特司先生恰好進來，便把我拉開，與他爭鬥起來。他把烏得雷打倒在地上，臉上也抓出了幾條血痕。這就是他到那邊去的一個惡果，當時的情形，你也可以想像得到。到了隔天，卡路特司先生向我道歉，他說以後決不再讓我受這種侮辱。從此之後，我就沒有見過烏得雷先生。福爾摩斯先生，現在我要講到這一件特別的事了。我今天就是爲此特來請教的。你知道，我每一個星期六的下午，都騎自行車到法納母車站，搭十二點二十二分的車回家。從契爾特農莊出來，是一條很冷清的路，有一段尤其冷清，這一段路，大約一哩左右，一邊是卡林登矮草叢，一邊是圍繞卡林登堡的森林。你不會在其他地方找到更冷清的路了。在你沒到克魯克司小山大路之前，在那邊你休想碰到什麼人，或者一輛小車。兩禮拜之前，我正經過那裡，偶然從肩上回頭一望，忽見一個人也騎著自行車在我後面，大約距離二百碼之遠。那是個中年人，頷下有短黑的鬍子。我快到法納姆時再回頭望，那個人已經不見，所以我也就不去想它。但是在星期一我回去的時候，在同一路上，同一距離，卻又看見這個人。福爾摩斯先生，你可以想到我是怎樣地驚訝了。到了下一個星期一和星期六，又發現同樣的情形，所以我更加深了驚疑。但與我保持一定的距離，從不來擾害我，但是我總覺得他神祕可疑。我把這情形告訴了卡路特司先生，他似乎覺得非常奇怪。他說他已經去訂了一輛馬車，以後叫我不要再獨自經過這冷清的地方了。那車子和馬，這一星期本可以來的，但是因爲手續未妥，還沒有送來。因此，我只得再騎著自行車到車站。就是今天的早晨。哎，怪極了！當我走到卡林登矮樹叢那裡，一點也不錯，兩個星期來所看見的怪人又在我後面。他常常和我距離一大段路，我看不清他的面目。但是我可以確定那個人決非我認識的人。他穿著黑色衣服，戴著布製便帽。我在他臉上所能看見的，只有黑的鬍鬚。今天我並不害怕，只是充滿好奇，所以我決定要弄清楚他究竟是誰，有什麼企圖，我把車子踩得很慢，他也把車子踩慢。我就停住等他，他竟也一樣停住了。於是我就想出一個計策對付他。在路上有一個轉彎，我把車子踩得非常快地轉過彎，再停下等他。我希望他也轉彎過來追我，但是他卻沒再出現。我因此再退回原路，在轉彎處張望。在那裡我可以直望見一哩後的路，但是不見他的影子。最奇怪的是，那地方並沒有他可以逃走的岔路。」

福爾摩斯輕輕一笑，搓著兩手，說道：「這事情確有可研究之點。從你轉彎過去，到你發現路上無人，其間大概間隔多久？」她道：「不過兩三分鐘。」「那麼，他一定來不及退出這條路啊。並且你不是說完全沒有別的岔路嗎？」「絕對沒有。」「那麼，他一定走到道路旁邊去了。」「決不可能。不然我一眼就看得見他哩。」「如果這些情形都不可能，我們可以斷定他一定是向卡林登堡那條小路去的。我知道古堡是在那段路的一邊。再有別的事嗎？」她道：「沒有了，福爾摩斯先生。只是我覺得有些昏亂，所以急於要到你這兒來，聽了你的話，我才可以放心。」

福爾摩斯默默地坐了一會。最後他問道：「你那位未婚夫在什麼地方工作？」「他是在科文特雷的密得倫電氣公司中服務。」福爾摩斯道：「或許是他故意裝扮來看你的。」「唉！福爾摩斯先生！我怎會連他都認不出呢！」「那麼，沒有別的人傾慕你嗎？」「在我未認識雪力爾之前，是有幾個。」「之後呢？」她道：「如果你認爲烏得雷算是傾慕我的人，那麼只有這可怕的傢伙了。」「沒有別人了嗎？」

我們那位美麗的顧客，稍微有一些難爲情的樣子。福爾摩斯逼著問道：「是誰呢？」「唉，這或許只是我單方面猜測，但是我有時感覺，我那位主人卡路特司先生也非常注意我。我們是常在一起，到了晚間也相處在在一起。但他從沒有說什麼，他是個高尚的紳士。但是在我們女孩子心理，卻很容易看出的。」

福爾摩斯嚴肅地問道：「呀！他是靠什麼生活的？」她道：「他是一個很富有的人。」「那麼，他怎麼沒有馬車呢？」「無論如何，他的生活很舒適。他一星期總要到城裡去二、三次。他在南非洲的金礦有不少股份的。」「史密斯小姐，現在我很忙碌，但是有什麼新的發現，請你隨時告訴我。等我稍微有空，我就會研究你這件事。再有一件事，你沒有和我商量以前，不可有什麼舉動。再會，我在此專候你的好消息便了。」

那時我友一邊躊躇，一邊吸他的煙。半晌，他對我道：「這是自然的道理，如此美麗的一個女郎，當然有人要追。但似乎不該是騎著自行車在那冷清的鄉村路上追啊。大概有人仰慕她。華生，這事件的確有很奇怪的地方。」

「那就是這個人爲什麼只在這一個地點出現。對嗎？」

「對極了。我們著手的第一步，要先查出租住卡林登堡的人是誰。還有，卡路特司和烏得雷二人既然個性如此不同，他們究竟有什麼關係呢？他們兩個人爲什麼要如此注意勞而夫・史密斯的家屬，這些人到底有什麼用意？

爲什麼請一個家庭教師要雙倍的薪水?他家裡距離車站六英哩，卻爲何不備一車一馬?奇怪，華生，奇怪極了!」「你要去探查嗎?」

「不，親愛的老友，此案請你去調查好了。這是很小的一件事，我不能因此而擱置別的重要案件。星期一你可以一早趕到法納姆去。你先躲在近卡林登堡附近，一切行動，你就照著你自己的意思去進行。你探明了這堡裡的住戶之後，你就回來向我報告。華生，現在沒有別的事了，等找到了一些我們所需要的線索，可以解釋這件事情時，再行商議。」

我們已經聽她說過，知道她在星期一搭的火車，是九點五十分從滑鐵盧開的。所以我提早一班動身，趕上九點十三分的車。到了法納母，我並不費力就問到往卡林登的路。那少婦所說遇見怪事的地方，是不會弄錯的。因爲這一段路，一邊是矮樹叢，一邊是老扁柏樹籬，圍繞著一個大花園，裡面點綴著許多巨大的古樹。正門有一條石路，滿覆著青苔，兩邊的石柱上面，都雕著古官吏的格言華表。這條大路，除了中間的車道，我看見籬笆上有幾處缺口，是被人家走出來的小路，在大路上看不見那巨屋，只看見它周圍的環境，彷彿在訴說著古屋的衰頹敗落。

矮樹叢的上面，滿蓋著金黃色的金雀花，閃鑠在燦爛的春光裡。在一球花的後面，我選定了一個藏身之所。在那兒可以看見古堡的門前路，和兩邊的大道。我初到時，路上沒有人影。但是不一會，我便瞧見有一個騎著自行車的人正從我來的路的對面趕來。他穿著黑色外套，並且有一臉黑鬍鬚。在將要走到卡林登堡盡頭的地方，忽然跳下來，扶著車子，走到籬笆的一個缺口裡，不一會，我就看不見他的影蹤。

經過一刻鐘之後，又發現了第二個騎自行車的人。這一次就是那位姑娘從車站來了。我見她走近卡林登籬笆時，四面留心察看著。她走過不久，那男子又從藏躲的地方出現，跳上他的自行車，跟在她的後面。在這一大帶寬闊的地方，只有這兩個人在那邊行動。那端莊的女子很挺直地騎在車上。她後面的男子卻低伏在車把上，每一個動作，都神祕而詭異。她回頭看見了他，就把速度減低。但他也慢下來。她停止，他也立刻停止不走，永遠保持在她後面二百碼的距離。她接下來的動作，卻是出人意料地回過車身，非常迅速地向他衝去！但是他與她一樣飛快地向後轉身，一會兒蹤影全無。不久，女子又從這路上回來，傲然地昂著頭，好像不屑再注意那個祕密跟蹤的人。他也轉回來，仍舊保持這距離，跟在她的後面，直到大路的轉彎隔斷了我的視線，我才沒再看到他們。

我仍舊躲在那裡。這一次我自問幹得很好。因爲那男子忽然又慢慢地騎回來。他轉進古堡的大門口，下了車。我見他站在樹林裡面大約有幾分鐘。他舉起手來，好像在整理他的領結。然後再度跨上車子，一直向我對面一條通往古堡的大路騎去。我跑過了籬笆，從大樹的空隙裡望過去，可以遠遠地望見那老式的灰色房屋和聳立的古式煙囪。我看見這個人經過一片稠密的灌木，就消失無蹤。

我以爲我這一早晨的工作，成績非常優秀，所以我很高興地走回法納姆去。當地的租屋經紀人對卡林登堡也不甚熟悉，他因此介紹我到一個著名的帕兒馬爾租屋經紀公司那邊去。我回家的時候，先到那邊停留了一陣子，那公司裡的人很客氣地接待我。後來我才知道我已不能租下這古堡來度暑，因爲我來遲了，這古堡一個月以前已經租出去。租戶的名字叫威廉生，是個老人。這位很有禮貌的經理，說他很抱歉，不能再告訴我什麼，因爲他客人的個人行動，不是他分內所應研究的事。

那天晚上，歇洛克・福爾摩斯先生很留神地聽我報告。但是我所希望得到的讚語，卻沒聽到一個字。並且恰得其反，他嚴厲地批評我所做過的和沒有做的事。

「我親愛的華生，你藏躲的地方簡直是壞極了。你應當藏在籬笆後面，那你就可以很接近地看清那個有趣的怪人了。現在你說你離開他有幾百碼遠，那麼，你所能告訴我的，還不如史密斯小姐的話。她認爲她不認識那個人，我卻敢說她一定認識那個人。不然他爲什麼要距離她很遠，不讓她認清他的樣子呢？你也看見他是低伏在車把上的。就可知道他是躲著不讓她認清。你所做的事實在沒什麼幫助。他回到了那屋裡，你應該去探訪他是什麼人，可是你卻到一個倫敦的租屋經紀公司去問！」

我有些不服氣，便喊道：「那麼，我應當怎樣做才對呢？」

「你應當去附近的酒店。那是村裡閒話的集中點。店裡的人，大概對於村裡的任何人都會知道的。講到威廉生，這名字卻是我所不知道的。如果他是一個老人，那麼他決不會如此矯健，竟能騎著自行車追趕一個女子。你這一趟出去探訪，究竟得到一些什麼資料呢？那女子所說的話是眞的，我並不懷疑。至於這古堡和這自行車怪人必有關係，我也早已料想到，絕無疑義。現在你查到這古堡的租戶叫威廉生，也沒特別幫助。好了，好了，老友，你不要如此不服氣。我們可以下星期六再進行，讓我自己去偵查一下。」

隔天早晨，我們接到史密斯小姐的一封信，很簡明地敍述如我所看見的那些情形。但是在信的後面，附有一段話，很値得注意：

「福爾摩斯先生，我想你看見我現在所寫的，就會知道我直覺是沒錯的。我已到了窘困的境地，因爲我的主人竟向我提出求婚。我很相信他的心意是非常眞誠而高尙的，只是我已經許婚過他人。他受到我的拒絕，感受到很大的痛苦，不過他仍舊很溫柔地對待我。但是你總也明白，我在此已漸漸處於窘境了。」

福爾摩斯看完了信，想了一會，說道：「我們的朋友似乎已陷入泥淖了。這案件生出許多有趣複雜的枝節，竟在我意料之外，我想到鄉間過一天舒服安靜的日子，而且我想在今天下午去印證我所假設的推論。」

福爾摩斯說到鄉間去過安靜日子，結果時間很短。因爲他在晚上回到貝克街來，嘴唇上有裂傷的血痕，額角上腫起一大塊，狼狽的樣子，恰像一個從蘇格蘭警場裡逃出來的犯人。但他對於這回出去探訪覺得很愉快，在他告訴我的時候，不時開口大笑。

他道：「我平日的運動是有用的。你也知道，我從前所學的英國舊式拳術常會用得到的。譬如今天，我要是沒有這幾手，就要吃大虧了。」

我請他告訴我，究竟是怎麼一回事。

「我先找到那些公衆休息集會的地方，就

像我上次向你說的，準備在那裡探問些線索。我走到一間酒店裡去，那健談的店主詳細回答我所要知道的事。據說威廉生是一個白鬚老人，他單身和幾個僕人住在堡裡。據人家傳說，他做過牧師，或許現在仍當牧師，但是他住進堡裡之後，有些事情卻很不合乎宗教本意。我問過一個代理牧師，他說曾經有位叫威廉生的牧師，但他的行爲實在很不光明。那店主還告訴我說，每星期六，堡裡常有一群客人，這一群人都不像好人，尤其下流的是一個紅鬍髭的人，名叫烏得雷，我們正在談論，不料我們講到的那個傢伙正走過來。他已經在店裡喝足了酒，我們的話，也被他聽到了。他說話很快，又夾雜著許多不雅的語辭。他問我是誰？想要怎樣？問這許多話是什麼意思？他說完話之後，突然出手打我一拳，我來不及閃躲，便挨了一下。不過之後卻是我占上風。我臉上的痕跡，就是這暴徒留下的紀念。我成了這樣子，烏得雷則乘車回家。這是我鄉間之行的結果。我要說，雖然這一趟花樣多，卻也不能說比你去的那趟有什麼收穫。」

到了星期四，又接到我們那位女客人的一封信。

「福爾摩斯先生，請你不必驚訝，我就要結束卡路特司先生的聘任了。這裡的報酬雖然如此豐厚，我卻不能再忍受現在所處的尷尬處境。在這星期六，我來到城裡之後，我不想再回到此地來了。卡路特司先生已經備好馬車，所以這條冷清路上的危險，現在都已成了過去。至於我要離此的主因，不僅是因爲很難面對卡路特司先生，實在因爲那個討厭的惡人烏得雷先生又出現了。他永遠是可厭的，但他現在的樣子，比從前更加可怕。因爲他好像遭遇到意外，傷得不成人形了。我是從窗口裡看見他的，幸虧沒有當面遇見他。他同卡路特司先生談了許久的話，卡路特司先生好像受到極大的刺激。烏得雷一定住在鄰近人家家中，因爲他並不住在此地。但是今天早晨，我在園裡灌木林裡看見他。我現在把他當作一頭野蠻的野獸。我實在說不出有多麼憎恨他與怕他。那位卡路特司先生怎能忍受這一頭野獸呢？但是我的種種麻煩，星期六之後都可以過去了。」

福爾摩斯嚴肅地說道：「華生，我確信是這樣的。我確信有一個可怕的陰謀正包圍著這個女郎。這是我們的責任，要留心這女郎的最後一次路程，不要讓她遭到什麼不幸，華生，我想我們必須要花些時間，在這星期六早晨一起下去，以便使這奇怪複雜的事件不要發展成不幸的結果。」

我承認我現在還不很明白這事情的眞相，只覺得這事件不過是奇怪迷離罷了，並無什麼危險。一個男人去等候追蹤一個漂亮的女郎，並不是沒有聽見過的事。並且如果他是因爲不敢放肆，所以不直接和她說話，不敢和她接近，那麼，這男子也並不是個兇惡的人物。暴徒烏得雷卻不是這一種人，但除了從前那次，他也沒有再擾害過我們的女客人。現在他去探望卡路特司，也沒有闖入她的面前。那個騎自行車的怪人，一定也是古堡星期六客人裡的一個，就是那酒店主人所說的那些人之一。但是他是什麼人？他有什麼用意？至今還和從前一樣不能明白。福爾摩斯照他平常謹愼的習慣，在我們走出房間的時候，把手槍放在衣袋裡，這讓我感到很不安，或許要發生一幕慘劇哩。

一夜雨之後，隔天是個明媚的早晨，那些短樹叢的鄉間道路，滿蓋著一球一球的金雀花，在習慣倫敦城灰色風景的眼睛看起來，覺得分外美麗。福爾摩斯和我，沿著寬闊的沙路走去，呼吸新鮮的空氣，快樂地聽那些小鳥在春光裡啁啾的鳴叫。我們走上一條爬坡路，從克魯克司小山的山腰上，我們可以望見山頂聳峙在古橡樹叢中間，那些樹雖然很老，卻還不及他所圍繞的房屋年代久遠。福爾摩斯指著一條很長的馬路，這條路在那棕色的矮樹和嫩綠的樹林中間望過去，像一條紫色的帶子。很遠的地方，好像有一個黑點，我們可以看出是一輛車子，正向我們這個方向移動，福爾摩斯不禁狂呼道：

「我差了半小時。如果這是她的馬車，她或許是搭第一班早車了，華生，我怕我們來不及遇見她，她早已經過卡林登了。」

在這個時候，我們已經走過這一條高路，就不能再看見那車子了。但是我們仍急忙向前趕去，這種趕路速度，叫我習慣坐定的人，開始吃不消了。福爾摩斯卻是訓練有素，他身體裡藏有旺盛的精力，隨時可以應付。他輕快的腳步，一直沒有放慢。突然，他在我前面一百碼處站定。我看見他攤開兩手，做出一種悲傷失望的手勢。同時我看見一部空車，馬鞦繮弛，繞過這曲路，慢慢地向我們行來。

當我跑到福爾摩斯旁邊，他呼道：「華生，太遲了，太遲了！我笨極了，竟沒有料到她要坐早班車！華生，她已經被人劫持去了，或許已經殺害了。現在快上車！讓我們趕去！看看是否還來得及彌補我的大錯。」

我們跳上車子，福爾摩斯把馬頭回轉，用

力地鞭著馬，很快地朝這條路奔去。我們轉過了一個彎，古堡和矮樹叢間的路一望無際。我拉著福爾摩斯的臂膀道：「就是這個人！」

此時，一個騎自行車的人，正向我們而來。他的頭俯著，背部弓起，好像全身的力氣都用在他的踏蹬上。他速度快得像賽跑一樣。忽然之間，他抬起有鬍鬚的臉，看見了我們，突然停住，從車上跳下來。他墨黑的鬍鬚，和蒼白的臉色形成對比，眼睛閃爍，像是極度興奮一樣。他對我們和車子看了一會，臉上現出疑惑的神色。

「喂！停車！」他一邊喊，一邊把自行車停在路中，阻止我們的路。「你們從那裡弄來這輛馬車？你給我停住！」那人說著，從袋裡拿出一枝手槍。又喊道：「快停，不然，對不起，我要開槍打你們的馬了！」

福爾摩斯把韁繩扔在我膝間，跳下車去。他很簡明迅速地答道：「你就是我們所要見的人，衛歐萊特·史密斯小姐那裡去了？」

「這也是我急欲問你們的話。你們坐的是她的馬車。你們應當知道她的行蹤啊。」

「我們在路上遇見這空車。裡面一個人也沒有。我們趕來想幫助她的。」

「上帝呀！上帝呀！我該怎麼辦呢？」這個人喊著，顯出倉皇失措的神情。「他們把她擄走了，一定是那個萬惡的烏得雷和卑汚的牧師。如果你們真要幫助她，快來，快來，同我一起去救她。即使叫我死在卡林登樹林裡，我也要救她的。」

他腳步凌亂地跑向一個籬笆的缺口，手裡緊握著手槍。福爾摩斯緊隨著他，我也讓這馬和車子留在路上，跟著福爾摩斯趕去。

他指著濕地上的腳印，說道：「這是他們經過的腳印！等一等！誰在這草裡？」

是一個大概十六七歲的少年，像一個馬夫，穿著皮褲和綁腿。他仰臥在地上，膝蓋縮起，頭上受到重傷，已暈了過去，但是沒有斷氣，我們匆匆地檢視他的傷，知道還沒有傷到骨頭。

那自行車上的人說道：「這是馬夫彼得，就是幫她趕車子的。這些畜生把他拉下來，並且打傷他。現在且先讓他睡在此地，我們本應該看護他的，但是我們要先趕去救那身陷險境的女子。」

我們很快地跑在樹林中的彎曲小路上。直到了圍繞著這古屋的扁柏樹前，福爾摩斯站定了說道：「他們不是到這屋裡去的。這是他們的腳印，向左，在那一帶矮桂樹的左邊！唉呀！被我說中了！」

當他說話時，我們聽見一陣尖銳的女人叫聲，一種極度驚恐的呼喊聲從我們前面的綠樹叢裡傳來。接著又聽見像是一個人被人扼住咽喉所發出的聲音。

那個陌生人急呼道：「走這一條路！走這條路！他們是在滾球場。」說著，先向樹叢裡衝過去，嘴裡叫著：「唉！這可惡的狗！二位，快跟我來啊！太遲了！太遲了！被惡魔得手了！」

我們闖入一片古樹包圍的綠地。在最遠的那邊，一棵很高大的樹蔭下有三個人。其中一個，就是我們的女委託人。那女子已經暈去，嘴上蒙著手帕。她的對面，站著一個蠻橫紅鬚的人，兩條綁著布的腿分叉站著，一手撐著腰，一手揮著一根馬鞭，顯出一副奏凱得勝的樣子。在兩人的中間，一個灰鬚的老人，穿著短的白法衣，罩在絨布外衣的上面，好像在在證婚的樣子。因爲我們看見他的時候，他正把祈禱書放進袋裡，並且拍著這奸僞的新郎的背，恭賀他。我喘著道：「他們竟結婚了！」

我們的引路人叫著：「快來！快來！」他跑過這一片草地，我和福爾摩斯緊追在他後面。當我們走近的時候，那女郎支撐著樹幹。假牧師威廉生對我們鞠躬，表現出揶揄的禮節。那個野蠻的烏得雷卻發出粗蠻的狂笑。

他道：「鮑勃，你可以把假鬚拿掉，我認得你的。你和你的同伴來得正是時候。我正好介紹你們見見烏得雷太太。」

我們的帶路人也不和他多說什麼。他拉去臉上喬飾的黑鬚，扔在地上，露出他瘦長清秀的眞面目。然後他舉起手槍，對著那惡徒。那惡徒卻更向他走近，手裡揮舞著馬鞭。

與我們同去的人說道：「是的，我是鮑勃·卡路特司。我要看這她是否平安，決定是否試用我的槍。我告訴你，你如果侵害她，對不起，我就不客氣了！」「你來的太遲了。她已經做了我的妻子了！」「胡說，她會成爲寡婦。」

他說著，便把板機一扣，我們就看見鮮血從烏得雷的胸前直噴出來。他身軀一晃，

他的身軀一晃，慘叫一聲，跌倒在地上。

慘叫一聲，跌倒在地上，他那可厭的紅臉，剎時間變成可怕而不勻淨的蒼白色。那個老者仍舊穿著白法衣，破口大罵。他也立刻從袋裡拿出他的手槍，但是他來不及舉起，就給福爾摩斯的槍制服了。

我友冷冷地說道：「好了，快把你的槍扔掉！華生，請你把這槍拾起來！你拿槍對著他的額角！卡路特司，你的槍也交給我。我們不該再動武了。快，把手槍拿過來。」「你究竟是什麼人啊？」「我名字叫歇洛克．福爾摩斯。」「唉呀，上帝呀！」「我知道你們應該聽過我。我在警察沒有到此之前，只好代他們行使職權了。」他那時看見草地的那一邊，有一個嚇呆的馬夫，就喊他道：「喂，你過來！」他便從記事冊上撕下一頁，草草地寫了幾行字，交給那馬夫道：「快騎一匹馬，盡你的能力趕去，把這字條送到法納姆，交給警局的局長。」又向衆人道：「現在他們沒有來，我只能扣留你們，由我個人來監視。」

福爾摩斯用堅強的性格，處理著這一幕慘劇，大家都受他的指揮。威廉生和卡路特司兩人把受傷的烏得雷抬進屋去，我也扶著嚇暈的女郎進去，那受傷的烏得雷躺在床上，福爾摩斯請我去察看他的傷勢。我察看之後，回去報告，見福爾摩斯坐在掛著壁毯的飯廳裡，那兩個犯人在他的面前。

我道：「沒有生命危險的。」

「什麼話？」卡路特司突然喊出，並且從椅子上直跳起來。「我必須上樓去，先把他解決了再說。不然，不是要讓這一個小天使被這萬惡的洛林傑克．烏得雷糾纏一生嗎？」

福爾摩斯道：「這件事你不必再管了。事

實上她不可能成爲他的妻子。這有兩個極充分的理由。第一，可以問威廉生，他是否有職權可以執行婚禮。」那老棍徒喊道：「我是授過聖職的。」福爾摩斯道：「可惜已被褫奪了。」「當過牧師的，永遠有牧師的身份。」「我看不能吧。那麼，有結婚證書嗎？」「這次的結婚，我們有證書的，放在我的口袋裡。」

「你們是施行狡計弄來的。無論如何，強迫的結婚，不能算是結婚。這也是一件極大的罪惡，你以後自己會覺悟的。除非我記錯了，這一罪便可讓你在牢獄中好好反省十年。卡路特司，至於你，我覺得你不該開槍的。」

「福爾摩斯先生，現在我也這樣覺得。但是當時我只想到去保護這女郎，因爲我是愛她的，並且這是我第一次知道什麼叫做愛，福爾摩斯先生，我一想到她落入這南非暴徒的魔掌之中，就幾乎要發狂。這個人的名字，從金柏利到約翰尼斯堡，人家聽見了沒有不恐懼厭惡的。福爾摩斯先生，你聽了也許不能相信。當這女郎應聘到我家裡之後，我知道她常要經過這屋子。這屋中的那一群惡魔，正設計謀害她，所以我沒有一次不是騎著自行車暗地追隨她，希望她經過那邊，不致受到什麼禍害。我總離她很遠，且戴著假鬚，叫她認不出是我。因爲她是個高尚純潔的女郎，如果她知道我在這鄉間路上跟蹤她，她決不願意再受聘的。」

「你爲什麼不直截告訴她這危險呢？」「因爲如果她知道了，絕對會離去的，這樣我實在不能忍受。雖然她並不愛我，我卻只要能在我家裡看見她純潔的形貌，聽見她溫柔的聲音，那就滿足了。」

我道：「好了！卡路特司先生。你認爲你

是爲了愛情，但是我以爲你是爲了私慾。」

「兩者或許是兼而有之。無論如何，我不願她離我而去。除此之外，有這一群惡徒對她虎視眈眈，一定要有個人接近保護她才好。自從這一通電報到來，我就知道事情會有急變。」

「什麼電報？」卡路特司從身邊拿出一封電報說：「就是這個！」上面是很簡短的一句話：

「這老人已經死了。」

福爾摩斯道：「哦！我想我知道怎麼回事了。並且我也知道因爲這電報，才使這件事突然發生。現在我們坐在這裡，你可以把你所能說的告訴我們。」

那穿白法衣的老邪徒發出一陣苦笑道：

「天呀！鮑勃．卡路特司，你要洩露我們的祕密嗎？我會拿你剛才對付傑克．烏得雷的手段來對付你。關於那女子的事，你可以隨便說，因爲這是你個人的事情。但如果你把別的祕密告訴他，那你就是做了最笨的一件事了。」

福爾摩斯燃起一根捲煙，徐徐說道：「大牧師不必如此激烈。我對於你們的事情都已明白了。我所要問的幾句，不過是我私人的好奇罷了。但是如果有什麼困難，你不能告訴我，不如就讓我來說。這樣，你該知道，你沒有什麼辦法再保守祕密了。首先，我知道你們三個人是爲了這一個計畫從南非來——就是你，威廉生，他，卡路特司和那個烏得雷。」

老人道：「第一件就是瞎說。在兩個月以前，我從未見過他們二人，而我一生從未到過非洲。大忙人福爾摩斯先生啊，你還是裝好了煙吸一口吧！」

卡路特司道：「他的話沒錯。」

「好了，我知道了，你們兩個人從南非來。

原來這一位大牧師是我們本國貨啊。你們在南非認識了勞而夫·史密斯。並且知道他活不久了，又探知他有個姪女是繼承他遺產的人。我說的對嗎？」

卡路特司點點頭，威廉生嘴裡卻不停地胡亂咒罵。

「她確實是勞而夫·史密斯最近的親屬，並且你也知道那老人是不立遺囑的。」

卡露特司道：「沒錯，他不識字，不會寫。」

「所以你們兩個來到此地，探訪這個女郎，你們是打算一個娶她，另一個分得部分贓款。不知為何，烏得雷卻選到了應做她的丈夫。我卻不懂這是怎樣搞的？」

「我們在船上以紙牌作注。是他贏的。」

「原來如此。你先把那女郎聘到你家裡，以便烏得雷可以進行求婚。但她看出他是一個酗酒的惡棍，很不願和他接近。這時你們的計畫卻忽然大亂，因為你自己對她陷入了情網。你不能忍受這惡徒擁有這女郎。」

「不能，天呀！我實在不能忍受！」

「你們兩個人還因此爭論過。他怒氣沖沖地走了。不再管你，自己獨自進行這項計劃。」

卡路特司苦笑著說道：「威廉生，他的話都對，我們也不能說什麼了。是的，我們大起爭執，他把我打倒。但其實，我是和他不相上下的。從此之後我沒有見過他。那時他便和這老人在此設計。我知道他們要在她到車站所必經的地方劫持她，想必在這一個轉彎處，是最容易佈置惡計的，因此我一直留心看護她。我時常留心察看他們，因為我急欲知道他們的計畫。兩天以前，烏得雷忽然到我家，拿出這封電報，知道勞而夫·史密斯已經死了，他問我是否願意遵守原約。我說我絕對不願。他問我是否願取代他娶這個女郎，但讓他分享財產，我說我很願，但是她卻不肯嫁我。他說『讓我們先娶了再說，一兩星期之後，她總會改變心意的。』我說我萬萬不願用野蠻的手段做事，他就一路罵出去，顯出他流氓的本色。他說他一定要把她弄到手的。這星期六，她要離開這裡，我已經買了一部馬車，送她到車站。但是我總覺得不放心，所以我騎著自行車追來。那時她已經動身了一會，在我沒有追上她的時候，這不幸的事竟已發生了。我首先看到的，便是你們二位駕著她坐的馬車趕過來。」

福爾摩斯站起來，把煙頭扔在門口，他道：「華生，我很愚蠢呢。當你向我報告，說你看見自行車上的人好像是在整理領帶，這一點其實已向我們說明一切了。但我們自己也該慶幸，能遇到如此怪異奇特的一件案子。好了，有三個警察趕到，想不到那小馬夫倒也趕得上一起來。我想大牧師和這位新郎從此永遠不能再幹今天早晨那種惡行了。華生，我想憑你的高明醫術，要請你在此診治史司密斯小姐。你跟她說，等她的身體完全復原之後，我們就可把她護送到她母親那裡去。如果她身體不能立刻復原，你可以透露說要打電話去叫密得倫電氣公司的少年工程師來，那或許就可以讓她痊癒了。卡路特司先生，至於你，我想你後來的舉動可以補救你先前同謀的過失。我給你一張我的名片，如果審判時要我幫你，你將可以如你所願的。」

我們層出不窮的案件常常困擾我。因爲讀者常常渴欲知道事情的結果，叫我來不及記錄。一件案子一了結，接著就有第二件出現。

事情既過，那些登場的人物，就走出了我忙碌的生活。但是我在記事簿裡找到一張附箋，記著此案後來的情形。上面記著：萬亞蕾·史密斯小姐繼承了一筆很大的遺產，現在已成了雪力爾·馬頓的夫人了。雪力爾·馬頓也已成了西敏寺區著名的馬頓與肯尼迪電氣公司裡的大股東。威廉生和烏得雷因誘拐和傷害罪，一個監禁七年，一個十年。至於卡路特司的情形如何，卻沒有記到。但是我敢斷定，他的罪在法庭上決不會太重。因爲他傷害的那個烏得雷本是個罪大惡極的兇徒，所以判決的時候，卡路特司最多只受幾個月的徒刑罷了。

蹄痕輪跡（原名 The Priory School）

在我們貝克街的小小舞臺上，往往有許多奇特的登場和退場。但就我記憶所及，沒有比桑尼谷·賀克斯塔普博士的突然出現那麼令人驚奇。博士的名片上印著許多頭銜，小小的一片紙，似乎不足以說明他的名望。他的名片剛送進來，他自己便闖了進來。他是一個魁梧高大的人，看去很威嚴而穩重。但他把門關上後的第一個動作，就是靠著桌子不停地顫抖。然後，身體一斜，巨大的身軀便橫倒在我們鋪著熊皮毯的地板上面。

我們都跳起身來，一時呆瞧著出神。覺得他這種突然的變動，一定是生命海洋中忽然發生了什麼可怕的風暴。福爾摩斯忙取出一個墊子墊在他頭下，我也取了些白蘭地湊近他的嘴唇。他蒼白而寬大的臉上布滿許多皺紋，眼窩發黑，眼睛緊閉，嘴角寬鬆下垂。他襯衫和領子上的灰塵，表示他經過長途跋涉，這個躺在我們面前的人，分明已心力交瘁。

福爾摩斯問道：「華生，這是怎麼回事？」

我以手指按在那人的脈上，他的脈搏非常微弱，答道：「這是極度衰竭——可能因飢餓和疲勞所致。」

福爾摩斯說道：「這裡有一張梅克爾登的來回火車票呢。那是在英國的北部啊。」他說時從那人的錶袋中取出一張車票，接著又繼續道：「現在還不到十二點鐘。他一定很早就動身了。」

那人的眼皮漸漸地有些顫動，一雙空洞灰

白的眼睛，向我們呆瞧著。接著，他爬了起來，臉上泛著羞愧的紅暈。

他道：「福爾摩斯先生，請原諒我的衰弱。我已過度疲勞。假使我可以得到一杯牛奶和一塊餅乾，我確信便能好些，謝謝你。福爾摩斯先生，我所以親自到這裡來，就是要請你和我同車回去。我怕我若用電報來請你，就不能使你覺得這案子特別緊急。」「等你完全回復了以後……」「我現在已好了。我不知道我怎麼會如此衰弱。福爾摩斯先生，我希望你乘下班火車，同我一塊兒到梅克爾登去。」

我的朋友搖了搖頭道：「我的同伴華生醫生可以告訴你，眼前正忙得很。我此刻正從事費利歐文件案，還有亞伯格文謀殺案也將要開庭了。因此現在除非有極重要的案子，我才會離開倫敦。」

我們的訪客舉起了兩手，呼道：「非常重要的！你沒聽說霍特尼公爵的獨生子被劫的事嗎？」福爾摩斯道：「什麼！公爵不就是前任的國務大臣嗎？」「正是，我們本不想讓報館知道這個消息。但昨夜的環球報上已記載著一段謠傳。我以爲這消息已進了你耳朵了。」

福爾摩斯伸出他瘦長的手臂，把他的人物參考錄中的H那卷取了下來。

他唸道：「就在這裡。『霍特尼，英國第六世公爵，先是受封爲皮佛萊男爵，後晉授卡斯頓伯爵。』——啊，名銜竟這麼多！『一九〇〇年任哈蘭姆的總督。一八八八年娶亞波爾勳爵的女兒愛迪司爲妻。他的獨生兒子，名薩爾特。他有二十五萬英畝田產。在威爾斯和蘭開夏另有許多礦產。通信處卡爾登屋、哈蘭姆的霍特尼爵邸、威爾斯的卡斯頓堡。一八七二年任海軍大臣，又任首席國務大臣……』嘖，嘖，這個人的確是貴族中的貴族。」

來客應道：「他不但最尊貴，而且也是最富有的人。福爾摩斯先生，我知道你在你的職務上成就非凡，因此請你幫幫忙。我還應告訴你，公爵準備了一張五千鎊的支票，酬謝那個能夠告知他愛兒行蹤的人，假使能夠說出是那個人劫持他的，另有一千鎊的酬勞。」

福爾摩斯道：「這樣的酬勞果眞很豐富。華生，我想我們就同這一位賀克斯塔普博士往北部去吧。賀克斯塔普博士，你喝完了這杯牛乳以後，請你告訴我這件事是怎樣發生的，並且在什麼時候發生。最後，我還要知道你和這件事有什麼關係，並且爲什麼事發後三天才到這裡來。因爲你那末修剪的鬍鬚，已把日期告訴我了。」

我們的來客吃完了牛乳和餅乾以後，臉頰上略略恢復了血色，眼中的光彩也恢復過來。他振作了精神，解說這一件事情。

「先生們，我是一間修道院公學的創辦人和校長。你們若讀過賀克斯塔普著的《賀拉司的考證》一書，也許會知道我的名字。修道院公學算是全英國最優秀的預備學校。例如萊瓦司貴族、白雷斯伯爵、沙麥斯勳爵等等，都把他們的兒子送到我的學校裡來。但在三星期前，我學校的榮譽眞是達到了巔峰。因爲霍特尼公爵差他的祕書詹姆斯·魏爾德先生來見我，說公爵要把他十歲的獨生子薩爾特，送到我學校裡來。當時我滿心歡喜，卻不料這竟是我生命中惡運的開始。在五月一日，就是夏季學期開學的日子，那孩子果眞來了。他是一個很可愛的少年，不久便和我們處得很融洽。我向來說話都很謹愼，但像這樣的案子，若不明說，未免無益。這孩子在他的家中，原本不很快樂。因爲公爵結婚後的生活並不安寧，這已是一個公開的祕密。後來因雙方的同意，公爵夫人便和公爵分居，獨自在法國南部居住。分居的事是在不久前發生的。據一般人知道，那孩子與他母親的感情非常濃厚。自從夫人離開霍特尼爵邸以後，這孩子常鬱鬱不樂。爲著這個緣故，公爵才把他送到我的學校裡來。他進來之後，約過了兩個星期，便和我們打成一片，看起來已快樂得多了。他最後一次被人瞧見是在五月十三的晚上，就是上星期一。他的臥室在二樓，進去時必須穿過一間大室，室中另有兩個孩子住著。這兩個孩子並沒有瞧見或聽見什麼，因此，可知薩爾特並沒從那一條通道經過。他臥室中的窗開著，窗外有一條堅固的老藤直通地面。我們在藤下找不出什麼足跡，但這實在是惟一的通道。他的失蹤，是在星期二早晨七點鐘時被發現的。他的床曾有睡過的痕跡。他在動身以前，穿好了黑衣灰褲的校服。室中並沒有別的人進去的跡象，假使有什麼呼喊或爭鬥，一定會被人聽見，因爲隔室中住著一個年齡較長的孩子康特，他是一個睡得不熟的人，他卻並沒有聽見什麼。當薩爾特失蹤的事被發覺以後，我立即召集全校的學生、教師、僕役等，點名檢查。我才知道薩爾特的失蹤並不是單獨出走的，我們學校中的一位德國教師希狄格也不見了。希狄格的臥室也在二樓，在屋子的另一邊，和薩爾特臥室的通道相對。他的床也曾睡過。但他外出時衣服顯然沒有完全穿好，因爲他的襯衫和襪子仍留在地板上。毫無疑問的，他是從窗外的藤上攀緣下去的，因為在藤下的草地上印著他的足印。他有一輛自行車，本放在草地旁邊的小屋中，現在這輛車也不見了。他在我校中服務了兩年，來的時候，帶著很好的推薦信。但他是一個靜默而憂鬱的人，在教師和學生中，並不怎樣善於交際。我們四處追尋，毫無端倪。到了星期四早晨，我們仍舊像星期二早晨一樣沒有頭緒。我們當然到霍特尼爵邸中去問過，那爵邸和學校距離只有數哩。我們起先以為這孩子忽然想家，因而悄悄回到他父親那裡去了。但爵邸中並無消息，公爵知道以後，十分驚惶。我既負著這樣的重任，我所受的打擊，你此刻也瞧見了。福爾摩斯先生，懇求你大力幫忙。在你一生中，該沒有比這案子更值得的了。」

歇洛克・福爾摩斯聚精會神地聽這一位不幸的教師的陳述。他緊皺的額角，和眉峰間的深紋，都顯出他已全神貫注在這件事上。因為即使不管它重大的賞金，那複雜離奇的情節，已足以引動他的好奇心了。他拿出他的筆記簿來，記下了一兩句。

他嚴肅地說道：「你不早點到這裡來，實在是大錯特錯。此刻你來請我偵查，已非常棘手。譬如那藤梗和草地，如果說在專家眼中看不出什麼，那是不近情理的。」

「福爾摩斯先生，這一點我不能代人受過，是因公爵竭力想避開外面的流言。他深怕他家庭的不幸事情會傳到外面去。他最痛恨外界的蜚短流長。」

「但這事發生以後，官方總該偵查過吧？」

「有的，先生，但結果卻完全令人失望。起初得到了一點線索，有人瞧見一個少年同一個孩子在鄰近的車站上乘早車動身。到了昨天晚上我們得到消息，這兩個人被跟蹤到利物浦之後，才知他們和這件事完全沒有關係。我絕望不知所措，經過了一夜的失眠，就搭早車到你這裡來了。」

福爾摩斯道：「當地的偵探浪費時間查明這錯誤的線索，現在可是已放棄了呢？」「正是，已完全放棄了。」「這樣虛廢了三天，這案子就越發難辦了。」「正是，我承認。」

「但這案子卻有急速解決的必要。我很願意接辦這件事。但你可覺得那德國教師和那孩子之間有什麼關係呢？」「完全沒有。」「這孩子可是在那德國教師的班中呢？」「不，據我所知，他們間沒有交談過。」「這眞是很奇怪了。這孩子可有一輛自行車呢？」「沒有。」「可有別的自行車丟失呢？」「也沒有。」「這一點可確定嗎？」「確定的。」福爾摩斯道：「好，那麼，你可是以爲那德國人在深夜中把孩子抱在手裡，然後乘了自行車一同逃走的呢？」「不是這樣。」「那麼，你有什麼意見？」

來客道：「自行車是一個幌子。這車子一定藏在什麼地方，他們倆是步行離去的。」「這話不錯，但這樣的幌子，似乎不很得法。那停自行車的小棚中，可還有別的自行車嗎？」「有好幾輛。」福爾摩斯道：「假使他要讓人家以爲他們是乘著自行車去的，那麼，他爲什麼不藏匿兩輛呢？」「我想他確實應該如此。」

福爾摩斯道：「論情，他當然應該如此。所以你所謂幌子的假設不成立。但這一點在偵查上卻是一個很好的出發點，況且若要藏匿或毀掉一輛自行車，也不是容易的事。我還有一個問題，這孩子失蹤的前一天可有什麼人來看他呢？」「沒有。」「他可曾接到什麼信？」「有的，有一封信。」「這信是誰給他的？」「他父親寄給他的。」「你對於學生的信件可會拆閱？」「不。」「那麼，你怎麼知道是他父親寄給他的呢？」「那信封上有公爵的徽章。信封的字也是公爵那種特殊挺硬的筆跡。況且公爵後來也記得他確實寫過一封信。」「這孩子在接到這一封信以前，幾時曾接得別的信呢？」「在好幾天以前。」「他曾接到過從法國寄來的信嗎？」「不，從來沒有。」

「你當然明白我問的意思了。這孩子或許是被人用強力劫持去，或許是出於他自願而走的。假使出於自願，可知外面一定有人設法唆使，否則，這樣年紀的孩子，決做不出這種事的。如果沒有外面的人來見他，那麼，這教唆的信息，不消說一定是從信中傳達的。因此，我很想查明那個和他通信的人。」

「這樣，我恐怕不能幫你。據我所知，惟一和他通信的人，就是他的父親。」

「你說他失蹤那天接到的那封信就是他父親寫的。那麼，他父子間的感情可很融洽？」

「公爵對於任何人都不很融洽的。他全部的精神都貫注在國家大事上，對於平常的事情，感情都很冷漠。但他對於他的孩子是很關心的。」「但那孩子對他的母親，不是更親暱嗎？」「正是。」「這孩子可曾這樣說過呢？」「沒有。」「那麼，是公爵說的吧？」「天啊！也不是！」「那麼，你怎能知道呢？」「我曾和公爵的祕書詹姆斯·魏爾德先生談過，這孩子感情的事就是他告訴我的。」

「啊，我明白了。那公爵最後給他兒子的一封信，你們可是在他失蹤以後，從他的臥室中發現的呢？」「不，他已把這信帶走了，福爾摩斯先生，我想此刻我們應該前往尤思登車站了。」

「我可以雇一部四輪馬車，一刻鐘內我們便可以同行。賀克斯塔普先生，假使你打電報回去，最好讓你的鄰居們知道，你仍舊差人在利物浦或別的地方找人，同時我們要在你的屋中悄悄地進行。我想犯罪的味道雖然已經淡了，但像華生和我這樣的老獵狗，大概還可以嗅得出哩。」

那天傍晚，我們就到了空氣寒冷的山村之中。賀克斯塔普博士的著名學校就位在這個地方。我們到那裡時，天色已暗，客廳的桌上放著一張名片。一個僕人向賀克斯塔普博士附耳說了幾句，博士驚惶地對著我們。

他道：「公爵在這裡，他和魏爾德先生都在書房中。先生們，來，我給你們介紹。」

我從前見過這個著名大政治家的肖相，但他本人卻和他的肖相有顯著的不同。他是一個高碩而莊嚴的人，衣服樸素，沈著而瘦削的臉上長著長長的鷹鉤鼻。他的皮膚灰白，和他紅色的長鬢相襯，很覺奇特。他的長鬚垂掛在一件白色背心上面，有一條錶鏈露在鬍鬚的下端。這個莊嚴的貴人站在賀克斯塔普博士的毛毯的中央，冷冷地瞧著我們。他旁邊站著一個年輕人，我知道那就是他的祕書詹姆斯·魏爾德。魏爾德身材矮小，淡藍色的眼睛，活潑的面容，顯見他機警多智。這時最先發言的，就是這個魏爾德。

他道：「賀克斯塔普博士，我今天早晨特地趕來，竟來不及阻止你去倫敦。我聽說你去倫敦的目的就是請歇洛克·福爾摩斯先生偵辦這件案子。賀克斯塔普博士，這一點很讓公爵驚訝。你在進行這計劃以前，並沒有和他商量過啊。」

賀克斯塔普博士道：「因爲我聽說警察們已失敗……」「公爵卻並不覺得警察們已經失敗。」「魏爾德先生，這是眞的……」

魏爾德又插口道：「賀克斯塔普博士，你該知道公爵很想避免外界的一切流言。他希望知道這件事的人，越少越好。」

那頹喪的教師答道：「既然如此，這也容易挽救的。歇洛克・福爾摩斯先生大可搭明天的早車回倫敦。」

福爾摩斯忽大聲接嘴道：「博士，這不行，這不行。這北部的空氣很舒適，讓人神清氣爽。所以我決定在你們這曠地上耽擱幾天，以便舒展身心。至於我能否住在你們屋中或須遷到旅館中去，那請你決定便了。」

這可憐的博士已處於兩難的境地，一時不知怎樣解決。幸虧那紅鬚的公爵以他宏亮的聲音開口說了話，才解除了博士的困窘。

公爵道：「賀克斯塔普博士，我很贊成魏爾德的話。你實在應先與我商議一下。現在福爾摩斯先生既已受了你的請託，假使辭絕他回去，那也未免不當。福爾摩斯先生，你不但不應住在旅館裡，我還希望你同我一塊兒住在霍特尼爵邸中。」

「公爵，謝謝你。我想爲了偵查起見，我不如仍留在這案發的地方更便利些。」

「福爾摩斯先生，這也聽你的便。假使你要我或魏爾德先生告訴你什麼事，那也可以聽命的。」

福爾摩斯道：「待會兒我也許會到爵邸裡見你。現在我要請問一下，你對你兒子奇怪的失蹤，可已有什麼解釋了？」「先生，沒有。」「我的話如果引起你的傷感，那要請你原諒。但我不得不說，你想這件事與你夫人有關係嗎？」

那大政治家忽然顯出一種疑遲的神色。最後，他說道：「我想不見得如此。」

「此外另有一個解釋。這孩子的被擄，目的也許在勒索贖金。你可曾得到這樣的要索呢？」「沒有，先生。」福爾摩斯道：「公爵，還有一個問題。我聽說這件事情發生的那天，你曾寫一封信給你的兒子。」「不，我是在這事發生的前一天寫的。」「不錯，但他是在那天接到的。可不是嗎？」「正是。」「你的信中可有什麼話，足以引起他做出這一種舉動呢？」「不，先生。完全沒有。」「這封信是你親自寄出的嗎？」這時公爵的祕書忽然從旁代公爵答話道：「公爵向來不親自寄信的，這一封信和別的信一起放在書桌上，後來我親自把那些信放進郵袋中的。」福爾摩斯道：「你確定這封信也在裡面嗎？」「正是，我看見的。」「那一天公爵寫了多少信？」公爵答道：「約有二三十封。我的信件本來就很多。這和這一件事不見得有關係吧？」福爾摩斯道：「也不見得完全無關。」

公爵繼續道：「我已通知警察們要對法國南部那邊多加注意。我已說過，我不信公爵夫人竟會慫恿這孩子幹出這種事。但這孩子有點剛愎自用，也許他藉著那德國教師的幫助，自己逃到夫人那邊去。賀克斯塔普博士，我想我們現在要回爵邸去了。」

我覺得福爾摩斯似乎還要問什麼別的問題。但這貴人突然的態度，表示這一次談話已終止了。這分明是因爲他傲貴的脾氣，不願把家庭的隱事向陌生人細談。他似怕再談下去，也許要問到他其他的隱事，這會讓他更難堪。

那貴人和他的祕書離去以後，我的朋友便從事仔細的偵查。

那孩子的屋中，經過了詳細的察驗，找不到什麼線索。只知道他逃出去的出路必是那個窗口。在德國教師的室中搜檢，也沒有多大發現。但見他窗外的一根老藤已因不勝他的體重而折斷。我們又從一盞燈光中瞧見他下地時的腳印，只有短草上的一個足印足以當他私逃的證據，此外別無端倪。

福爾摩斯獨自外出，回來的時候，已十一點以後。他買了一張很大的附近地圖。他把這地圖帶到我的房內，舖在床上，又拿一盞燈放在地圖的中央，接著便開始吸煙。他邊吸邊看地圖，有時他以煙斗的嘴，在地圖上指劃。

他道：「華生，這件案子我越來越覺得有趣了。這裡面的確有幾點值得注意的。現在第一步，我希望你先注意地理上的問題。這一點在我們的偵查上有重要的關係。」

「你瞧這張地圖。黑色的方形就是修道院公學，我可以釘一枚小針作記號。這一條線就是大馬路。你瞧這條路是東西向的，中間經過學校。你也可以瞧見學校兩面一哩內都沒有岔路。假使這兩個人從大路上經過，那肯定是這條路了。」（見下頁）

我應道：「你的話不錯。」

福爾摩斯又道：「我在偶然的機會裡已查明那晚沒有什麼人經過這條路。就在我的煙嘴指著的一點，有一個鄉下警察在這裡守崗，時間是晚上十二點到六點。你可以看見這地方是

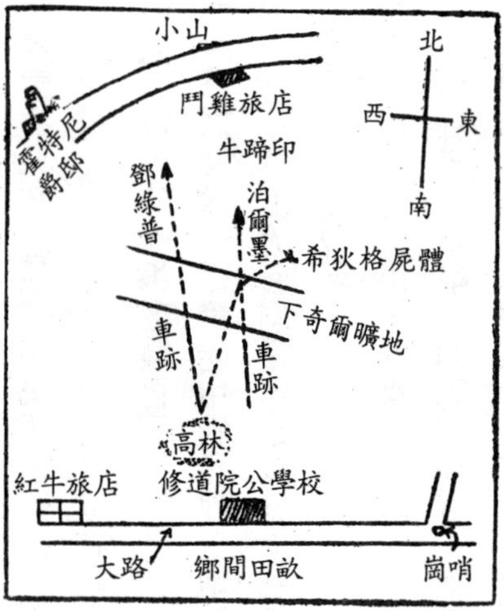

東邊的第一條叉路。據這警察說，他上崗以後，沒有離開過。他很肯定，無論大人或小孩，只要經過，他不可能沒看見的。我今夜曾和這警察談過。覺得這個人完全可信。所以這條路的這一面已不成問題，我們可以放棄不顧。現在我們看另一邊吧。西邊有一間小小的紅牛旅店。這個旅店的女主人正生著病，她差人去海克爾登請一個醫生，但那醫生另有出診，直到凌晨才到。這旅館中的人因爲等候醫生到來，所以全夜都守候著，差不多都一直在注意這條大路。他們也說並沒有人經過。假使他們的話是眞的，我們對於西邊也可以不注意了。這樣，我們可以斷定，這兩個逃走的人，並不是從大馬路上走的。」

我問道：「但那自行車呢？」

「不錯，我們就要談到自行車的問題了。我們要繼續推想，假使這兩個人不曾從大路上走，他們一定要從學校南面或北面的鄉村小路上走。我們現在思考一下，究竟是南面還是北面？你瞧，學校的南面都是些田畝，並且有一方方的石牆隔著。因此我說這條路上，自行車是不能通行的，我們也可放棄這方向。現在我們仔細研究向北的這面了。這裡有一片樹林，標著高林的字樣。再過去就是一大塊曠地，叫做下奇爾曠地，有十哩路長。地形逐漸向上。曠地的另一面就是霍特尼爵邸。若從大路上去有十哩路，假使穿過了曠地，那麼，學校和爵邸之間就只有六哩路了，這是一個荒涼的平原，只有幾個在曠地上的農夫搭著幾間小屋給他們的牛羊住。除此以外，一直到柴斯特菲德大路之前，只有那些雎鳩和鵜鳥才算是這曠地上惟一的『住戶』了。你瞧這地方有幾間草屋、一個禮拜堂，和一個旅店，過了這些小山，地形便陡然而下。所以這個地點我們應當特別注意的。」

我重覆道：「但那自行車呢？」

福爾摩斯不耐地道：「啊，一個精於騎自行車的人，不必一定要走大馬路的。這曠地上有許多交錯的小路，那晚上恰好月圓。啊！什麼聲音？」

不到一分鐘，賀克斯塔普博士已走了進來。他手中拿著一頂藍色的球帽，帽頂上有一個白色的花紋。

他呼道：「我們終於找到了一個線索了。謝天謝地！我們至少已追上了這孩子所走的路線了！這是他的帽子。」福爾摩斯道：「這東西在那裡發現的？」「在曠地上吉普賽人的車中發現的。他們在星期二離去的。今天警察們追到了他們，搜查他們的車子，竟發現這個東西。」「他們對於這東西怎樣說呢？」「他們說謊狡賴，說這東西是星期二早晨在曠地上拾到的，我想這輩流氓一定知道這孩子在什麼地方。現在還好已把他們關起來了。或許以法律威嚇，或許借重公爵的金錢，總可以讓他們把知道的事情說出來的。」

福爾摩斯等博士離開以後，說道：「這一點也有些益處，至少證明了我們的推想，應朝下奇爾方面進行。警察們除了捉住那些吉普賽人以外，實在沒有做什麼事。華生，你瞧這裡。這是曠地上的一條水道。你瞧這曠地上標著這水道所經之處，有幾處水道變寬，成了沼澤。在霍特尼爵邸和這學校之間濕地更大。在這樣乾燥的天氣裡，若要在別處找尋足印，是辦不到的。但在這一帶，一定會留些蹤跡。明天早晨，我可以一早來叫你，我和你到那裡去試一下，也許可以在這祕案中找出一線光明。」

次日黎明的時候，我剛醒來，已見福爾摩斯瘦長的身影站在我的床邊。他的衣服已經穿好了，分明已經外出過了。

他道：「我已到過那草地上，和放自行車的小屋中去過，又曾到高林中去了一趟。華生，現在你快起來，隔壁已預備好可可。你快點，我們今天有很多事要做哩。」

他眼睛閃閃發光，臉頰紅潤，彷彿一個巧匠，眼見面前的工作已經安排好了，準備動手，便顯出一種興奮的神情。這時的福爾摩斯，已成了一個活潑敏銳的人物，與在貝克街閒居時頹喪的神態完全不同。我見他精神奮發的樣子，便知道這一天的工作必定相當累人。

可是我們卻大大的失望了。我們抱了很大的希望，穿過了荒漠的曠地。曠地上都是羊腸小道，縱橫雜亂，後來走到了那一塊橫在爵邸和學校之間的濕地。假使這孩子回家去，他必須從這裡經過，並且不可能不留下足印。但那裡並沒有孩子或德國教師的足印。我的朋友露出失望的表情，在那濕地邊上緩緩蹀著。他急切的眼光，仍很注意地瞧著地上。那裡有好多雜亂的羊蹄印子。另有一處數哩長的地上都是牛蹄的印跡。此外就什麼也沒有了。

福爾摩斯瞧著寬廣無邊的曠地，悻悻然說道：「這條路已斷了。那裡還有一塊較狹的濕地哩。哈哈，那裡是什麼？」

我們走上一條曲折的狹徑。在這狹徑中央軟濕的路上。印著一條清楚的自行車痕跡。我道：「哈，我們找到了。」

但福爾摩斯搖了搖頭，臉上並沒有快樂的樣子，只顯出迷惑和期望的神情。

他道：「這當然是一輛自行車，但不是我們案中的那輛自行車。我對這種橡皮車輪曾經研究過，有四十二種不同的車輪痕跡我都很熟悉。你瞧，這是鄧綠普車輪，外胎是加厚的。但那德國人希狄格的橡皮輪是泊爾墨廠製造的，印跡是細長的線形。這一點是數學教師艾佛林告訴我的，說得非常確實。因此我知道這不是希狄格的蹤跡？」

「那麼，可是那孩子的嗎？」「我們假使能夠證實這孩子也有一輛自行車，你的話也許就對了。但我們明明知道那孩子沒有車子。你現在可以瞧見這車痕是另一個人從學校的方向駛過來的。」

「怎知不是向學校方向去的呢？」「不是，不是。我親愛的華生，你當然知道自行車的後輪會因承戴著乘車人的重量，印子比較深。你可瞧見有幾處那兩個輪子交疊在一起，後輪的深印便把前輪的淺印壓過了。因此我確信這車子是從學校方向出來的。這輪跡無論與我們的案子有沒有關係，在我們進行別條路線以前，不妨先退回去，把這車跡的來由，研究一下。」

我們依著車跡緩步前行，可是走了數百碼遠，走出了那曠地上的沼澤地，車跡便不見了。於是我們又循徑退回，另外到一個地方，有一條水流經過。這地方又瞧見自行車的痕跡，不過被牛蹄印擾亂了，差不多已瞧不清楚了。除了這個，便沒有痕跡。但那條小徑一直通到學校後面的高林裡去，我們料想那自行車就是從林子裡出來的。福爾摩斯在一塊大石上坐下，兩手托住下巴。我在他重新站起來以前，竟吸完了兩根紙煙。

最後，他說道：「我想，也可能是有個狡猾的人故意把橡皮外胎換掉，以便人家辨認不出，一個罪徒竟想得出這樣的念頭，那我也值得和他拼一下了。我們現在且把這個問題保留著。重新回到那塊濕地去。我們還有好多工作沒有著手哩。」

我們繼續前進，直到那濕地的邊緣，我們的恆心果然得到了報酬。

在那濕地的低下部分，有一條小小的泥徑。福爾摩斯走近那邊時，忽然歡呼起來。有一條像細電線合成的橡皮輪印，在那泥徑的中央被發現了，這就是泊爾墨的車輪了。

福爾摩斯歡呼道：「正是，這一定是希狄格的車印！華生，我的推論已成立了。」我道：「恭喜你。」「但我們還須走一段路哩。請你走得遠些，不要踏在徑上。我們且跟著這條車痕走，我想不會走太遠的。」

我們前進的時候，發現曠地的這一部分夾雜著好幾處軟濕的泥土。所以我們雖不時失落了這個輪跡，但一會兒就又重新發現了。

福爾摩斯道：「你可瞧見那乘車的人，在

這地方踩得很用力嗎？這是毫無疑問的。試瞧這個痕跡，前後輪都很淸楚，可見那人爲了讓車子急速前進，因此身體俯壓在前輪的把手上面。這是任何人用力踩車子時都有的現象。咦！他摔倒了。」

我見泥上有一個寬大的痕跡，似有什麼重物墜落過的樣子。接著，另有幾個足印重新向前行，那車輪重新顯現了。我道：「當眞是從車上摔下來過。」

福爾摩斯拾起了一根折斷的樹枝。我見那黃色的花上，染著紅色的血跡，不禁吃了一驚。同時也見泥徑上有黑色的凝血。

福爾摩斯道：「不好！不好了！華生，站開些！這裡不可有別的雜亂足印。這裡的情形是怎麼樣呢？他跌下來受了傷，站起來重新上車前進，可是沒有別的車子的痕跡。這旁邊的小徑上有牛蹄印子，他難道被什麼蠻牛所傷嗎？不會的。但我瞧不見別人的足印。華生，我們應當前進。現在有這血跡和車跡做我們的嚮導，決不會再逃過我們的眼光了。」

我們搜尋沒多遠，那車輪的痕跡在潮濕的小徑上忽然彎曲起來。我偶然向前一看，忽見灌木中有一個金屬的東西閃閃發光。我們走到那裡，便從樹叢中取出一輛自行車來。那車子的橡皮輪果眞是泊爾墨牌的，有一個踏蹬已彎曲了，車子的前部染滿了血跡，非常可怕。在灌木叢的另一面露出一隻靴子，我們繞過去看，見那不幸的騎車人躺著。他是一個高大的人，滿面鬍鬚，戴著眼鏡，有一塊鏡片已經不見。他的致命傷是在頭部，顱骨的一部分碎得很嚴重。但瞧他受了重傷以後，還能乘車前進，也可見得這個人的堅強勇敢了。他穿著靴子，

那不幸的騎車人躺著

卻沒有穿襪子，那件沒有扣著鈕扣的短褂露出裡面穿著一件睡衣。這一定是那個德國教師希狄格了。

福爾摩斯謹慎地把那屍體翻了過來，全神貫注地查驗了一番。然後，坐下來沈思。我見他額角緊皺，知道這一種意外的發現，在他看來，對我們的偵查並沒多大的幫助。

最後，他說道：「華生，我們現在應怎樣應付，的確有些難解決。照我的意思，我們既已花了許多時間，現在不能再虛廢一個鐘頭，必須繼續進行才是。但從別的方面看來，我們應把這個發現向警察報告，以便這可憐人的屍體有人照顧。」我道：「我可以幫你送信回去的。」「但我此刻需要你的陪伴和幫助。等一等，那邊有一個人在割草。你把他叫來，他可以去找警察來的。」

我把那個鄉下人叫來，福爾摩斯寫了一張字條，叫這個驚駭的鄉下人送到賀克斯塔普博士那邊去。

他道：「華生，我們現在已得到了兩條線索。一條是泊爾墨橡皮輪的車痕；這一條車痕的結果我們已看見了。另一條是有補痕的鄧祿普輪的車痕。我們在繼續偵查這一條線索以前，應把我們所知道的整理一下，以便分辨什麼是重要證據，什麼是出於偶然的。」

「第一步，我告訴你，那孩子逃走一定是出於自願的。他從窗口下來以後，或許一個人逃走，或許另有別的人同逃。這一點可以確定。」我點頭贊成。福爾摩斯繼續道：「現在我們再說這不幸的德國教師。那孩子逃走的時候，衣著完整，可見他早已預料他將有什麼舉動。但這德國人出來時，襪子都沒穿，可知他的舉動是出於臨時的。」「這當然無疑。」

「他爲什麼要出去呢？那就因他從臥室的窗裡瞧見那孩子逃走，便想追他回來。他取了他的脚踏車，追在孩子的後面，不料在追的時候，竟送了性命。」「這很近情理。」

「現在我要說到緊要之點了。一個人若要追一個孩子，自然的舉動便是在孩子後面奔追上去。論情，一個成人勢必追得上一個孩子的。但這德國教師並不如此，他卻用他的自行車，我聽說他騎車的本領很好，所以我料想假使他見那孩子沒有迅速逃走的方法，他決不會騎自行車的。」「不錯，想必那涉及到另一輛自行車了。」

「我們再推想下去。他死的地點，在距離學校五哩以外。你須記著，他不是受槍傷而死的——那孩子雖小，也可能會開槍的，他是受了猛烈的打擊而死的。這樣，可知這孩子一定另有一個同伴與他在一起，並且他們逃得很快。因爲一個善於乘自行車的專家，追了五哩路才追著，可見逃的人進行的速度了。但我們在這案發的地點察驗過了，我們瞧見些什麼呢？只有幾個牛蹄印子，此外沒有別的。我向四面瞧過，在周圍五十碼之內並無路徑。可知那另一個乘車的人，與這實際的謀殺並沒關係的。因爲這裡並沒有人的足跡。」

我呼道：「福爾摩斯，這假設是不對的。」他道：「不對嗎？你的見解很好。我也說不對。我的假設也可能錯，但你姑且自己瞧瞧，你可以說得出其他可能性嗎？」「你想他會不會跌破了頭顱呀？」「華生，這是軟地啊！」「的確是。這樣，我眞想不出了。」他道：「好，好，我們從前解決過比這更難的案子，現在我們得到了不少的資料，只要能夠利用，總能解決的。來，來，這泊爾墨線索已到了終點，我們再去瞧瞧鄧綠普的那條究竟有什麼線索。」

我們找到了那條車痕，繼續向前行。但我們走過了那條水道的區域，便是草堆，再向前進，就看不見什麼車痕。在最後瞧見鄧綠普車痕的地點，霍特尼爵邸的高塔已遙遙在望，前面也看得見一個灰色的小村，顯見就是柴斯特菲德大道。所以那車子若不是往爵邸裡去，一定是向那村子裡去的。

我們到了村中的一個小旅店前，那旅店的門上有一隻鬥雞的標記。福爾摩斯突然呻吟了一聲，拉住我的肩膀，以免他自己跌倒，他的腕力很大，我幾乎也站立不住。他好不容易一跛一跛地走到旅店門前。門前有一個黝黑肥胖的老人，正啣著一個黑泥製的煙斗吸煙。

福爾摩斯道：「羅賓·黑斯先生，你好嗎？」那鄉人以一副狡猾而帶著懷疑的眼神看著我友，答道：「你是誰？怎知道我的名字呀？」「你的名字明明寫在招牌上面。要辨別一個屋主，是很容易的。我想你的馬房中不會有一輛馬車吧？」「不，我沒有。」「我的腳實在不能站在地上了。」「那就不要站在地上好了。」「我不能走路。」「那麼，不妨用一隻腳跳啊。」

這位黑斯先生的態度實在很不客氣，但福

爾摩斯仍笑臉相對。

他道：「朋友，你瞧我的腳扭傷了，實在不能再走了。我不知道怎樣才能再前進？」那旅店主人冷冷地答道：「我也不知道啊。」「但這件事很要緊的。你若能借給我一輛自行車，我可以給你一個金鎊。」

那旅店主人忽然豎起了耳朵。問道：「你要往那裡去？」「往霍特尼爵邸。」

那人以他銳利的目光向我們泥跡斑駁的衣服瞧了一會兒，答道：「你們是公爵的朋友嗎？」福爾摩斯仍和悅地笑了一笑道：「無論如何，他會願意見我們的。」「爲什麼呢？」「因爲我們要把他失蹤兒子的消息告訴他。」

那旅店主人劇烈地震了一震道：「什麼，你已查出他的蹤跡了嗎？」「有人傳說，他此刻在利物浦。他們不久就可以找到他了。」

那旅店主人不光潔的臉上，忽變了一種神情。態度變得非常和悅。

他道：「我對於這個公爵實在沒有什麼好感。我從前做過他的車夫頭目，他待我非常兇惡。他竟聽信了一個小人的謊話，無緣無故把我辭退。但此刻我也很高興聽到小公爵已在利物浦，我很願意幫助你把這消息送到爵邸裡去。」

福爾摩斯道：「謝謝你，我們要先吃些東西，然後請你把那自行車取來。」他道：「我沒有自行車。」

福爾摩斯摸出了一個金鎊。

旅店主人又道：「我已告訴你，我沒有自行車。我可以借給你兩匹馬，送你們往爵邸去。」

福爾摩斯道：「好，好，這問題我們吃完了再談。」

我們到了那石板舖地的廚房裡後，旁邊沒有別的人，福爾摩斯扭傷的腳踝竟奇怪地痊癒了。這時已很晚了，我們自從清早吃了些東西以後，還沒有進食。因此我們這一頓晚餐，費了好長的時間。福爾摩斯沈沈地思索，有一兩次他走到窗口，呆呆地向窗外望著。窗外有一塊院子，院子一角有一個鐵工場，一個孩子正在那裡工作。院子的另一邊是馬房。福爾摩斯這樣瞭望了幾回，重新坐下，忽然又從椅子上直跳起來，發出驚喜的呼聲。

他呼道：「天啊！華生，我想我已知道了。是的，是的，一定如此。華生，你記得今天目過牛蹄印嗎？」我道：「記得的，有不少印子。」「在什麼地方？」「差不多各處都有。起初在那塊濕地發現的，後來又在小徑上瞧見，那希狄格遇害的附近，也是有牛蹄印子的。」他道：「正是，華生，現在你想你在曠地上見過多少牛呀？」「我卻不記得見過什麼牛。」「華生，這卻奇了！我們沿路都瞧見牛蹄印子，但竟沒有瞧見一隻牛。華生，這不是很奇怪的嗎？」「是啊，眞是奇怪。」「華生，現在你試用些腦力，追想你所見的情景。你可還記得那泥徑上的牛蹄形狀嗎？」「我記得的。」

他隨手以麵包的碎塊，一粒粒排在桌上。說道：「華生，你可記得有時那足印是這樣子的。」——：：：：——「有時卻像這樣。」——：：：：：：——「另有幾處，卻又是這樣的。」——．．．：．：．——「你可記得嗎？」「這卻不記得了。」「我記得的。並且非常確定。等我們有空的時候，不妨再去瞧瞧。我眞是太大意了，當時竟沒做出結論。」「那麼你的結論是什麼呢？」「我覺得這牛的行走，時快時慢，非常奇特。華生，這實在不是一個尋常的腦子想得出的。現在除了那鐵工場裡的孩子以外，那裡似沒有別人，我們且出去瞧瞧。」

馬房中有兩隻蓬毛不梳的馬。福爾摩斯把一隻馬的後腿提起來，瞧了一瞧，忽然高聲笑道：「這是舊蹄鐵，卻是用新釘釘上去的。這案子的確很奇妙。現在我們到鐵工場裡去瞧瞧。」那工場裡的孩子、仍繼續他的工作，沒注意我們。我見福爾摩斯的眼光忽左忽右，瞧著那地板上雜亂的鐵塊和木頭。忽然我們聽見背後有腳步聲走近，就是那個旅店主人。他濃厚的眉毛垂覆在他充滿野性的眼睛上面，狡猾的面容，帶著怒氣。

他手中拿著一根裹鐵頭的短棍。怒氣沖沖地向我們走來，我的手不由得摸到袋中，摸著了我的手槍。

旅店主人厲聲道：「你們這兩個偵探，在這裡幹什麼呀？」

福爾摩斯冷冷地答道：「羅賓·黑斯先生，你這種樣子，人家見了，不免要認爲你是不是怕別人發現你什麼祕密。」

那人似竭力忍著，把他緊張的嘴唇放鬆，勉強現出笑容。但這一笑，竟比他發怒的神情更加可怕。

他道：「你要在我的鐵工場中找尋什麼，那是很歡迎的。但你須留神。我不願意任何人在沒有得到我的允許之前，就在我的地盤上任意刺探。所以你們還是快點付了費，快點離開這裡才好。」

福爾摩斯道：「黑斯先生，很好。我們沒有惡意。只是看一看你的馬。我想我的腳現在可以走了。這裡到爵邸大概不遠吧？」

「不到兩哩路。你可以從左邊的那條路去。」於是他以憤怒的目光，送著我們離開他的屋子。

我們走不遠，到了一個轉彎的地方，遮住了那旅店主人的視線，福爾摩斯便停步不進。他道：「我覺得那旅店是一個重要的地方，我不能就此離去。」

我道：「我覺得這個羅賓．黑斯對這件事必定完全知道。這個人明明是一個惡漢。」

「啊，你也覺得如此嗎？那兩匹馬和那個鐵工場都值得注意。正是，這個鬥雞旅店的確是一個有趣的地方。我想可以另換一個方法再去瞧瞧。」

我們前進了幾步，便見一個灰色的小山坡。我們離開了大馬路，走向小山坡去。我向著霍特尼爵邸的方向看去，忽見一個騎自行車的人正從那裡急駛過來。

福爾摩斯呼道。「華生，快蹲下來。」說時他伸手按住我的肩，我們急忙俯下身子，見那騎自行車的人從大馬路上過來。我從那一陣飛塵之中，瞥見乘車人的面容灰白而恐怖，嘴唇張開，眼睛向前直視。這就是我們昨晚見到的詹姆斯．魏爾德，不過神態卻完全不同。

福爾摩斯呼道：「這就是公爵的祕書。華生，來，我們試瞧他幹什麼事。」

我們從那石坡上一顛一蹶的下來，走到了一個地方，可以瞧得見那旅店的前門，便停止腳步。魏爾德的自行車靠在門旁的牆上，屋中沒有人走動，窗口裡也瞧不見什麼人。薄暮的餘光已漸漸向霍特尼爵邸的高塔後面沈下去了。不久，我見旅館的馬房上發出二道車燈的燈光，隔一會兒，又聽見馬蹄聲和車輪聲。接著，那馬車便飛也似地向柴斯特菲德去了。

福爾摩斯低聲問道：「華生，你認爲怎樣呢？」我道：「好像是逃走了。」「據我瞧來，馬車中只坐著一個人。但這個人不是魏爾德先生。你瞧，他正站在門口呢。」

黑暗中忽見一道紅色燈光，燈光下，可見那祕書的黑色身影。他的頭略略向前，似正向黑夜中探視什麼，這分明是他在那裡等待什麼人。一會兒，路上果眞有腳步聲，有第二個人走到了光裡。接著，門關上了，門外便一片黑暗。五分鐘後，一樓某室的窗中有燈光透出。

福爾摩斯說道：「這門雞旅店裡竟有這樣的主顧，確實是奇怪。」我道：「我瞧那酒吧在另一邊啊。」「是啊，這兩個人大概是這旅店的特別顧客了。現在試想這個魏爾德先生，在這樣的時間到這裡來做什麼呀？並且那個和他會面的人又是誰呀？華生，來，我們必須冒一冒險，走近些看看。」

我們二人緩緩走近屋子，輕步走到旅店的門前。那自行車仍舊靠在牆上，福爾摩斯劃了一根火柴，在那自行車的後輪上照了一照。火柴的光照在鄧綠普輪上，果見有一塊補痕。福爾摩斯不禁暗暗地笑了一笑。我們的上面，就

福爾摩斯劃了一根火柴，在那自行車的後輪上照了一照。

是那露出燈光的窗口。

他道：「華生，我必須向窗口裡窺視一下，你要是彎下腰，靠在牆上，我想我的希望便可以達到了。」

不一會兒，他的腳已踏到了我的肩上。但他站上去後，他的身體似乎還沒有站直，便立刻下來。

他道：「我的朋友，來，我們今天的工作夠久了。我想我們已盡了力搜集了一切。這裡離學校裡很遠，我們動身得越快越好。」

當我們從那荒涼的曠地上穿過的時候，他都沒開口，到了學校門前，他也不進去，並且直接往梅克爾登車站，發出了幾個電報。到了那天夜裡，他把那德國教師的死，仔細告訴賀克斯塔普博士，並安慰他。又隔了一會兒，他走進我的房內，我瞧他的精神眞像清早出發時一般振奮。

他道：「我的朋友，一切都很順利。我保證明天傍晚以前，這一件祕案就可以解決了。」

隔天早晨十一點鐘時，我的朋友和我已到了霍特尼爵邸。我們被人引導著，穿過了一條樹徑，進了一扇伊莉沙白時代式的巨門，直達公爵的書房。我們見詹姆斯・魏爾德正好在室中。他的態度雖很安詳，但昨夜的那種恐怖神情似乎還隱伏在他的眼中。

他道：「你們來見公爵的嗎？我很抱歉。公爵身體不適。他得到這慘怖的消息，十分震驚。昨天又接到賀克斯塔普博士的電報，也就是告知他你們的發現。」福爾摩斯道：「魏爾德先生，我必須見公爵的。」「但他在他的房內。」「那麼，我就到他房內去見他。」「我想他在床上呢！」「我也可到他床前去見他的。」福爾摩斯冷靜而堅決的態度，似告訴這祕書不必多辯，辯也無益，他因此道：「福爾摩斯先生，好吧！我可以告訴他，你已來了。」

大約耽擱了半個鐘頭，這一位貴人才出來。他的面容非常頹喪，聳著兩肩，比上次所見的形貌老得多了。他循禮向我們招呼，接著，坐在他的書桌前面，他紅色的鬍鬚披散在桌面上。說道：「福爾摩斯先生，怎樣？」

但我朋友的眼光，卻凝注在站在公爵椅旁的祕書身上。

福爾摩斯說道：「公爵，我想魏爾德先生暫時退下去，我可以說得更自在些。」

那魏爾德的臉色變得非常蒼白，以銳利的眼光向福爾摩斯瞥了一眼。向公爵道：「假使公爵要我……」

「正是，正是，你不如出去。福爾摩斯先生，現在你有什麼話對我說呢？」

我的朋友等到那祕書走到外面時，把門關好以後，才開口說道：「公爵，我和我的朋友華生醫生已聽賀克斯塔普博士說過，這件案子有懸賞獎金。我現在希望聽你親口說一次，以便確實證明。」公爵道：「福爾摩斯先生，當然是了。」「假使我所知道的不錯，只要有人告訴你小公爵在什麼地方，你便願出五千鎊酬勞，不是嗎？」「正是。」「假使有人指出拐匿小公爵的人是誰，另有一千鎊的酬勞。這也是眞的嗎？」「是眞的。」「後面這一項，想必不單指直接誘匿小公爵的人，就是共謀的人也包括在內嗎？」公爵不耐煩地道：「正是，正是，福爾摩斯先生，你的工作如果成功，那你決不會遭受吝嗇對待的。」

我的朋友搓著他兩隻瘦長的手，那種貪婪

的樣子使我暗暗詫異。因爲我素知他是非常廉潔的。

他道：「我見公爵的支票簿就在桌上。我很希望你能給我一張六千鎊的支票，最好注明轉入州立銀行牛津街分行，那就是我來往的銀行。」

公爵坐直了身子，面容非常莊嚴，又睜目瞧著我的朋友道：「福爾摩斯先生，這可是笑話嗎？這樣的玩笑，一點都不有趣啊！」「公爵，不是。我生平的態度，沒有比此刻更誠懇的了。」公爵道：「那麼，你是什麼意思？」「我的意思，就是我已可以領這一份賞金了。我知道你的兒子在什麼地方，並且還知道幾個藏匿他的人。」

公爵的鬍鬚因臉色的灰白，越發顯得赤紅。他氣沖沖地道：「他在那裡呀？」「他在距離這裡兩哩路外的鬥雞旅店裡。」

公爵靠著椅背，答道：「那麼，你指控什麼人呢？」

歇洛克・福爾摩斯的回答實在是讓我驚訝。他走前一步，伸手摸著公爵的肩膀。

他道：「我指控你！公爵，現在我要請你簽那張支票了。」

這時公爵的樣子我永遠不會忘記。他跳起身來，兩隻手向空中抓著，彷彿一個人將要墜落到深淵裡去，急於攀援的樣子。接著，他又恢復了他的穩重，重新坐下，以兩隻手掩住了他的臉。這樣過了好幾分鐘，方才說話。

最後，他仍低垂著頭問道：「你知道多少呢？」福爾摩斯道：「昨晚我看見你們在一塊兒的。」「你和你的朋友以外，可還有別的人知道呢？」「我沒有對任何人說起過。」

公爵以他顫抖的手指取了一隻筆，翻開他的支票簿道：「福爾摩斯先生，我必須說話算話。雖然我很不歡迎你這消息，但你的支票我總要簽給你的。當我公布懸賞獎金時，是沒想到有此結果的。福爾摩斯先生，你和你的朋友可都是謹慎守祕的人呢？」「我不知道您的意思？」「福爾摩斯先生，我可以老實告訴你。假使你們二位知道了這一件事，你們也不必再說出去。我想我現在不是應給你一萬二千鎊嗎？」

福爾摩斯露出微笑，搖了搖頭。

「公爵，我怕這件事無法這麼容易結束哩。那德國教師的死，應當有人負責啊。」

「但詹姆斯不知道這一回事，你不能叫他負責的。這實在是那一個惡漢的舉動。」

「公爵，我覺得一個人既已計劃了一件罪案，他的道德上便已犯罪。」

「福爾摩斯先生，你的話不錯。這只是道德問題。在法律的眼光中，是不構成犯罪的。一個人在犯案時既不在場，勢不能定他謀殺罪。並且他對於謀殺的舉動，也像你一樣厭惡且不贊成的。當詹姆斯一聽到這謀殺的消息後，便向我說明一切，並表示他的恐懼和悔恨。接著，他便立刻和那個兇手斷絕了關係，福爾摩斯先生，你必須救救他——我請你必須救救他！」這時候公爵又無法克制自己了。他顯出頹喪的面容，在室中走來走去，他的兩手也不停地在空中揮著，最後，他重新坐在書桌前面，說道：「我很贊成你們先到這裡來見我，還沒有對任何人說起過這事。現在我們可以商量，怎樣不使這一種可憎的流言流傳出去。」

福爾摩斯道：「很好，但這一件事你必須能向我們完全開誠布公才能辦到。我可盡力幫助你，同時我必須完全明白這件事的實在情形。我接受你的話，詹姆斯·魏爾德先生並不是此案兇手。」公爵道：「當然不是。那兇手已逃走了。」

歇洛克·福爾摩斯微微笑著。

「公爵，我想你對我的小小微名還不知道，才會想要瞞著我。昨夜十一點鐘時，羅賓·黑斯先生已在柴克斯菲德被捉住了。這是我通知警察們的。今晨我離開學校以前，已得到警局的回電了。」

公爵背靠著椅子，睜目瞧著我友道：「你彷彿是有超人的力量。你說羅賓·黑斯先生已被人逮捕了嗎？只要不會對詹姆斯不利，我很樂意聽到這消息的。」福爾摩斯道：「你可是說你的祕書詹姆斯嗎？」「不，先生，他也是我的兒子。」

這時福爾摩斯的臉上也顯出很詫異的神色，他道：「公爵。我承認這一點是出我意料之外的。我請你說得更明白些吧。」

「我現在也不隱瞞你。我也贊成這種事情應開誠布公地來解決。不過舊事重提，很使我痛苦，這痛苦也是因詹姆斯的愚妄和嫉妒引出來的。福爾摩斯先生，我年少時曾有一次熱戀的經驗，並且一生中也只有這一次。我結識了一個女子，決定和她結婚，但她覺得假使和我成婚，未免妨礙我的前程，因此拒絕。這女子是一心愛我的，假使她仍舊活著，我一定不再和別的女子結婚。可是後來她死了，並留下了詹姆斯。我感念她的恩意，就收養這孩子。我雖然不能向公衆承認他是我的兒子，但我讓他接受完整的教育，並且把他留在身。後來他覺察了這個祕密，便不斷向我要求，並且表示他會把這隱祕的往史宣布出來，讓我難堪。我現在婚姻的不幸也與他留在我身邊有關，除此以外，他對於我的小兒子薩爾特常含著恨惡的心理，他覺得薩爾特是我的合法兒子，奪佔了他的地位。你們也許要說情勢既然如此，我怎麼再容留他在我的身邊呢？這是因爲他的容貌很像他死去的母親，我見了他，就像見了她母親。並且一見了他，就會使我回想到她以前種種的柔情密意，因此我實在不忍把他驅逐出去。但我怕他加害薩爾特，才把他送到賀克斯塔普博士的學校裡去。詹姆斯和那個黑斯本有來往，因爲黑斯是我的佃戶，田畝的事情，都是詹姆斯經管的。這個人是一個壞蛋，但詹姆斯竟和他非常投緣，詹姆斯總喜歡結交下流的朋友。後來詹姆斯決定刼持薩爾特，黑斯便自告奮勇。你該記得在薩爾特離開的前一天，我寫過一封信給他。詹姆斯卻把這封信偷拆開了。另外附一張短箋，叫薩爾特在傍晚到學校附近的高林中和他會面。因爲他冒用公爵夫人的名義，所以那孩子一得信便依從他的指示。這些話都是詹姆斯事後自己告訴我的，此刻我完全把他的話複述給你們聽。那天傍晚，詹姆斯乘了自行車出去，在樹林中見了薩爾特後，便說他的母親渴望要見他，正在曠地上等待。如果薩爾特在半夜中再到樹林中來，有一個人會騎馬等他，便能送他到他母親那裡去。這孩子果眞落進了詹姆斯的圈套。到了約定的時候，他果然私自來到樹林中，見黑斯帶著馬等他。薩爾特騎上了馬，他們便一同前進。據詹姆斯說，到了昨天，他才聽說那時的情形，當時黑斯帶了孩子逃走時，後面忽有人跟蹤，黑斯用他的手杖打擊那個追蹤的人，那人便受傷而死。黑斯把薩爾特帶到了他的門雞旅店裡，把他藏在樓上的一間屋內。他把這孩子交給他的妻子看守。黑斯太太是一個和善的婦人，不過完全屈服在她兇殘的丈夫的勢力之下。福爾摩斯先生，這事的情形就是如此，但當兩天前我第一次見到你的時候，我也像你一樣，還完全不知道事情的眞相。你也許要問我，詹姆斯幹這件事有什麼目的。我敢說大部分的原因是出於他的恨惡和嫉妒。在他看來，他應做我的嗣子，承襲我的一切產業，因此，他很痛恨社會上的習慣和法律，使他不能如願。此外，他另有一個計謀，他希望我改變我處理遺產的方法。他打算和我做一個交易，如果我能重立遺囑，把產業給他繼承，他才答應把薩爾特還我。他也知道我對這件事決不會去驚動警察的。這是他意想中的交換條件，但實際上卻沒有實現。原來事情變化的很快，讓他來不及實行他的計劃。他的惡計所以失敗，就因你發現了希狄格的屍體的緣故。詹姆斯一聽到這個消息，十分驚恐。那消息是昨天傳來的，那時我和他同坐在這個書房中，賀克斯塔普博士發來了一個電報，我見了詹姆斯的驚惶和憂鬱的神情，不禁引起了我的疑心。我起先本有些懷疑他，這時卻從懷疑變成肯定，我就向他追問這件事情。他也就完全承認。接著，他求幫他保守祕密三天，以便他的同黨可以逃走活命。我竟答應了他——每次他的懇求，我總是答應的。他急忙去門雞旅店告訴黑斯，叫他逃走。我在白天怕人家議論，不便外出，直到夜晚，才趕去瞧我的薩爾特。我見他仍安全且健康，只是因經歷了恐怖的事情，非常驚恐。爲了顧全我的諾言，雖然違反我的本意，仍讓這孩子留在那裡，讓黑斯太太照顧他三天。因爲假使告訴了警察這孩子在什麼地方，那便不能不告訴他們這綁架案的兇手是誰；如果這兇手受了法律的處分，我這不幸的詹姆斯也不能倖免。福爾摩斯先生，你要我開誠布公，我已照著你的話，完全向你說明白了。現在也請你向我老實說吧！」

福爾摩斯道：「很好，第一步，我不能不告訴你，以法律的眼光看來，實在已讓你處在一個很不利的地位。你庇護一個罪犯，又幫助一個兇手逃走。因爲我知道詹姆斯．魏爾德拿錢濟助他的同黨，讓他逃走，那錢的來源，就是從你錢囊裡出來的。」

公爵點頭承認。

福爾摩斯又道：「這是一件最嚴重的事。照我看來，你對你小孩的處置方法更是不妥。你竟還讓他留在那裡。」

「他們做了保證的……」

「這種人的保證有什麼用呢？你無法保證他不會再被拐走。你因顧全你犯了罪的長子，竟讓你無辜的幼子處於危險。這是不公平的。」

霍特尼公爵平日在他自己的爵邸中決不會有人敢這樣對待他。他滿臉通紅，張口結舌，說不出話。

福爾摩斯又道：「我可以幫助你。不過有一個條件，就是你按鈴叫你的佣人進來，讓我來吩咐他幾句。」

公爵沒有話說，只在電鈴上按了一按。一會兒，便有一個僕人進來。

福爾摩斯向那僕人道：「我想你會很高興知道你的小主人已尋獲了。公爵的意思是要你準備一輛馬車到門雞旅店裡去，接薩爾特小公爵回來。」

那僕人一聽這個消息，果然很高興的應命而去。福爾摩斯又說道：「現在我們對於未來的問題既已處理妥當，對於過去的事情，也就不妨寬容些。我並不是一個官方的偵探，自然也沒有必要把我所知道的事完全宣布出來。這個黑斯罪有應得，我不願意幫助他什麼。他被捕後究竟要供出些什麼，我不知道，但我想你總可以使他明白，他若守祕不說，對他也有些好處。據警察的意思，以爲這孩子的被綁，目的在勒索贖款。假使他們自己查不出這事的眞相，我當然也不必再糾正他們。還有一點，我必須警告你的。詹姆斯．魏爾德若依舊住在你的屋中，終是有害無益的。」

公爵便應道：「福爾摩斯先生，這一點我也明白了。他已決定永遠離開這裡，去澳洲找尋他自己的生活了。」

「公爵，既然如此，那再好沒有。你既說你婚姻的不幸就因魏爾德的緣故。現在你應向公爵夫人請罪，以便重修舊好。」

「福爾摩斯先生，這一點我也辦妥了。今天清早，我已寫信給公爵夫人了。」

福爾摩斯站起身來，說道：「這樣，我想我和我的朋友應該慶幸，我們此番來北部，竟有好的成績。還有一點，我須查明這個黑斯爲何把牛蹄形的蹄鐵，裝在馬蹄上面。這種計劃可是魏爾德指授他的呢？」

那公爵站起來想了一想，臉上顯出一種驚異的神色。接著，他打開一扇門，領我們走進一間大室，室內佈置得像博物館的樣子。他領著我們走到室隅的一個玻璃箱前，指著一節標識給我們瞧。

那標識道：「此蹄鐵是從霍特尼爵邸的溝

壕中挖掘出來的。此物本是用在馬蹄上，但故意製成分蹄的樣式，以便緊急時迷亂追蹤人的目光。這東西年代已不能深考，大概是在中世紀時，有什麼專事劫掠的武士盤踞在這古邸之中，幹不法的勾當，因此製成這種東西。」

福爾摩斯把那玻璃箱打開，以手指潤了些口沫，在蹄鐵上抹了一抹，便有一層薄薄的新泥沾在他的指上。

他重新把玻璃箱蓋好，說道：「謝謝你，這是我到北部來所見的第二件有趣的東西了。」

「那麼，第一件是什麼呢？」

福爾摩斯把他剛才接到的一張支票摺疊好，很謹慎地夾在他的筆記本中，說道：「我是一個窮人啊。」他邊說邊把那筆記本放進他裡面的衣袋中，然後很滿意地在袋外拍了一拍。

黑彼得（原名 Black Peter）

我覺得我朋友身心上的狀況，從沒像一八九五年那麼好。他與日俱增的名望，使他事務格外忙碌，而我卻深感歉疚，因爲我記述那些紆尊降貴到貝克街諮詢的大人物，有時沒善加考慮，不小心就把他們的祕密揭露出來。福爾摩斯就和其他偉大的藝術家一般，總是將名利放在最後，所以除了福海乃斯公爵的案件之外，我從未見他需索重報。他是這樣的清高——或可說是任性，因此他時常拒絕幫助那些有權多財的人，因爲他們的事件，往往不會得到他的同情；然而他卻可全神貫注地專費幾個星期在一些貧困的人身上。因爲只要案情吸引人，能夠發揮他的能力，他都樂意幫忙。

在這足以紀念的一八九五年，有兩件有趣卻又很離奇的案件，耗了他大部分的時間；那就是他對托司卡主教暴死的偵查——一個疑竇被他解開，所以教皇特別高興，還有捕獲以養金絲雀著名的威爾森，替倫敦東部除掉一個暴徒。這二個著名案件之後，接踵而至的就是伍德曼里莊園的悲劇。這是有關彼得・克利船長慘死的案子。在歇洛克・福爾摩斯先生的功績記載裡，如果不包含這件異乎尋常的事，那麼，這記載就不能算完備。

七月的上旬，我友離家外出很久，所以我知道他必有什麼事務正在進行。在這時間常有粗漢來拜訪巴斯爾船長，使我知道福爾摩斯正用著假名在別處工作，以便隱匿他的身分。他在倫敦城內至少有五處藏身的地方。在那裡，他可以改變他的容貌。他對於他的任務，從來是隻字不提，而我不習慣追問。直到他一次明顯的表示，我才知道他偵查的是很怪異的一件事。早餐之前，他已出外，當我正獨坐進餐，他忽大步進入室中。他並沒脫帽，有一柄很鋒銳似傘柄的魚叉挾在他的肘腋之間。

我叫道：「天啊，福爾摩斯！你不會帶了這件東西在倫敦街道上晃吧？」他道：「我剛才到肉店去了。」「到肉店？」「我回來時胃口很好。我親愛的華生，我在早餐前所作的事很有價值。但是我敢和你打賭，你一定猜不到我所做的事情。」我道：「我並不想猜。」

他一面笑，一面倒咖啡道：「要是你剛才到阿拉提斯肉店的後門，你會看到一頭死豬掛在天花板的鉤子上。並且有個穿長袖襯衫的紳士，用這柄魚叉猛烈地刺那頭豬——而我就是這個有力氣的人。並且我很高興，因爲我一下便刺穿了這頭豬，你可願意一試？」

「不願意，不願意。但是你爲什麼這樣做呢？」

「因爲我想這件事與伍德曼里莊園疑案很有關係——啊，霍普金，我昨天晚上收到你的電報，我很希望你來的。來，大家喝一杯。」

我們的訪客是個十分活潑的人，年方三十，穿著素雅的細絨服裝，但以他筆挺的姿態看來，足見他是穿慣公事制服的一個人。我立即認出他是史坦萊·霍普金，一個年輕的警探。福爾摩斯對他的前途冀予厚望，同時他對我友也敬慕有加，如同一個學生，向他的教師求教科學的偵查方法。霍普金眉目之間密佈著愁雲，他坐下來時，看得出他很煩悶，說道：「不必，先生，謝謝你。我到這裡之前，已經進過早餐。我在城裡過夜，因爲我是昨天起程，前來參加會報的。」福爾摩斯道：「你要報告些什麼呢？」「失敗，先生——完全失敗。」「你沒有一點進展嗎？」「一點兒都沒有。」「親愛的朋友！對於這件事，我必須知道一二。」

「我眞高興你這樣說。福爾摩斯先生，這是我第一次的大好機會，但是我已用盡機智，請你以慷慨的心胸，助我一臂之力。」

「很好，很好，恰巧我已經得悉了各種明顯的證據，並且也讀過那份偵查報告。但是你對於在案發處所得到的煙絲袋，有何種意見？這其間是不是有些線索可尋呢？」

霍普金的表情很驚奇，道：「這是那人的袋子，先生。有他縮寫的名片在裡邊。並且這是海豹皮製的——他應該是捕海豹專家。」「但是他沒有煙斗吧。」

「沒有，先生，我們找不到煙斗，這是千眞萬確的，他抽煙絲的時候很少。但是也許他是預備些煙絲供朋友們抽的。」

「也有可能。我講到這個，是因爲如果是我處理這樁案件，我便會把這個東西當成我偵查的起點。我的朋友華生醫生對於這件事一點兒也不知道，且我也很樂意再聽一聽這件事情，請你約略選重要部份，再講一次吧。」

史坦萊・霍普金從衣袋中取出一張字條。

「談到死者彼得・克利船長的生平，我略有紀錄。他生於一八四五年——現年五十歲。他是一個勇敢幸運的海獵家，並且善捕鯨魚。在一八八三年，他管理丹廸港的獨角獸號海輪。他接連幾次的航程都成果豐碩。但在隔年，一八八四年，他就退休了。之後，他旅行過幾年，後來買了一塊地，稱伍德曼里莊園，就在蘇薩克斯城中，靠近一片大森林。他在那邊居住了六年，最後就死在那裡，他是在上星期遇害的。這個人有幾點很特殊。在日常生活中，他是個嚴謹的淸教徒——一個很沈靜而神祕的人。他有一個妻子、一個三十歲的女兒、二個女傭人。這二個傭人常更換，因爲這是個不很愉快的工作，有時令人難以忍受。他是個時常喝酒的醉徒，他醉了之後，簡直是個惡魔。有人知道他曾在深夜中，把他的妻女趕到門外，並且在園林中鞭打她們，直到全村人都被她們喊叫的聲音所驚醒。有一次他受到教會嚴厲的申斥，因爲當老牧師去拜訪他，並且規勸他的行爲的時候，他竟很無禮地侮辱老牧師。總之，福爾摩斯先生，你找不到比彼得．克利更蠻橫的人了。我知道他管理他的海船時也有同樣的脾氣，人家都叫他『黑彼得』。人家幫他取這個名字，不單因爲他的黑面孔與濃鬍子，也因他的性格，足以讓他四周的人心生畏懼。不用我說，他是被鄰人們所嫉惡而遠避的，因此對於他可怕的慘死，連一句悲傷的話都沒有聽到。

福爾摩斯先生，你已知道這人有一間小木屋，但是你的朋友也許還沒有聽說過。他曾經替自己造了一間小屋——他稱它做『船艙』，大概離開他的家三百碼左右，晚上他就住在那邊。那是一個單房間的小屋，寬十六呎，長十呎。他把鎖鑰藏在自己衣袋裡，自己鋪床，自己灑掃，不許別人進他的門。在每一邊開一個小窗戶，但用窗簾圍住，永不開啓。其中一個窗戶恰向著大馬路。所以晚上當裡邊燈光亮的時候，外邊的人就會指指點點，並且懷疑黑彼得究竟在裡面做些什麼事情。當我們調查的時候，也曾從這個窗戶得到了部分有力的證據。

有個石匠名叫史萊特，在案發的兩天前，史萊特從大森林裡走來——當時大約深夜一點鐘。當他經過那地方時，曾停住了注視那一方明亮的燈光。他堅稱當時從深林的暗處很淸楚地看見了一個人的側影，並且這個影子絕對不是彼得·克利的影子，因爲這石匠與他很熟。這是一個有鬍子的人的影子。但鬍子很短，並且向前翹，那種樣子與這船長的鬍子完全不同。他雖然這樣講，但是他先前曾在酒館裡喝了二小時的酒，而且從這條路上到窗口的距離也不是很近。重點是，他所講的事是在星期一，但案子發生則是在星期三。星期三那天，彼得·克利脾氣很壞。他臉上因喝多了酒漲得通紅，他蠻橫得如同一頭危險的野獸。他在家裡叫囂，他的妻女聽見他來都避開。到了很晚，他才回到他自己的小屋裡去。他的女兒一直是開窗睡的。凌晨二點鐘時，她忽聽見可怕的叫喊聲從小屋的方向傳來。但這並不是什麼奇怪的事，因爲他醉後，時常會叫鬧的，所以她並不特別注意。七點鐘的時候，女傭人中的一個，見小屋的門已開。但因大家對於這個人十二分恐懼，所以在中午之前，沒有人敢去看他在那邊做什麼。她們從敞開的門窺望進去，一個景象把她們嚇得臉色發白，一同奔到村子裡。一小時之內，我就到那邊著手處理這件案子。福爾摩斯先生，你知道我向來很堅強鎭定，但是我告訴你，當我探頭到這小屋裡時，我十分震驚。那裡蠅蚋滿天飛，發出嗡嗡的聲音，地板上和牆壁的四周，看去彷彿是在屠宰場。他曾稱這是一間小船艙，這確實是間小船艙。因爲到了裡面你會感覺自己眞像是在船上。屋角有一張摺疊床，一隻海上用的大箱子，很多的地圖，一幅『獨角獸』號輪船的詳圖，一排航海日誌放在一個書架上。每種東西，都是在船長室才能見到的。屍體就在那屋子的中間。他的臉部扭曲，濃密的鬍子向上翹起，死前似乎很痛苦。在他寬闊的胸部有一柄鋼叉刺在上面，深深陷進他身後的木板牆。他被釘在牆上，如同甲蟲被針釘在紙板上面一般。他已完全斷氣。當他發出最後一聲痛苦喊叫的時候，恰是他死去的時刻。先生，我是知道你的方法的，並且我也應用了這些方法。當我在移動現場物件之前，我非常留神地檢察屋外的草地，和屋內的地板。但竟沒有任何足印。」

「你說一點都沒有嗎？」

「千眞萬確，一點都沒有。」

「我的好霍普金，我曾經偵查過許多罪案。但是我從沒有遇過一個能夠飛行的人犯案。兇徒既然生有二條腿，一定有些兒痕跡，或輕微移動的地方的。這就足以提供一個科學的偵探家去推究了。若說這間血案的屋子沒有留下任何可以幫助我們破案的蛛絲馬跡，那是不可能的。從你的調查資料裡面，我發現有幾處地方你還沒有注意到。」

這個年輕警探受到了我同伴的譏諷批評，似有些窘促。

「福爾摩斯先生，我實在是個笨蛋。當時我竟沒有向你求教。既然如此，後悔也來不及。是的，在屋子裡有好幾點需要特別費神的。一是這柄魚叉，它就是兇器。是兇手從壁間架子上取下的。因另外有二柄仍留在那裡，且有第三柄的位置是空的。在那魚叉桿上刻有『SS，獨角獸號輪船，丹迪』幾個字。這足以表示這兇手是一時憤怒，隨手就拿了一柄兇器而犯下殺人案的。這件兇案是在凌晨二點發生的，但彼得·克利的衣服完全穿戴整齊，足見他與兇手先有過一場談判——有一瓶劣酒和兩隻污穢的酒杯擺在桌上。」

福爾摩斯道：「是的，我想這兩點推測也許是的，除了那劣酒瓶之外，還有沒有其它東西？」

「有的，還有白蘭地和威士忌，是放在航海用的箱子上面。但這與我們毫不相干，因爲酒瓶仍是全滿，足見沒有用過。」

福爾摩斯道：「凡是屋內的東西都是有關係的。好吧，你繼續說，可還有別的東西在你看來與這案件有關係的？」「一個在桌子上的煙絲袋。」「在桌子的那一邊呢？」「這個東西恰好在中間。是海豹皮做的——是未加工的海豹皮，有一條皮帶縛在上面。摺痕上面有 P. C. 兩個縮寫的字母。袋裡大概還有半盎斯船員用的濃煙草。」「很好！還有別的嗎？」

史坦萊·霍普金從他袋裡取出一本褐色封面的筆記簿。封面很破舊，書頁用的都黑了。第一頁的上面寫有「J. H. N.」三個起首的字母及「一八八三」的年份。福爾摩斯把這本書放在桌上，用他精細的方法去研究。霍普金和我從他兩邊的肩頭望去，在第二頁上面印有「C. P. R.」三個字母，還有幾頁，都寫些數目字。另外幾頁的起首寫著阿根廷、哥斯大黎加、聖保羅，每一種都附記號和圖形在後邊。

福爾摩斯問道：「你對於這些有什麼意見呢？」

「這些好像是交易所股票的報表。我想『J. H. N.』三個字母，是一個經紀人縮寫的名字；那『C. P. R.』三個字，或許是他客戶的名字。」

福爾摩斯道：「這 C. P. R.應該是加拿大太平洋鐵路。」

史坦萊・霍普金喃喃自語，用他緊握的手敲著大腿。

他叫道：「我怎麼這麼笨！你所講的眞是對極了。所以我們只須解釋『J. H. N.』三個字了。我已經查過舊交易所的表冊，但是我沒有找到和這三個字同名的經紀人——不論在交易所裡面，或是外邊做的人。福爾摩斯先生，你也許同意，這幾個名字並不是經紀人——換一句話說，就是這兇手的名字。我並且假定這案件是爲了大宗有價證券而發生的。所以，我們對於這兇案也已略得端倪。」

歇洛克・福爾摩斯對於他的新發現非常驚訝。

他道：「我完全認同你的兩個論點。這本日記簿在最初並未發現，現在足以改變我所有的看法。我本有個假設，但和這本簿子無關。你對於所講到的證券，可曾發現些什麼？」

「警局現已發出徵集的通知書，但我怕南美交易所證券公司的股票持有者名單都在南美，我們需費幾個星期才能得到這些資料。」

福爾摩斯正用他的放大鏡，研究那日記簿的封面。他道：「這上邊被弄髒了。」「是的，先生，這是血漬。我告訴你，這本簿子是我從地板上撿起來的。」「這血漬在上面或是下面呢？」「在貼近地板的那面。」「這就足以證實這本簿子是案發後掉下的。」「福爾摩斯先生，確是如此。我已發現這一點，並且我猜，這是兇手匆忙逃走時掉下的。因爲這本簿子剛好在門邊。」福爾摩斯道：「這位死者的資產裡，是不是連一張證券都沒有？」「先生，沒有。」

「你是否以爲這是件竊盜案呢?」「不,先生。一樣東西都沒有少。」「我親愛的朋友,這確是樁很有趣的案件。還有一柄刀,是嗎?」「一柄有鞘的刀,仍舊插在鞘裡面。那刀恰在死者的腳邊。克利太太已證實那是她丈夫的東西。」福爾摩斯凝思了片刻。後來他道:「嗯,我想我得親自去察看一下了。」

史坦萊・霍普金發出一種快樂的呼聲。

「多謝你,先生。這樣我就放心了。」

福爾摩斯伸出他的手,和這青年警探相握。

他道:「假如在一個星期之前,這件事情會好辦多了。但是現在我去一趟應該還來得及。華生,假如你能騰出時間,我會很高興。霍普金,你去雇一輛四輪馬車,我們在一刻鐘之內就可出發,到那大森林去。」

我們在一個小車站下車,驅車行了幾哩之後,經過一個廣大的森林遺址。這大森林曾經是用來抵禦從海灣來的薩克遜族的侵略——長達六十年之久。這一處難以侵入的「森林地帶」,可以說是不列顛的堡壘。這森林大部分已被砍伐。因爲這裡是國內第一個鐵工廠的廠地,許多樹木都被砍伐下來煉鐵。現在鋼鐵廠已移到北部,所以除了這許多被蹂躪的樹木、地上的巨大創痕之外,已看不到鋼鐵廠的遺跡。在一座小山斜坡的空曠處,有一排石造的矮屋。鄰近大道有一間小屋,三面環繞著灌木,它的大門和窗戶正對我們,這就是兇案的現場了。

史坦萊・霍普金在前領導著,我們就一同進入屋子。那邊已有幾個人,他一一爲我們介紹。一個頭髮灰白而瘦弱的婦人就是被害人的遺孀。她那沒有血色，多皺紋的臉孔，和紅腫的眼睛，足見她多年飽受困頓和虐待。她和女兒同住，她女兒是一個慘白髮黑女郎。她向我們很無禮地瞧著，彷彿很高興她父親去世，並且很感激那個把他刺死的人，這是一個可怕的家庭。但這也是彼得·克利自己所造成的。我們出來時，頓覺神氣清爽。

那是間簡陋的屋子。木板製的牆壁，門旁開有一個窗，另外還有一扇在屋的盡頭。史坦萊·霍普金從衣袋中取出鑰匙，俯身對著鎖孔。他忽然停住，非常驚駭。

他道：「曾有人來試開過。」

這事實已無庸置疑。木口已被鑿裂，油漆也被刮白，好像才剛被撬過。福爾摩斯在窗口偵查了一番。

福爾摩斯道：「並且有人硬推過這窗子。無論他是什麼人，反正他失敗了，他必定是個很笨的盜賊。」

這個警探道：「這眞是一件古怪的事情。我可以發誓這許多痕跡是昨天晚上沒有的。」

我提醒道：「也許是從村子裡來的好奇的人。」

「不可能。很少人敢步行到這條路來，更沒有人敢進這一間小屋。福爾摩斯先生，你對這件事有何意見呢？」

「我想這件事是有利於我們的。」

「你的意思是說那個人會再來？」

「也許他來時本希望這門是開著的。他曾用一柄極小的裁紙刀試開。但是沒有成功。接下來他還會做些什麼呢？」

「他必會在第二夜，帶一件更有用的器械重來。」

「我也這樣認爲。假如我們不來守他，這就是我們的錯誤。現在讓我到小屋裡去查看一下。」

這齣慘劇的屍體已經移去，但是小屋中器具的擺設還和案發的那一夜相同。約有兩個小時，福爾摩斯全神貫注地逐步偵查，絲毫不敢有遺漏。但是從他的表情，知道他這一回的搜索沒有成功。在他耐心的偵查過程中，他僅休息過一次。

他道：「霍普金，你曾從這架子上拿過什麼東西嗎？」「沒有，我一件都沒有移動過。」「有件東西已被人家拿去。在這架子上面的一角，灰塵比別處少。這上面也許是放過一本書，也許是個箱子。好了好了，沒有可做的事了。華生，我們到樹林中去散步、打獵。霍普金，晚上我們會到此地與你會合，並且看看我們能不能和那個深夜到此的陌生客相會。」

當我們游獵一番以後，已是十一點多。霍普金要打開那小屋的小門，但是福爾摩斯認爲這樣不免要引起那陌生人的懷疑。鎖是很簡單的鎖，只須較粗的刀片就可開啓。福爾摩斯並指示我們，不要在屋內等候，應當躲在屋外的叢木之中。用這個方法，我們就能望見那位陌生人，假如他點起燈，我們就可得知他深夜偷偷的探訪，究竟有何種目的。

這是一次長久且沉悶的守夜，同時有那麼一點令人不安。有如漁人靜坐池旁，等待魚兒上餌一般。究竟是怎樣一種人，竟敢在黑夜偷偷來這裡？也許是頭兒暴的猛虎，若要降伏他，必須赤手相搏，或許僅是一種隱匿的豺狼，只對柔弱無備之人作惡？我們一聲不響地躲在灌木中守候，不知來的是何種人物。一開始，有幾個晚歸鄉人的腳步聲，和從村中傳來的陣陣講話聲。但這些聲息相繼消失後，我們便完全處在沉靜之中，只有遠處教堂的鐘聲，告訴我們已是深夜，還有細雨打在我們頭頂的樹葉上窸窣作聲。

兩點半的鐘聲已經打過，這是破曉前最黑暗的時刻。忽然，我們大吃一驚，因爲有一個低沈又尖銳的叮噹聲從門邊傳來——的確有人來了。接著又寂靜了多時，我正以爲或許是誤聽，忽然又有細細地腳步聲從小屋的對面傳來，片刻，發出一種金屬的碰撞摩擦聲。這個人在嘗試撬開鎖哩！這一次他變聰明了，或許是器械較精良，只聽見鎖啪達一聲開了，接著那人劃了一根火柴，小屋頓時亮了起來。我們一起從窗簾外注視屋內的動靜。

這位黑夜的訪客是個年輕的人，很瘦弱，略有黑鬍子，也因此更顯得他的臉色慘白。他的年齡約二十歲出頭。我從未見過這樣可憐的樣子。因爲我見他的牙齒在打冷顫，四肢也都在發抖，他的衣著像個上流人物，我們見他用驚惶的眼神四下探望著。接著他把短燭放在桌子上面，並且跑到我們目光所不能見到的屋中一角。他又出來時，手中拿了一本大書，就是架子上面一排航海日誌中的一本。他倚在桌子旁邊，很快地逐頁翻看，直到他看見他所要找的內容。他握著拳，很憤怒的樣子。最後他合上了書，放回原處，並把燭火熄滅。他剛要離開小屋的時候，霍普金的手已緊抓住這人的衣領。我聽見那人很害怕地喘息著，因爲他明白他已經被捕了。燭光又點上了，我們看見這個可憐的俘虜全身戰慄地蜷縮在那警探之下。他縮到航海用的箱子上，絕望地看著我們。

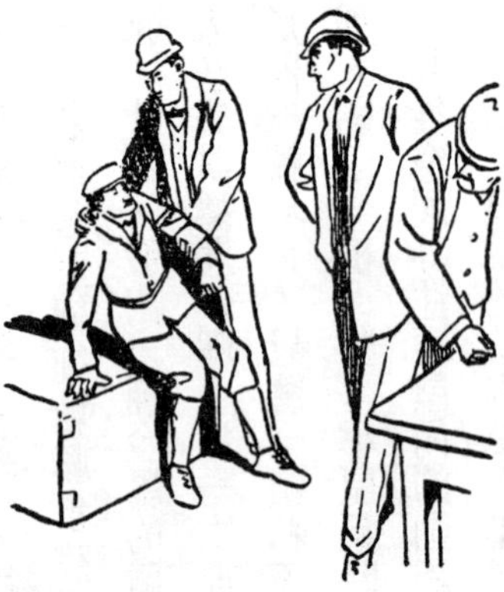

他縮到航海用的箱子上，絕望地看著我們。

史坦萊・霍普金道：「我的好朋友，你是什麼人？到這裡來幹什麼？」這個人振作了一下精神，並竭力保持鎮定地向我們瞧著。

他道：「我想你們是警探。你們認爲我和彼得・克利船長的慘死有關嗎？我老實告訴你們，我是完全不知情的。」

霍普金道：「這一點待我們查證後再說。最緊要的是你叫什麼名字？」

「我是約翰・霍普萊・奈爾根。」

我發現福爾摩斯和霍普金互相交換了眼神，問道：「你到此地來幹什麼？」「我能保密嗎？」「不，當然不能。」「爲什麼我要告訴你？」「假如你不回答我，到了審問的時候對你是不利的。」這個年輕人略躊躇道：「好，我告訴你。我何必隱瞞呢？我只是很不願意讓舊的流言又重新傳布。你聽過道生和奈爾根公司嗎？」

從霍普金的表情，我知道他從未聽過，但是福爾摩斯很快地記起。

他道：「你講的是那個西部銀行家嗎？他們虧損了一百萬鎊，康瓦耳郡一半以上的家庭破產，並且奈爾根就此失蹤。」

「的確如此。奈爾根就是我的父親。」

此時，我們終於對情形略有所知。但是我們仍覺得一個倒閉的銀行家，和那個被他自己的鋼叉釘在牆壁上的彼得・克利船長是八竿子打不到的人。我們都很注意聽那年輕人講話。

「這件事和我父親有關。道生已經退休。那時我僅十歲，但是我的年齡已能領會這件事的羞辱和可怕。人家總是這樣講，我父親偷盜了所有證券，然後逃走。這不是眞的。他說，如果時間充足，他一定能夠重新整理淸楚，淸償每一個債權人。在逮捕他的傳票發出之前，他已乘遊艇到挪威去了。我還記得他與我母親告別的那一夜，留給我們一紙報表，記錄他所帶去的證券，並且立誓他必回家澄淸他的淸白。他實不願使信託他的人吃虧。唉，但是我們以後便再也沒有他的消息了。他和那遊艇都完全消失。我母親和我都認爲他和這遊艇及他帶去的證券都一起沉入了海底。但是，我們有位可靠的朋友，他是一個商人，不久前，他發現我父親所帶去的證券有幾張在倫敦市場出現。你們能想像我們那時的迷惑和驚訝嗎？我費了幾個月的工夫去追查，經過了幾番波折，我才查出第一個賣出證券的人就是彼得·克利船長，也就是這間小屋的主人。於是我先到幾個地方查問這個人。後來知道他曾經管理過一艘海輪，當我父親渡海到挪威去的時候，他剛從北冰洋返航。這一年的秋季是多風浪的天氣，接連括了很久的南風。我父親的遊艇或許被風吹到了北方，遇見了彼得·克利船長的海輪。假如確實是這樣，我父親怎樣了呢？無論如何，我若能從彼得·克利那裡知道這些證券是如何流到市面上去，這就可以成爲我父親沒有偷盜出售的證據，並且可以證明他所以帶走並不是爲了自身的利益。我來到蘇薩克斯，是爲了拜望這位船長，但是就在我拜訪他之前他已慘死。我從驗屍報告中讀悉小屋的情形，知道他的航海日誌都保存在這小屋子裡。這件事吸引了我，因爲我想，假如我能知道一八八三年八月，獨角獸號海輪上發生些什麼事情，我就可解釋關於我父親名譽的問題。昨夜我本想來拿這些航海日誌，但是門和窗戶都打不開。今夜我又來試，居然成功。但是八月份的那幾頁已被撕去，就在這時候，我便被你們抓住了。」

霍普金問道：「講完了嗎？」「是的，講完了。」當他講這句話時，他的眼神閃爍。「你沒有其他的事要講嗎？」他略猶豫道：「是的，沒有話要講了。」「昨天晚上之前，你沒有到過此地嗎？」「沒有。」

霍普金叫道：「對於這件東西，你有什麼話要說？」當時，他手中拿著那本足以定罪的筆記簿，第一頁有我們犯人的縮寫名字（J.H.N），簿面上另有血漬。

他叫道：「你從那裡得來的？我不知道。我以爲這東西我是掉落在旅館裡的。」

霍普金很嚴厲地道：「夠了。你有話到法庭上再講。你應當和我一起到警局。好，福爾摩斯先生，我很感謝你，你能同你這位朋友到此地來幫助我。現在我覺得不須煩勞你了。即使沒有你，我也能得到這個好結果的；但是我還是很感激。我已在伯萊布蘭特旅館爲你們訂房，所以我們可以一塊兒到村子去。」

當我們隔天回家的時候，福爾摩斯問我道：「華生，你對於這件事有什麼意見？」我道：「我能看出你很不滿意。」

「噢，我親愛的華生，我是十分滿意。不過史坦萊・霍普金的方法我不贊同。我對他眞是失望。我對於他的期望不止如此。一個人應當時常旁敲側擊，觀察是否有其他可能性，不能固執己見的，這是在罪案的偵究上的第一要務。」

「還有什麼可能性呢？」

「就是我一直在偵求的一條線索。這也許毫無結果，我也不確定。但是起碼我須查一個究竟。」

在貝克街有幾封來信待福爾摩斯拆看。他從中揀起一封立即拆讀，接著發出一種勝利的笑聲。

「很好，華生。第二條線索已經展開了。你有電報紙嗎？快幫我寫二封：『拉克立夫輪船經理人瑟姆那：速派三人，明早十時到此。巴斯爾』這是我在那些地方的化名。另外一封可寫：『布瑞斯頓區，洛特路四十八號，史坦萊·霍普金：要事。明早九時三十分，到此用早餐。不能來，請電覆。歇洛克·福爾摩斯』華生，這件神秘的案子，已經迷惑我十天之久。現在我已解脫。明天我相信我們可以得到一個最後的結果了。」

次日，史坦萊·霍普金警探準時到來，我們就一起坐下共進早餐。這個青年警探對於他的成功很高興。

福爾摩斯問道：「你眞以爲你的解釋必定是對的嗎？」霍普金：「我想總沒有比這更完滿的結果了。」「在我看來，這件事還沒有結束。」「福爾摩斯先生，你別嚇我了。還有什麼問題嗎？」「你的解釋天衣無縫嗎？」

「當然如此。我發現在罪案發生的那一天，這個年輕的奈爾根就住在伯萊布蘭特旅館。他假託是來玩高爾夫球。他的房間就在樓下，所以進出很自由。那夜他到伍德曼里莊園去見彼得·克利，同他爭吵後，就用這柄魚叉把他刺死。接著他害怕自己所做的事，立刻從小屋逃出，才掉落了那本筆記簿，這簿子他帶去是爲了準備質問彼得·克利那些證券的事的。你可以看出這上面的號碼，有幾個劃上記號，其餘的——大部份的——沒有劃上。這些有記號的是已經出現在倫敦市場的證券，但是其餘的一定仍舊在克利手中。這年輕的奈爾根，爲自己打算，急著要得到這許多證券，以便歸還他父親的債權人。當他跑掉之後，一時還不敢再接近這間小屋，但是後來他還是鼓起勇氣回來，以便找到他所要的答案。故而這裡面的一切事情確實都是很簡單而明顯的。」

福爾摩斯笑一笑並搖頭。

「霍普金，這假設在我看來是不可靠的。你可曾試驗過用一柄魚叉刺穿一個身體呢？不曾？哼！我親愛的朋友，你對這些事情必須注意。我的朋友華生可以告訴你，我曾花一個清早，專程試驗這一件事。這不是一件容易的事情，並且必須有一個強有力的臂膀。這必須是用很大的猛力才能使這件武器深深地穿進牆壁。你認爲這個瘦弱的少年能夠做出這一種兇猛的一擊嗎？他就是案發那天同黑彼得一塊飲酒的人嗎？兩天以前從窗戶看過去的是他的側影嗎？不是的，不是的，霍普金，這是另外一個更兇惡的人，我們必須另行追蹤的。」

當福爾摩斯陳述的時候，這位警探的臉色逐漸顯出詫異。他的希望和計劃，都在心裡邊綯縮，但他還不願就此屈服。

「福爾摩斯先生，你總不能否認奈爾根那一夜是到過那邊的。這本簿子可以證實這件事。我想即使你能在這其中指出破綻，我的證據也已充分足以使一個陪審官滿意。並且，福爾摩斯先生，我已經親手捉到我所要的人。至於你所講的那個更可怕的人，他在那裡呢？」

福爾摩斯很愼重地說道：「我想他早已上樓來了。華生，我認爲你最好預備一把手槍，以便隨手可以用。」他遂站起，並放一張字條在旁邊的桌子上。他道：「現在我們預備一下。」

門外傳來一陣粗暴的講話聲，哈德遜太太開門通報，有三個人來拜訪巴斯爾船長。

福爾摩斯道：「一個一個地領他們進來。」

第一個進來的是個矮小瘦弱的人，兩頰深紅，口邊短鬚極細。福爾摩斯從衣袋裡取出一封信。問道：「叫什麼名字？」「詹姆斯・蘭開斯特。」「我很抱歉，詹姆斯・蘭開斯特，已經額滿。這半鎊算是你的酬謝。且到那房間裡等候幾分鐘。」

第二個人是個很高而乾瘦的人，頭髮很稀少，兩頰凹下。他的名字是漢夫・派汀斯。他也遭拒絕，得到了半鎊和稍稍等候的命令。

這第三個應選的人，容貌很特別。一副兇惡如猛犬的面貌，鬚髮都很亂，一對烏黑大膽的眼珠在濃粗的眼睫毛下面閃爍。他打了招呼後，就像水手一樣的站在一旁，兩手轉動著帽子。

福爾摩斯問道：「你的名字叫什麼？」「派屈立克・開因斯。」「是個魚叉手嗎？」「是的，先生。經歷二十六次航程。」「你到過丹迪港嗎？」「是的，先生。」「你願意跟一艘探險船出發嗎？」「可以，先生。」「要多少工資呢？」「一個月八鎊。」「你能立刻出發嗎？」「我得到傢伙，立刻可以出發。」「你有證書嗎？」「有的，先生。」他從衣袋裡拿出一束汚損的證書。福爾摩斯略一審視又還他道：「你正是我所要的人了。在那邊的桌子上有一張契約，假如你簽字，一切手續就完成。」

這名水手走過去，拿起了一枝筆。問道：「我簽在這上面嗎？」接著就俯身在桌上。

福爾摩斯扣住他的肩膀，並緊握住他的脖子。

之後我聽見金屬的撞擊聲，和有如一頭野牛發怒嘶叫的聲音。不一會兒，福爾摩斯和這個水手一起滾在地板上。他一個人的力氣這樣的大，假如我和霍普金不上前救助，就算福爾摩斯已幫他套上手銬，他也許還是有機會可以打勝我的朋友。直到我把冰冷的槍口壓到他的額頭上，他方才明白抵抗是沒有用的。我們用繩緊縛他的腳踝之後，才氣喘吁吁地站起來。

歇洛克．福爾摩斯道：「霍普金，很抱歉。做好的雞蛋已冷了。不過你應當會很愉快地吃完其餘的早餐。是不是呢？因爲案子已經得到勝利的結果了。」

史坦萊．霍普金一語不發，很迷惑。後來他紅著臉講道：「福爾摩斯先生，我不知道怎樣講才好，我似乎是個笨蛋。我現在明白了，我永遠不能忘記我是學生，你是老師。雖然現在我親眼瞧見你所做的事情，但是我還不知道你是怎樣做到的，或是你何以得知的。」

福爾摩斯很高興地講道：「很好，很好，我們都是從經驗上學來的。你這一回的功課是教你『不可粗忽』，應再察看是否有其他的可能性。你是被年輕的奈爾根牽住了全神，所以不能分一點兒心思到派屈立克．開因斯身上。須知這人就是謀殺彼得．克利的眞兇啊。」

這個水手粗暴的聲音忽然插入我們的談話中。

他道：「先生們，我被捆縛成這個樣子，我並不覺得痛苦，但是我希望你們要改正你們的講法。你說我殺害彼得・克利，我說我是執行彼得・克利的死刑。這其間是有些分別的。或許你們不能相信我所講的話，或許你們還以爲我在和你們開玩笑呢。」

福爾摩斯道：「並不見得。我們願聽你敍述。」

「我可以立刻告訴你們，並且，老天在上，每一句話都是確實的。我很了解黑彼得。那時——當他要拿出他的刀時，我便用一柄魚叉刺他，眞是準啊！因爲我料到不是他死，就是我死。你們不妨稱這件事是謀殺。但無論如何，我寧可讓一根繩子絞住我的脖子，也不願黑彼得的刀刺在我的胸部。」

福爾摩斯問道：「你是怎樣到那邊的？」

「我從頭告訴你們，讓我坐下來，這樣講話比較方便。這件事是發生在一八八三年的秋季，彼得・克利是獨角獸號海輪的船長，我是個魚叉手。他剛從冰島回來，往家鄉駛行，當時颳著長達一星期的大南風。當時我們遇見一艘小輪，被風吹向北方。在船上有一個人——一個不諳水性的人，我們猜大船和水手一定都死了。於是，我們拉他上了船，這個人就同船主在艙屋裡講了很長久的話。他所有的行李只是一個小的錫箱子。這人的名字我不知道，並且在第二夜他就不見了，好像他沒有來過一般。大家紛紛猜想他是自己投海而死，或是吹起大風浪時，跌沈到海中去了。只有一個人知道他的遭遇，那就是我。因爲當天我在烏黑的深夜閒望時，瞧見這位船長，將他推到船欄外邊去。兩天之後，我們看見瑟特蘭燈塔了。我一人保守祕密，等著看有何事會發生。當我們回到了蘇格蘭，這件事就被壓下來，再也沒有人提過。一個客人遭橫禍而死，這是和別人毫不相干的。不久彼得·克利就辭去了船長的職務，直到我查訪到他的蹤跡之前，已隔了很多年。我猜想他所以要做這件事，大概是爲了錫箱子裡邊的東西。因此我想他現在不得不給我一筆錢，讓我閉口不宣。我從一個水手嘴裡知道他住在那裡。那水手在倫敦見過他，於是我就打算去逼迫他。第一天晚上他很講道理，並且允許給我一筆錢，讓我可以終身脫離航海生活。我們約定隔天晚上交款。當晚我如期前去，我覺得他已有九分醉意，脾氣似乎很壞。我們坐下來飲酒，並且談到舊時的事情。但是他酒喝得越多，我越是不喜歡他臉上的表情。我玩弄著牆上的魚叉，並且我想，在我能得自由之前，也許用得到這件東西。後來他果然和我起衝突，涎沫四飛，咒語亂罵。他眼中含有殺氣，並有一柄大鉤連刀在他的手中。他剛想從刀鞘裡抽出那把刀來，我立刻拿了那支魚叉刺向他。唉，天啊！他的那一聲慘叫，我在夢中都還聽得到！我站在那邊，他的血濺滿我四周。我等候了片刻，但是一片寂靜，所以我又鎭定了下來。我向四邊察看，見那錫箱子在架子上。這東西彼得·克利既然可拿，我也可以有同樣的權利，所以我就取了這箱子離開小屋。但我好像一個笨蛋，竟把我的煙絲袋掉在桌子上。現在讓我告訴你們這件事情裡最奇怪的一部份。我剛跑出小屋，就聽到有人前來，於是我躲到矮樹中。但這個人很膽怯地走進了小屋，後來發出一聲喊叫，接著，沒命地奔跑，直到我望不見他。他是怎樣一個人？或是他要些什麼東西？我不明白。我呢，則跑了十哩，在布頓茲威爾茲地方搭上火車來到倫敦，沒有一個人知道。是的，當我檢查我所拿到的箱子時，我並沒有看到裡面有錢，除了證券之外沒有任何其他的東西。但這些證券，我卻不敢賣。我已經失去黑彼得這個依靠，所以流落在倫敦，一個先令都沒有了。僅有的只是我的手藝。我留心著徵求魚叉手而工資優渥的廣告，我到輪船經紀處詢問，他們差我到此地來。以上是我所知道的事情。並且我要再說一次，我除掉了黑彼得，法律上應當感謝我的，因爲我爲他們省下了一條痲繩。」

福爾摩斯站起來點燃煙斗，遂道：「這是一個很清楚的陳述。霍普金，你應當立刻帶你的囚犯到一個妥當的地方去。這間房間是不適宜做牢獄的。派屈立克・開因斯先生佔據我們地毯的位置也太多了。」

霍普金道：「福爾摩斯先生，我不知怎樣表達我謝意。直到現在，我還不明白你怎樣得到這個結果的。」

「不過是幸運罷了。假如我之前也知道這本筆記簿，或許也會像你一樣走偏了。還好我所見到的線索都集中在一點——驚人的力氣、運用鋼叉的熟巧、加水的劣等酒、海豹皮的煙絲袋及那粗劣的煙絲，這幾點都指向『一個水手』，並且這一個人一定曾經做過捕鯨手的。我相信那袋上的P. C.二個縮寫名字只是一件偶然巧合的事情，並不是彼得・克利的名字，因爲他從不抽煙，並且在他小屋裡邊尋不到一個煙管。你總記得我問過，在那小屋裡邊是否有威士忌和白蘭地，你說有的。你想，會有幾個人明明可以喝好酒，卻反倒願意飲劣等酒呢？

於是我就斷定那個兇手是個水手。」

「但是你怎樣尋到他的呢？」

「我的好朋友，這是一個很簡單的問題。如果眞是個水手，一定是與黑彼得一起在獨角獸號海輪上面的水手。因爲就我查到黑彼得沒有在其他輪船上當過水手。我花了三天工夫，發電報到丹迪去，結果我得到了一八八三年的獨角獸號輪船的水手名單。當我見到派屈立克・開因斯這名字在魚叉手裡時，我知道我的搜求將成功。我推測這個人或許在倫敦，並且也許願意出海。於是我到倫敦東部住了幾天，託言有一個到北冰洋探險的航行隊，重金禮聘叉魚手。如果有人願意跟從巴斯爾船長——於是便得到了這個結果！」

霍普金叫道：「妙極了！」

福爾摩斯道：「你必須把年輕的奈爾根放了，還他自由，能多快就多快。我想你對他總有些歉咎。這錫箱子應當還他，但是彼得・克利所賣掉的那些證券，當然是永遠失去了。現在外面正有一輛馬車。霍普金，你該帶你的犯人一塊兒去。假如審問時用得到我，我同華生的住址將在挪威的某處——稍後我再通知你詳細的地點吧。」

脅詐者（原名 Charles A. Milverton）

我此刻所寫下的這件案子，離事件發生已經過了好幾年了。但我一想到這事，還是有點擔心。好幾年來，因為為要求嚴格的守祕和緘默，因此不能把這件事披露出來。現在這案中的主要人物，已離開了人間，脫離法律制裁，因此，我才能記述出來，但仍要有所保留，以便不致損礙任何人。這事在歇洛克・福爾摩斯先生和我自己的經歷上，可算是最特異的一個。我為了避免有心人查出這案的實際情形，特地把案發的日期，和案中的幾點隱藏不提，希望讀者們原諒。

在一個嚴冬的傍晚，福爾摩斯和我出外散步，等到我們回去時，大約六點鐘左右。當福爾摩斯把屋內的電燈開亮了後，忽見桌子上有一張名片。他瞧了一瞧，發出一聲厭惡的歎息，隨即將名片丟在地板上面。我拾起來唸道：

「查爾斯・奧古斯德斯・米爾佛頓
經理人　　姆斯德區艾倍爾多塔」

我問道：「他是誰？」

福爾摩斯：「他是倫敦最壞的人。」他說著，坐了下來，把兩腿伸向火爐。他反問我道：「名片背後可有什麼字嗎？」

我把名片翻了過來，唸道：

「六點三十分，再來拜訪。　C・A・M・」

「唉！那麼，他快要來了。華生，當你站在那些可怕的毒蛇面前，見了牠可怕的眼睛，扁扁可怖的臉，及油滑的表皮，你是不是要起雞皮疙瘩並退縮不前呢？唉，這就是我對米爾佛頓的印象了。我辦過許多謀殺案，無論怎樣難辦，我從不曾拒絕，但對於這個人，我實在很想拒絕。可是我現在不能不和他周旋。他到這裡來，也是我約他的。」

「他是誰呢？」

「華生，我來告訴你。他是詐騙之王！那些男女女的祕密，只要和名譽有關的事情，假使到了米爾佛頓手裡，那只能求上帝幫助了。他憑著一張微笑的臉和鐵石心腸，進行勒索，直到把他們榨乾了才罷休。這個人在行事上確是一個天才。假使他經營其他的事業，一定也可以成功的。他的方法是這樣的：他常高價收買關於富人或貴族的祕密信函，這些祕密的信件，他不但直接向那些奸滑的男僕或侍女們購買，有時還向那些貌似上流人士的無賴們求取，這些人常誘騙婦女們的感情，取得信任之後更恣意而爲，然而卻間接做了米爾佛頓的走狗。他在這種交易上並不吝嗇。我知道他曾經有一次出價七百鎊，給一個守門人，收買一張只有兩行字的短信，結果卻讓一個貴族傾家蕩產。一些有價値的祕件，大半都傳到米爾佛頓手裡，因此，倫敦城裡的人一聽到他的名字，都要驚惶失色。凡被他知道隱私的人們，都惴惴不安，不知他要在什麼時候動手。他很有錢，也很狡猾，著手時也很從容，他若得到了一個把柄，往往可以隱藏數年，等到時機成熟時，方才動手。我已說過，他是倫敦城裡最壞的人。因爲他運用狡猾的方法，和從容不迫地讓人家精神上受到折磨，以便再增加他已經豐飽的錢囊。但那些和他一起作惡，或被利用欺害和他們相處的人，豈不是也一樣可惡呢？」

我難得聽我朋友說這樣動感情的話。

我道：「但總可以法律制伏他吧？」

「照情理說，當然可以，但實際上並不如此。如果控告他能讓他坐牢，但也因此使自己身敗名裂。那麼，人們豈肯冒險告發呢？所以他害的人雖多，被害的人卻都不敢報復。假使他向一個純潔無罪的人脅詐，那我們自然可以逮捕他。但他竟狡惡得像魔鬼一般。不，不，我們應當用別的方法對付他。」

「那麼，他爲什麼到這裡來呢？」

「因爲有一個委託人把一件案子交給我。她就是伊娃·布萊克維爾小姐，是一個非常漂亮的小姐。她再過兩星期就要和陶佛卡伯爵成婚了。這個可惡的魔鬼，挾持著她的幾封信，藉此作弄她。華生，這幾封信原是那女士因爲不謹慎的緣故，偶然寫給一個窮鄉紳的。假使被宣佈出來，是會破壞這婚事的。米爾佛頓向她索取巨款，否則便要將這幾封信都寄給伯爵。我現在受委託和這個人談判，所以特地約他來。」

在這當兒，忽聽見馬蹄和車輪的聲音。我從窗口向下看街上，見一輛貴族式的雙馬車停在門口，兩道明亮的車燈，照在栗色的名駒身上。有一個僕人開了車門，便見一個矮小壯健穿羊裘外套的男子走下車來。一分鐘後，他已走進我們屋內。米爾佛頓是一個五十歲模樣的人。他的頭很大，看起來很聰明，他的臉圓肥光潔，灰色的眼睛很銳利地在闊金邊的眼鏡後面閃閃發光，帶著一種虛僞的笑容。他的外表很像皮克惠克先生（狄更斯小說中人）的慈祥神情，但在那笑容背後，卻隱藏著奸詐。他的聲調婉轉得體，眞像他的外貌一樣。他走前一步，伸出一隻肥胖的手，嘴裡喃喃表示他上一次來沒看到我們眞是很遺憾。

福爾摩斯對他伸出來的手一點也不理會，以一副冷淡的面容瞧著他。米爾佛頓微笑著的嘴又咧開了一點。他聳了聳肩，把他的外衣脫下，很小心的摺好了放在椅背上，隨即坐下。

他伸手向著我揚了一揚，說道：「這一位先生在這裡，可會防礙這事呢？」

福爾摩斯說：「這是華生醫生。他是我的朋友。」

「很好。福爾摩斯先生，我所以問這一句話，無非是顧全你的委託人。這件事是非常微妙……」

「華生醫生早已知道了。」

「那麼，我們就談我們的交易吧。你說你代表伊娃女士，她全權委託你接受我的條件了嗎？」「你的條件是什麼？」「七千鎊。」「可減少嗎？」

「我親愛的先生，我實在不願意多談。假使這款子不在十四日前交付，那麼，十八日的婚禮，當然也不會舉行了。」他說這話的時候，那可憎的笑容，越發使人討厭。

福爾摩斯思索了一下，答道：「我覺得你對這件事抱太大的希望了。我對於那幾封信的內容當然是知道的，我的委託人也儘可以依著我的話行事。我可以叫她把這一件事情，全部向她的未婚夫說明，請求他的諒解。」

米爾佛頓咯咯地笑了一笑道：「你分明還不知道伯爵是什麼人樣的哩。」

我瞧見福爾摩斯的臉上露出一種困惑的神情，便知這一句話已被米爾佛頓說中了。

福爾摩斯問道：「那幾封信究竟有什麼害

處呢？」

米爾佛頓答道：「害處可大了。那位小姐的確是很會寫信。我可以確實告訴你，這信到了陶佛卡伯爵眼中，一定不會覺得有趣。但你的見解既然不同，我們就不必多說了。我們現在完全是一種交易。假使你以爲替你的主顧著想的最好的方法，就是讓這幾封信送到伯爵的手裡去，那麼，現在若又反悔想出重價將信贖回，未免太愚蠢了。」他站起來，伸手取他的羊裘外套。

福爾摩斯臉色灰白，顯出他已盛怒而羞惱。

他道：「等一等。不必就這樣走了。這樣一件隱祕的事情，我們的確不應當讓它宣露出來。」

米爾佛頓重新坐在椅上，道：「我早知道你也能夠瞭解到這一點的。」

福爾摩斯繼續道：「但是伊娃小姐並不是有錢的人。我老實說，兩千鎊的數目已是她的極限了。你說的數目實在是她能力所不及的。因此，我請你降低你的要求。就依了我說的數目，把信交還吧。我再說一句。這數目是你所能得的最高代價了。」

米爾佛頓咧嘴笑了一笑，他的眼睛詼諧地眨了眨。

他道：「我知道，她的經濟情形確實是如此。但你總也得承認，在結婚的時候，她的親戚朋友們想必都要贈送些禮物。他們也許還不知道贈送什麼樣的禮物最讓她滿意。我以爲他們若向我買下這一束信，贈還給她，那定要比任何禮物更讓她快樂了。」

福爾摩斯道：「這辦不到。」

米爾佛頓呼道：「唉，多麼不幸啊！」說時，他摸出一本厚厚的記事冊來，又道：「我覺得，假使有人叫這些貴族小姐們不理會我的要求，那會發生很令人遺憾的事的。」他取出一封短信，信封上有一枚指紋印。他繼續道：「這信是屬於——唉，我想還不便宣佈姓名。但到明天早晨，這封信就要到這貴婦的丈夫手裡去了，這樣的結果，就因她不願意付出一個很小的代價，這代價只須她變賣鑽石就可以了，眞是太可憐了。你還記得米爾司小姐和卓爾金上校忽然毀婚的事嗎？在婚期的前兩天，晨報上還有一段很感人的宣言，但後來忽然變掛了，爲什麼呢？這事似乎是讓人不能相信的。但當時其中一方若肯捨棄一千二百鎊的小數目，那就完全沒有事了。這豈不可惜？我知道你是一個有智識的人，你替你的委託人辦理這個交易——斤斤計較，卻忘了這裡面實關係你委託人的名譽和前途。福爾摩斯先生，你這樣的處置眞使我驚訝。」

福爾摩斯答道：「我的話是眞的。她實在沒有別的方法弄到錢。我想你還是就接受我說的數目吧。毀壞這女子的名譽，於你有什麼益處呢？」

「福爾摩斯先生，你弄錯了。這件事宣布以後，間接可使我得到很大的利益。我眼前有八九件同樣的事情。我假使以伊娃小姐做例子，這件事一經傳布，他們自然都會驚恐且容易就範了。你明白我的意思嗎？」

福爾摩斯從椅子上直跳起來，呼道：「華生，快到他後面去。不要讓他出去——先生，現在請你把你記事簿的內容給我們瞧瞧吧。」

米爾佛頓像老鼠一般敏捷地跳到了一邊，

把身子貼著牆壁。

他叫道：「福爾摩斯先生！福爾摩斯先生！」他邊呼邊把短外套的前襟翻開來，裡面的袋中露出一把很大的手槍柄。他又說道：「我早料到你會有這樣的舉動。這種威脅常會有，但有什麼益處呢？我告訴你，我是常帶著武器的，並且我也預備使用。因我知道在這種情形之下，我可以受到法律的保護。此外，你若以爲我會把那信帶在身上，那也是大錯特錯。我決不會這樣愚蠢的。先生們，我今晚還有一兩個約會，並且從這裡到海姆斯德也很遠呢。」他走前一步，拿了他的外套。一隻手握在他的手槍上面，朝房門走去。我拿起一把椅子，福爾摩斯向我搖了搖頭，我只得把椅子重新放下。米爾佛頓鞠了一個躬，帶著笑容走出室去。不久，我們便聽見馬車門關上，和車輪轉動的聲音，知道他已走了。

福爾摩斯靜坐在火爐旁邊，他的兩手插在褲袋，下巴垂到胸際，眼睛注視在熊熊的火上。他這樣靜默了半個鐘頭，顯出一種打定主意的樣子。他站起身來，走進他的臥室，不一會，便見一個工人模樣的年輕人，從臥室裡出來。他的下巴有一撮羊鬚，嘴裡啣著他的泥煙斗。他在下樓出發以前，向我說道：「華生，我必須好些時候才能回來。」他說完了話，便匆匆出去。我知道他和米爾佛頓的交戰已經開始了。但我不知道他這種奇怪的樣子，究竟有什麼目的。

以後的幾天中，福爾摩斯進進出出，始終裝扮著這種樣子。我知道他大半是在海姆斯德度過的，彷彿他的功夫也沒有虛費。但除此以外，我卻不知道他做些什麼。後來在一個颳大風的黃昏，呼呼的風震窗作響。他從外面回來，卸了他的喬裝，坐在火爐前，忽然暗自發笑。

他道：「華生，我想你不會把我當做將要娶妻的人吧？」我道：「不，的確不會。」「那麼，你如果聽說我已和人訂婚，那一定會覺得很有趣了。」「我親愛的朋友！我恭喜你……」「我訂婚的對象就是米爾佛頓的女僕。」「福爾摩斯，啊！」「華生，我是藉此探聽消息啊。」「但你不覺得太過份了嗎？」

「這是必須的一步。我是一個鉛管匠，生意做得有聲有色。我的名字叫做依各德。我和那女僕每夜同行，和她談了好幾回。天啊！那談話多麼難搞啊！但我所要知道的，已完全得到了。我對米爾佛頓屋中的情形瞭若指掌。」

「福爾摩斯，但那個女子呢？你不是愚弄她了嗎？」

他聳了聳肩道：「我親愛的華生，這是沒辦法的事。賭錢的時候，桌面上既已有這樣的重注，玩牌的方法，當然不能不竭盡所長了。但是，我很高興，我有一個情敵，等我一轉身，他勢必會設法取代我的。唉，這樣的夜多好啊！」我道：「你喜歡這種天氣？」「這樣的夜裡，很適合我的目的。華生，我打算今夜要到米爾佛頓屋子裡行竊哩。」

我一聽這話，不禁忍住了呼吸，打了個冷顫。他的話很堅決，分明勢在必行。他的意志像是黑夜中的閃電，一閃便可以清楚地看見遠方的景物，我對他的意念也一目瞭然，他打算去實地竊取東西。但我彷彿看見他會被人察破和捉住的一幕，到時這種本是善意的舉動，卻得到失敗和羞辱，那時我的朋友不免要落在那可惡的米爾佛頓手掌中了。

我呼道：「福爾摩斯，看在上帝的分上，你仔細想想你在做什麼事！」

「我親愛的朋友，我已仔細籌畫過了。我假使有別的方法，也不會採這種冒險的舉動。現在我們仔細想想這件事。我想你總該承認，這舉動雖然是犯罪的，但在道德上是無可厚非的。到他屋子裡去行竊，比那天你幫著我準備強取他的記事簿，並沒有什麼分別啊。」

我暗自尋思了一會，答道：「不錯，我們的目的，只是要取得那讓他行惡的東西，並不想竊取別的東西，在道德上當然是沒有損害的。」

「正是，在道德上既不算罪惡，現在我所考慮的只是個人的安危問題。但一個男子見一個女子陷入這樣困難的處境，並需要他的援救時，那麼，他對本身的安危豈能再過分注意呢？」

「但是，你所採取的行動太危險了。」

「我知道。但卻不能不冒一下險。除此以外，沒有別的方法可以取得那封信。這不幸的女子既沒有錢，也沒有知心的朋友。明天就是最後的限期了。假使今夜我們不能把這幾封信取來，這惡漢必會實行他的話，毀了她的名聲的。所以我只有兩種方法：一種是我聽其自然，一種是我冒一下險。華生，現在我和這個米爾佛頓要開始一場小小的決鬥了。他的手段和計劃確實是厲害的，就算我輸了我的人格和名譽，也要和他打這最後的一仗。」

我道：「這事我是不贊成的，但也已無計可施了。那麼，我們什麼時候動身呢？」他道：「你不必同去。」我道：「那麼，你也不能去。假使你不讓我去，共同分擔這一件冒險的事，我就要立即僱一輛馬車去警察局告發你的舉動。」「你去也幫不了我。」「你怎能知道呢？這件事有怎樣的發展你也不能預知。無論如何，我心意已定。須知除你以外，別的人也一樣有人格和名譽的。」

福爾摩斯的臉上顯出懊惱的樣子，但不一會，他額角的皺紋便即消滅，他舉手拍著我的肩膀。

他道：「好，好，我的好朋友，就這樣吧。我們在這一間屋子中同處了幾年。假使我們這次失敗，又被關在同一個囚舍之中，那也是很有趣的。華生，你該知道我時常有一種想法，我可以做一個出色的犯人。這一次大概是我的唯一機會了。你瞧這裡。」他從抽屜中取出一隻小小的皮包，打開來，裡面都是些發光的器械。他又道：「這是一些是最新式的行竊器械。這是鍍鎳的鐵棍，那是鑲著金剛石的玻璃錐，還有萬能鑰，這些都是最進步的工具。這裡還有黑暗中用的燈。一切都已全備了，但你可有一雙走路不出聲的鞋呢？」我道：「我有一雙橡皮底的網球鞋。」「很好，有面罩嗎？」「我可以用黑綢做兩個的。」他道：「啊，我現在知道你當眞很有興趣幹這種事的。很好，你去做兩個面罩吧。我們在出發以前還須吃點東西。現在九點三十分，十一點的時候，我們就坐車到教堂區。從那裡走到艾倍爾多，約需十五分鐘。因此我們回來時，應該是半夜以後。米爾佛頓是一個沈睡的人，每日一定在十點半就寢。如果幸運，兩點鐘以前便可以帶了伊娃‧貝惠克的密函回到這裡來了。」

福爾摩斯和我都穿上了禮服。這樣，就算在深夜裡人家瞧見了，也會把我們當做是兩個從戲院回家的紳士。我們到了牛津街上，僱一輛車子到靠近海姆斯德的地方。我們下車以後，付了車錢，那車夫便自己回去。夜氣非常寒冷，冷風直刺我們的心胸。我們把外衣的鈕子扣上了，緩緩沿著路邊前行。

福爾摩斯說道：「這件事情應當特別謹慎。那些文件，都藏在那個人書房中的保險箱裡。書房在他臥室的前面。他也像其他矮小而肥壯的人一般，睡得很酣沈。那女僕雅各瑟——我的未婚妻——曾說，僕役們常因主人睡時不容易叫醒，當做笑話。米爾佛頓有一個忠心耿耿的秘書，白天都在書房裡。因此，我們不得不在晚上動手。他園中還有一隻猛犬守著。前兩晚我和雅各瑟約會過，她特地將那狗鎖住，以便我來去自由。這就是那屋子了。我們穿過了這門——現在應當靠右邊的桂樹旁走，我們就在這裡，把面罩戴上。你瞧，每一扇窗都沒有燈光，一切都很順利呢。」

我們把那黑色的絲面罩套上了我們的臉，立刻成了兩個倫敦城中的壞東西了。我們在黑暗中悄悄前進，見屋子的一邊有一個突出的陽臺，陽臺上有兩扇門和幾扇窗。

福爾摩斯低語道：「這就是他的臥室。那一扇門就是直通書房的。從這裡進去最方便，但裡面上了鎖並且有門閂，我們進去不可能不發出聲音。現在且兜過去，那裡有一間花房，是和客廳通連的。」

那花房的門鎖著，但福爾摩斯移去了一塊圓玻璃，就伸手進去旋開鎖，不一會，我們就進了花房，福爾摩斯又把門反鎖好。這時候以法律的角度看來，我們已是犯罪的人了。花房中暖和的空氣，和濃烈的花香迎面而來。他抓住我的手，領我在黑暗中前行，我覺得面頰上不時有花葉的刺掠過。福爾摩斯竟練成了一種特別的本領，能在黑暗中看東西。他一手仍拉著我，一手開了一扇室門，我約略覺得我們已進了一間大室，室中充滿雪茄煙味，分明不久前還有人在這裡吸雪茄。他摸索著許多器物前進，又開了另一扇門，然後重新關好。我伸出手來摸摸，覺得牆壁上掛著幾件衣服，才知道我們正在客廳外面的通道之中，我們經過了通道，福爾摩斯又輕輕開了一扇右邊的門，忽然有一個東西向我們衝來，我的心幾乎跳出來。過一會兒我才明白那是一隻貓，差點笑出聲來。這一間室中，壁爐裡還有餘光，空氣中也充滿了濃烈的煙味。福爾摩斯先踮著腳尖進去，我也到了裡面，才輕輕將門闔上。這時我們已進入米爾佛頓的書房，室的盡端有一塊絨布幕，顯見那是通往他臥室的門口。

爐中火勢還盛，把全室照得通明。近門口處我瞧見有一個電燈的開關。即使開了電燈，也不致有什麼危險，但這時並沒有開的必要。壁爐的一邊，有一片厚重的窗簾，擋住我們從外面瞧見的那個窗口。壁爐的另一面，就是那扇通往陽臺的門。室中央有一張書桌，後面有一張旋轉椅，紅皮皮革還閃閃發光。書桌對面有一個大書櫃，櫃頂上有一座石刻雕像。在書櫃和牆壁中間的一角，就放著一個綠色的保險箱。火爐中的火光，照見箱門上有一個光亮的銅鈕。福爾摩斯輕輕走近，瞧了一瞧，接著又走到通往臥室的門口，側著頭仔細傾聽，裡面沒有什麼聲音。在這時候，我忽想到我們回去時，應可從通往外面的門出去，因而我把門旋了一下，不料那門並沒鎖，也沒有拴門。我輕輕拍著福爾摩斯的手臂，他轉頭看了一下門，我見他吃了一驚，他的反應讓我也吃了一驚。他把嘴湊近我的耳朵，說道：「這事似乎不對。我還不知道什麼緣故，但無論如何，不能再耽擱了。」我道：「我可以做什麼事呢？」「你可站在門旁。假使你聽見什麼人進來，可把門從裡面閂著，我們仍可從進來的路出去。假使有什麼人從我們來的路進來，我們若已得手，便可從側門出去；或者我們所找的東西還沒得手，那麼，可在這窗簾後面暫躲。你知道嗎？」

我點了點頭，站在門旁。這時我先前的恐懼感已消失，充滿了一種興奮的感覺。這種感覺竟是我們當偵探時所沒有的。我想到我們所負的重要任務，又想到這種行動並無私心存在，並且我們的對手，又是一個極可惡的人物。這種種感覺越發地使這冒險的事加添上趣味。我心中並無犯罪的感覺，所以對於我們面前的危險，只抱著高興而歡欣的態度。我存著佩服的心，瞧著福爾摩斯的敏捷動作。他打開藏器械的皮包，取出一種東西，很小心而準確地著手開箱，眞像一個外科醫生進行一種精細的手術一般。我知道他開這鐵箱，心中必滿含著快樂和希望，因爲這個綠色的怪物正包藏著無數貴族婦女的名譽。他已把外衣卸下，放在一張椅子上，又捲起了袖子，取出兩把錐子、一根鐵棍，和幾把萬能鑰匙。我站在那中間的門口，眼睛卻兩面瞧著，預防有什麼突如其來的變動。其實假使我們果眞受人阻礙，我也沒有什麼確切的對付方法。福爾摩斯聚精會神地工作了半個鐘頭，他先取出一個東西，又放下，換成別種，非常謹細而熟練。最後，我聽見一種金屬震動的聲音，綠色的箱門已開了。我見裡面有無數紙件，一紮一紮的都封固，並用標簽標示。福爾摩斯取出了一紮，但在這閃動的爐火光中不便閱讀，他把那小小的黑燈取出。因為米爾佛頓就在隔壁，假使扳開了電燈，未免有些危險。忽而我見他停手不動，斂神傾聽。接著，他急急把鐵箱的門關上，取了他的外衣，又把那器械藏在袋中，隨即走到窗簾前，準備躲藏，並作手勢叫我也過去。

我剛藏到窗簾後面，便聽見那使他驚駭的聲音。他的感覺特別敏銳，因此比我先聽見。我聽見屋子中有一個聲音——有一扇門在遠處關上。接著有一陣雜亂而模糊的聲音，不一會，又聽到沈重的腳步聲很急促地過來，那聲音就在室外的通道上。腳步聲到了門口，就停止了。房門也開了，又聽得搭的一聲，電燈被扳亮了，房門重新關上，同時又有濃烈的雪茄煙味，刺透我們的鼻孔。那腳步聲在室中往來了好幾回，和我們的距離只有數碼。最後聽見椅子的震動聲，腳步聲停止了，卻又有開鎖聲和瑟瑟的紙件聲。我起先不敢瞧視，這時我輕輕的把窗簾的中間拉開一些，偷偷的向外窺視。我覺得福爾摩斯的肩膀向我接近，我知道他也同樣在看。就在我們的面前，我們的手也幾乎摸得到的地方，就是米爾佛頓的厚闊肩背。顯然我們估計錯誤，之前他還未進他的臥室，而是在屋子的吸煙室或彈子房裡。我們起先有部分窗戶沒有瞧查，因此有這失誤。他的頭顱很大，頭髮灰白，頭顱中央發光的禿頂，恰對著我們的視線。他仰靠在紅皮墊的椅上，兩條腿伸得很直，一支黑而長的雪茄，從他的嘴角突出。他穿著一件黑絨領暗紅色的吸煙服，手中拿著一張像公文式的紙件。他一邊吐著煙霧，一邊很懶散的看著那紙件，瞧他的模樣似很安閒，短時間不會離去。

福爾摩斯這時輕輕地拍了我一下，似乎在告訴我沒問題，不用擔心。我不知道他是否也像我一樣瞧得清楚。因爲從我的位置瞧去，見那保險箱的門並沒有完全關上，米爾佛頓隨時可以瞧見。我心中決定，如果一見他的眼光果眞看見了那保險箱，我必立即跳上去，用我的大衣蒙在他的頭上，揪住他，別的讓福爾摩斯去處置。但米爾佛頓並沒抬頭。他很注意他手中的文件，一張一張的閱讀下去，那文件似乎是什麼律師的辯訴，他讀了出神。據我料想，他讀完了文件和吸完了雪茄，大概就要回到他臥室裡去了。不料還不到那時，忽有一個新的發展，竟把我們的意念引到了別條路去。

我好幾次見米爾佛頓看著他的錶。有一次他站了起來，忽又坐下，顯出一種不耐的樣子。瞧這情形，似乎他有什麼約會，不過在這樣的深夜，我當時實在不曾預料到會如此。忽然，有一個細微的聲音，從外面陽臺傳來。米爾佛頓把手中的文件放下，端坐在他的椅中。那外面的聲音持續著，接著，一陣輕輕的叩門聲傳來，米爾佛頓便站起來開門。

他不客氣道：「唉，你來晚了半個鐘頭。」

我這時才知道那通往陽臺的門沒有鎖上，以及米爾佛頓深夜還沒有歸睡的原因。我聽見有一陣女子衣裙的沙沙聲。之前我因米爾佛頓的臉，正向著我們，因此把窗簾的縫合上。這時我又輕輕拉開了縫偷瞧。他已重新又坐下，那支雪茄仍啣在他傲慢的嘴角。在他面前，有一個高瘦的黑衣女子，電燈的光滿照在她身上，見她臉上罩著面紗，下巴處繫著斗篷。她的呼吸急促，全身似都在顫動，顯見她心中非常緊張。

米爾佛頓道：「唉，親愛的，你竟讓我一夜都失眠。我希望你能夠告訴我，這一切在我終算是值得的。你難道不能夠在別的時候來嗎？」

那女子搖了搖頭。

「也好，假使那伯爵夫人是一個難對付的人，你現在有機會可以扳回一成了。唉，你爲什麼顫抖呢？這樣好了！你且定一定神！現在我們可談交易了。」米爾佛頓從他的書桌抽屜中取出一張紙條，繼續道：「你說你有五封信，都是她寫給艾勃特伯爵的。你打算賣這幾封信。我願意收買。現在只須談價格問題了。論情，我應當先把這信瞧一下。假使那信果眞是重要——天啊！是你嗎？」

在這時候，那女子一言不發地忽把面紗揭起，並解開斗篷——是一個美麗的女子。鷹鉤鼻，眉毛濃黑，眼睛銳利有光，薄薄的嘴唇帶著一種可怖的微笑。

她道：「正是我！也就是你毀了一生的女子！」

最後，米爾佛頓縱聲而笑，但笑聲中已含著恐懼。他說道：「你實在太固執了。你爲什麼要逼我走極端呢？我老實說，照我的本意，我連一隻蒼蠅都不願意傷害。但每個人都有困難。不然我要怎樣做呢？我所要求的代價是你能力所及的，你卻不願給我。」

「不錯，因此你就把那信寄給我的丈夫。唉，他是一個最高尚的人，我實在配不上他。他得了信，一氣之下，便死了。你該記得那夜我從這扇門進來，懇求你發發慈悲，你卻一味對我笑。你此刻也想要笑，但你的怯懦，是不是阻止了你的嘴唇牽動？你必以爲不會再見到我了。但那個晚上，你已讓我學會怎樣單獨對付你了。米爾佛頓，你現在有什麼話呢？」

他忽站起身來，說道：「你不要以爲你能夠恐嚇我。我只須大聲一叫，就可以叫我的僕人們來把你捉住。但你既覺得不平，我不妨再原諒你。你可立即從進來的門出去，我也決不聲張。」

那婦人把兩手交叉在她的胸口，仍站住不動。那可佈的笑容，仍留在她的薄唇上。

她道：「以後你再也不能破壞人家的幸福，像你破壞我的一樣了！你也不能碾碎人家的心，像你碾碎我的一般了！我現在要替世界除去這個毒物。你這惡狗，你聽見了嗎？你聽見了嗎？」

她忽然拿出一把閃亮的手槍，子彈一顆顆地打進米爾佛頓的身體裡去。那時那手槍的槍管和他的胸口相距只有二呎。他來不及躲避，身體向後仰了一仰，便倒在書桌上面，嘴裡發出連續的咳嗽聲，兩隻手也亂抓桌子上的文件。一會兒，他勉強立直了身子，忽又中了一槍，方才倒在地板上面，他喊了一聲：「好，這次你贏了！」便死了。那婦人注視著他，又以足踐踏在他仰躺的臉上，瞧了一會，似在確定他是否眞的不動了。之後一陣急促的沙沙聲，同時一股夜氣吹入這溫暖的室中，那個復仇的人便消失不見。

這個人忽有這樣的遭遇，我們實在不便出面救阻。但當那婦人一槍一槍地打進米爾佛頓身體裡時，我不禁想跳出去阻止。那時福爾摩斯冰冷的手，忽緊拉住我的手腕，我才領會他的意思——這件事和我們不相干。這個惡漢最後已受了公平的裁決。但我們本來的任務和目的卻還沒有達到，因此那婦人剛一奔出，福爾摩斯便跳出來，走到那扇通道的門口，把鎖孔中的鑰匙旋了一旋。這時我們聽見屋中已有雜亂的說話聲和腳步聲，原來那幾響槍聲，已把屋中的人驚醒了。福爾摩斯鎮定地走到保險箱旁，把箱中的文件捧滿了兩臂，一起投入火中。他連續做了好幾次，直到那鐵箱完全空了才罷。這時門外有人旋動門鈕，又有敲門的聲音。福爾摩斯轉過頭，見那封米爾佛頓剛才閱讀的信仍在桌上，信箋上已滿是血跡。福爾摩斯又把這信投入火中，再把那通往陽臺門上的鑰匙取出，和我先後走出，從外面把門鎖上。他低聲道：「華生，從這裡走。我們可以從這裡爬牆出去。」

我不敢相信這警報竟傳播得如此迅速。回頭一看，見這一大屋宅已燈火通明。前門開了，有幾個人奔出來，霎時間園中已聚集了好幾個人。當我們從陽臺上跳下去時，有一個人忽然看見，大叫了一聲，便向我們追來。福爾摩斯對這地方似乎很熟悉。他沿著一片小樹叢前進，我急忙跟在他的後面，那後面追蹤的人，也氣喘吁吁地跟過來。我們的前面，有一堵六呎高的短牆，擋住去路。但他縱身一跳，已上了牆頂。我也照樣跳上了牆頭，忽覺有個人抓住我的腳踝。我用力一踢，便即脫手，再向前一跳，便跌倒在牆外的短樹叢中。福爾摩斯忙把我扶起，我們倆就急忙向海姆斯德前進。我們約奔了兩哩路，福爾摩斯才站定了靜聽——我們已脫離了追蹤的人，完全平安了。

在這奇怪經歷的隔天早上，我們吃過了早餐，正在吸煙，忽見蘇格蘭警場的探偵雷斯特拉先生到我們寓裡來造訪。

他道：「福爾摩斯先生，早安。我請問你眼前很忙嗎？」

福爾摩斯：「我總還有功夫聽你說話。」

「我想你此刻若沒有特別的事情，你或許能幫助我們偵查昨夜在海姆斯德發生的案子。」

「唉，什麼事呀？」

「一件謀殺案，很奇特而驚人。我知道你對於這種案子最有興味。假使你能往艾倍爾多去一趟，指教我們些端倪，我們非常感激。這不是一件尋常的案子。這個被害的米爾佛頓，我們起先也曾注意過。他本是一個行爲不正當的人，據說他手中握著許多祕密文件，常藉此威脅人家。但這些文件現在都已被那兇手們燒掉了，屋中並沒有少什麼東西。因此，料想那罪徒們都是上流人物，目的無非想阻止什麼醜事在社會上宣露出來。」

福爾摩斯呼道：「罪徒們！不只一個嗎？」

「是啊，他們有兩個人，當場幾乎被僕人們捉住。」我們已得到了這兩個人的足印和外貌。我們一定可以找到他們的。第一個人很敏捷，但第二個人差一點就被一個園丁的助手捉住。後來仍被他掙脫逃走。他是一個中等身材的人，方闊的下巴，粗大的頭頸，嘴唇上有些短鬚，他的臉用面罩罩著。」

歇洛克·福爾摩斯：「這種樣子也很模糊。但你所說的，卻像是華生的樣子。」

雷斯特拉微笑應道：「是啊，這樣子的確很像華生醫生。」

福爾摩斯道：「雷斯特拉，這件事我恐怕

不能幫你。這個米爾佛頓的底細我很清楚。他實在是倫敦城中一個最危險的人。我想他犯過不少罪案，法律卻無從干涉。因此這件事想必是一種私人性質的復仇。不，你不必多說。我的心意已定，我的同情心是向著犯人，而不是向著這個被害人。我不接這一件案子。」

那偵探走後，福爾摩斯對於這件目睹的慘劇，竟絕口不提。但我覺得那天早晨，他完全在深思狀態中。我從他空洞的眼神，和專心一志的神態，看出他正在那裡追想什麼。我們正在午餐的當兒，他忽然跳起身來，呼道：「啊，華生！我知道了。快戴上你的帽子，跟我來。」我們快步走出貝克街，穿過了牛津街，直走到攝政街，那裡有家商店，櫥窗裡面陳列著許多名媛貴婦的照片。福爾摩斯的眼光忽定在一張照片上，我隨著他的眼光瞧去，見是一個穿著宮廷禮服的皇族婦人，頭上戴著一頂鑽石爵冠。我再瞧那鷹鉤鼻、濃黑的眉毛，和薄薄的嘴唇，又瞧那下面標著的爵銜，才知她竟是一個貴爵大臣的夫人。我不覺暗吃一驚，屏住了呼吸。我的眼睛一和福爾摩斯的眼光接觸，他忽舉起一個手指，按在他的嘴唇上，然後我們就離開了那家商店的櫥窗。

福爾摩斯的眼光忽定在一張照片上

六個拿破崙（原名 The Six Napoleons）

蘇格蘭警場的雷斯特拉先生在黃昏時來見我們，那也不能算怎樣奇特的事。每逢他的造訪，歇洛克·福爾摩斯都很歡迎，因爲藉此可以知道警場總部裡的一切消息。福爾摩斯對於雷斯特拉所傳來的消息，也會有相當的回報。有時雷斯特拉接辦了什麼案子，來請教我友，他都會斂神傾聽，然後憑著他豐富的智識和經驗，向雷斯特拉發表見解或指示方向。

這一天傍晚，雷斯特拉只說到氣候和報紙。接著，他就默默無語，緩緩地吐吸他的雪茄。福爾摩斯向他很注意的看了一會，問道：「你手裡可有什麼奇特的案子？」「福爾摩斯先生，沒有。並沒有什麼奇特的事。」「那麼，你就說出來吧！」

雷斯特拉笑道：「唉，福爾摩斯先生，我心中有什麼事，實在是瞞不過你的。可是這是一件沒有趣的事，我正自躊躇著不敢煩擾你。但從另一方面看來，這事雖小，卻也很奇怪。我知道你對於一切出乎尋常的事情都很注意。不過我的想法是，這事不屬我們的範圍，反而應當請教華生醫生才是。」

我道：「有什麼疾病嗎？」

「應該說是瘋病。而且瘋得奇怪！我想你絕對想不到，在現在還有人對拿破崙深惡痛絕，甚至見了拿破崙的像就要砸碎。」

福爾摩斯靠著椅背道：「這不關我的事。」

「是啊，我也說過了。但那個人爲了毀壞石像竟用偷的，如此一來，這問題就會從精神醫生手裡移到警察手裡來了。」

福爾摩斯又坐直了身子，驚道：「用偷的嗎？這倒有趣了。你把這詳情說給我聽聽。」

雷斯特拉取出他公事用的記事冊，翻閱了幾頁，藉此喚醒他的記憶。

他道：「第一件案子，發生在四天以前。在康寧頓街上，有一個名叫摩西·哈德遜的人，開了一家賣石像的店。那天，店中的夥計，偶然走到裡面去。一會兒，突然聽見東西破碎的聲音，他急忙出來，見櫃檯上的一個拿破崙石膏像已被砸得粉碎。他連忙奔到店外，雖有幾個路過的人，看見一個人從店中奔出，但他們都無法說淸這人的相貌。那好像是一個專門胡鬧的莽漢，常在街頭幹些沒意義的舉動。那夥計便把這情由告訴了值班的警察。這石膏像只值幾先令，因此事後他也就不追究。但第二件案子就更嚴重和奇怪了。那是昨夜發生的。有一個著名醫生的的診所——在康寧頓街——與摩西·哈德遜的店距離百碼左右。在泰晤士河南岸，生意很興隆。那醫生名叫白納考，他的住宅和診所位在康寧頓街，但他還有一個專治外科疾病的分院和藥房，在距離兩哩路外的孛力克東街。這個白納考醫生是一個非常崇拜拿破崙的人。他屋子裡滿是這法國大皇帝的遺物、書籍和畫圖等等。不久前，他在摩西·哈德遜店裡買了兩個拿破崙頭的石膏像，那是從法國名雕刻家談文的作品複製而成的，因此非常酷似。一個放在康寧頓街家中的客廳，另一個是放在孛力克東路分院的壁爐上。今天早晨，白納考醫生從樓上下來時，看見他的屋子在昨夜被人破門而入。但屋中沒有什麼東西遺失，只不見了那個客廳中的石膏像。那像被人拿到外面，丟在花園牆上摔碎，石像的碎塊還留在牆角。

福爾摩斯搓著他的兩手道：「這眞是很奇怪。」

雷斯特拉道：「我知道這些會引起你的興趣。但我還沒有說完哩。到了十二點鐘，白納考醫生照常到他的分院去。那時更出他意料的，分診所的窗昨夜也被人撬破，另一個石膏像也被摔碎在室內。從這兩件案子中，絲毫沒有線索足以查明這瘋人罪徒。福爾摩斯先生，這就是發生的事，你現在都明白了吧。」

福爾摩斯道：「這雖不能說是驚悚，卻也可算奇特了。我問你，白納考醫生屋中兩個被摔破的石膏像，和摩西·哈德遜店裡被破壞的相同嗎？」

「正是，都是從同一個模型製成的。」

「這樣的話，若認爲那人因爲恨拿破崙，所以有這舉動，那就有些不合理了。試想，倫敦城裡，拿破崙像何止千百，這被破壞的三個卻是同出一型。這種事你若說完全出於偶然，那未免不合邏輯。」

雷斯特拉道：「我也和你有同樣的見解。但從另一方面看來，在倫敦的這個區域內，摩西·哈德遜可算是唯一一個販賣石像的人。這三個石膏像已在他店裡好幾年了。因此倫敦城中雖然還有別的拿破崙像，但在這一個區域內，也許只有這三個。這個瘋人既蓄意要毀拿破崙像，所以也就從這三個像上著手。華生先生，你認爲如何？」

我答道：「偏執狂的舉動是不能憑理智推測的。有一種病，現代的法國心理學家稱之爲『偏執的意念』。這種人有時舉動奇特，好像瘋狂，有時卻又頭腦清醒。那人或許讀了幾種關於拿破崙的記載，或是他的家族曾受過大戰的禍害，因此讓他有這種偏執。當他病發的時候，什麼舉動都幹得出來的。」

福爾摩斯搖頭道：「我親愛的華生，你這理論解釋不通。一個有偏執狂的人，有辦法得到這三個石像的分布地點嗎？」

「那麼，你又怎樣解釋呢？」

「我現在並不想下斷語。我只覺得這個人奇怪的行徑很值得注意。例如白納考醫生客廳中的石像；那人分明怕驚動屋子裡的人，因此把它帶到外面才打碎。但在分院，因爲沒有人居住，自然就沒有危險，因此石像就被打碎在放置的地點。這種事情看起來似乎很小，但我想到我的幾件驚人的案子，開始時也是這樣瑣細無奇的。雷斯特拉，對於你現在的報告，不

可否認是很有趣味。假使你能把這事的未來發展，隨時報告給我聽，那我一定很感激你的。」

我的朋友所期待的『發展』，竟發生得非常迅速，而且越發離奇驚人，出乎他的意料。次日早晨，我正在我的臥室中梳洗，忽聽見敲門聲，福爾摩斯隨即走了進來，手中拿著一張電報，大聲唸給我聽：

「快到肯辛頓，彼特街一三一號來。

雷斯特拉」

我問道：「什麼事？」

「我不知道，也許有些特別的事情。但我猜測，也許是和石像有關。假使如此，那位打碎石像的朋友，一定又在倫敦的另一地區，施展他的身手了。華生，咖啡已準備好在餐桌上了；並且我已僱了一輛馬車，等候在門外。」

半小時後，我們已到了彼特街。那是一個

冷清的地方，恰好在一條倫敦鬧街的旁邊。一百三十一號是一排古式屋子中的一宅。當我們的馬車到的時候，見屋前的柵欄外，圍集了一大群好奇的人們。福爾摩斯發出噓聲，才穿過人群。

他道：「啊，是一件兇殺案。這些倫敦的報童有得忙了。你瞧，死者蜷縮著背，伸長了脖子，這當然是兇案。華生，這是怎麼回事？上面一級的石階很濕，另外幾級卻是乾的。無論如何，我們總可以走上去。喏，雷斯特拉正在前面的窗裡，我們就快知道這事的詳情了。」

那警探走出來招呼我們，面色凝重。他領我們走進一間起居室，室中有一個滿面驚恐的老人，穿著一件絨質的晨衣，正在那裡踱來踱去。那警探幫我們介紹，那老人就是屋主，名叫霍蘭司·哈克，是中央新聞社的職員。

雷斯特拉道：「這又是一件拿破崙像的事件。福爾摩斯先生，昨夜你似乎很注意這件事情，所以我想你也許會願意到這裡來瞧瞧。現在這案子越發嚴重了。」

「怎樣嚴重呀？」

雷斯特拉便道：「已變成謀殺案了。哈克先生，你是否可以把這件事情的詳細情形再說一遍給這兩位先生聽？」

那個穿晨衣的老人，轉過頭來，以一種愁慘的面容向著我們。

他說道：「這是一件不尋常的事。我生平專門探訪人家的新聞，現在卻有一件眞實的新聞發生我自己身上。我因惱怒昏亂而寫不出字來。假使我是以新聞記者的身分到這裡來，我只須和我自己會談片刻，那麼，今天每一種晚報上至少都會有兩行新聞。可是現在我只能把這寶貴的資料向別人一再說明，我自己竟不能利用。歇洛克・福爾摩斯先生，我久仰大名。假使你能夠爲我解釋這一件奇事，那麼，我現在費了口舌陳說這個故事，也不算徒勞無功了。」

福爾摩斯坐了下來，斂神傾聽。

哈克說道：「這件事的關鍵點想必就在那個拿破崙像上。約在四個月前，我買了這像陳設在室中。我是在高地街車站附近，哈定兄弟的店裡買來的，我常要寫稿寫到半夜，昨天夜裡我也如此，我在樓上後面的書房待到凌晨三點鐘，忽覺得樓下有什麼聲音。我聽了一會，並沒再聽到，因此便料想那聲音是從屋外來的。但大約五分鐘後，忽傳來一個可怕的喊聲。福爾摩斯先生，那眞是可怕極了。我從來沒有聽過，我覺得只要我活著一天，這聲音將永遠留在我的耳中。我因爲驚恐，呆坐了一兩分鐘，接著便取了火爐前的鐵棒，走下樓去，我走進此室，見窗戶洞開，壁爐上的石膏像已經不見。那小偷爲什麼要偷這個東西？我猜不出來。因爲這像是石膏做的，並不值錢。你們可以自己去看，無論什麼人，從這開著的窗裡出去，只須跨一長步，便可踏到門前的石階上面。我想那小偷當時一定如此。所以我走出來打開前門，正要向黑暗中走去，結果幾乎跌倒在一個死人身上。原來門口有一個人躺著。於是我進來取火，照見那人咽喉間有一個很大的傷口，石階上已沾滿了血。這人仰臥著，兩膝曲起，張大著嘴。唉，這個人的模樣一定會不停地在我夢中出現。我急忙吹響我的警笛，便暈了過去。以後我便完全不知道，直到醒來時，我已在大廳，有一個警察站在我的旁邊。」

福爾摩斯問道：「那麼，這被殺的人是誰？」

雷斯特拉道：「並沒有任何證據可以辨別這個人是誰，你可以到驗屍所去看一看那屍體。我們現在仍沒有什麼線索。他是一個高壯的人，臉色曬得黝黑，體格很壯健，年紀還不到三十。他的衣著邋遢，但又不像是勞動階級。他身旁的一灘血中有一把可以摺攏角柄的小刀。這把刀是否就是兇器，或是這被害人的東西，我還不知道。他的衣服上沒有姓名，袋中只有一個蘋果，一根繩子，一張廉價的倫敦地圖和一張照片，這是照片。」

那照片是一種小照相機所攝的。照片中是一個壯健的男子，濃粗的眉毛，下巴特別突出，很像狒狒。

福爾摩斯把這照片仔細看了一下，問道：

「那麼，這石像呢？」

雷斯特拉道：「在你到這裡以前，我們剛得到消息，這東西已在坎普敦街一間空屋的前園裡被發現了——那像已被砸得粉碎。我正要到那裡去瞧瞧，你可願意同去呢？」

福爾摩斯一邊察驗地毯和窗口，一邊答道：「很好，但我還須在這裡看一下。我覺得這個人若不是有很長的腿，便一定是很矯捷的。隔了這樣遠的距離，要跨到窗口的邊沿來開窗，不是容易的事。但他出去時，就較容易些了。哈克先生，你可願意和我們一塊兒去，看你石膏像的碎屑呢？」

那驚惶不安的新聞記者已坐在他的寫字桌前。

他答道：「我無論如何，總要寫一些東西出來。現在第一版晚報雖然已發行，也許已記滿了這事的新聞。但我還來得及哩。你們還記得唐開斯特賽馬時，觀衆席坍倒的事嗎？那時觀衆席上，只有我一個新聞記者。但第二天報上，卻只有我那家報館沒有這一節記載。就因爲我驚嚇過度，不能動筆。現在我自己家門口發生了謀殺案，如果再無記載，那未免說不過去。」

當我們從屋內出來的時候，已聽見他的筆尖在紙上刷刷地揮灑了。

那石像摔碎的地方，不過在數百碼外的地方。我們見到處是細小的石膏碎塊，可見那人心中滿含怨恨，因此摔像時用力很猛。那裡近草地，福爾摩斯從草中拾起了幾塊碎片，仔細察驗。我一見他凝神的眼光，便知他已得到了線索。

雷斯特拉問道：「如何？」

福爾摩斯聳了聳肩，答道：「我們還須費好些功夫哩。但是——但是——好，我們現在已有些端倪了。我以爲這個罪徒對於這石膏像與尋常人有不同的評價。這是一個要點。第二，如果他的目的只是打碎這像，他何以不在屋裡打碎，或者在屋附近擲碎。這也是值得注意的。」

雷斯特拉道：「他當時忽和那個被害的人相遇，一時匆促，自然也就亂了陣腳。」

「這話也近情理。但我提醒你注意這屋子的位置。他爲什麼要把像拿到這宅屋子的園中打碎？」

雷斯特拉向他瞧了一瞧，答道：「這是一間空屋。他知道到這園子裡來砸像，可以不受別人阻擾。」

福爾摩斯道：「不錯，但街的那邊，還有一間空屋，當他從哈克先生家裡出來，必先從那一間屋子經過，試想他那時挾著像，既有被別人撞見的危險，那麼，爲什麼不就在那一間空屋中把它砸碎，卻反而到這一間更遠的屋子裡來呢？」

雷斯特拉道：「這個我不知道。」

福爾摩斯指著我們頭上的一盞街燈，說道：「他到這裡來，就因爲這裡他才看得見，那一間空屋前面沒有燈。這就是唯一的解釋了。」

那蘇格蘭警場的警探忽大聲道：「唉，是，是。現在我想起了，白納考醫生的石像，也碎在他家附近的一盞紅燈的地方。福爾摩斯先生，我們在這一點上又要怎樣著手進行呢？」

「我們姑且把這一點牢記著，將來也許有什麼事情，可以和這點印證。雷斯特拉，你下一步要怎麼做？」

「據我看來，第一步應證明這個死者是誰。這問題並不難辦。我們若能查明他的身分和交往的人，便可調查他在彼特街做些什麼，遇見了什麼人，才被殺死在哈克先生的石階上。你贊成嗎？」

「這也不錯。不過我若要進行這件案子，卻不會從這方面著手。」

「那麼，你會怎樣辦呢？」

「我想你不必依我的話。你從你的路線進行，我也自己找我的路。最後我們可以互相參證。」

雷斯特拉道：「好。」

福爾摩斯道：「你現在回到彼特街去，一定會見到霍蘭司．哈克先生的。請你幫我轉告他，我很肯定，昨夜確實有一個恨惡拿破崙的瘋人到過他家裡去。他若把這一節記進他的新聞裡去，那是對我們有益的。」

雷斯特拉大眼睛說道：「你自己不見得確實相信這一點吧？」

「我不相信嗎？也許如此。但我確知這一點必能引起哈克先生和中央新聞的訂戶們的注意。華生，我想我們今天的工作會很忙碌。雷斯特拉，你如果方便，請你在今晚六點鐘到貝克街來和我們會面。這一張從死者袋中搜出來的照片，眼前姑且由我保存著。我想假使我的假設能夠證實無誤，今夜也許要請你和我們一塊兒出去走一趟哩。別的事到那時再說吧。再會。祝你幸運！」

歇洛克·福爾摩斯和我一同走到高地街，到了哈定兄弟的店前面，便進去查問。那新聞記者哈克的石像就是從這店鋪買來的。店中有一個少年夥計，告訴我們哈定先生不在店中，須等到下午才來。這少年是新人，因此不能告訴我們什麼。福爾摩斯的臉上不禁顯出失望和懊惱的樣子。

最後他說道：「好，好，華生。我們不能希望處處都合我們的意。現在哈定先生既然必須到下午才來，我們只能到那時候再來。我想你瞭解我的用意，我正打算追究那些石像的來源，以便知道這些東西所以遭遇這樣的結局，其中是否有特別原因。現在我們姑且往康寧頓街的摩西·哈德遜先生那裡去問問，看他是否能夠指點我們什麼。」

一個鐘頭的車程，便把我們送到了那家專賣畫片和石像的店鋪。店主哈德遜是一個短小強壯的人，臉色紅潤，態度也很活潑。

他聽了我們的問話，答道：「正是，先生。那東西就放在這櫃檯上。我不知道我們納了稅幹什麼。那流氓們竟能隨便進來，毀壞人家的貨物。正是，先生。那兩個石膏像就是我賣給白納考醫生的。先生，眞慚愧啊。我想這一定是無政府主義者的機謀。因爲除了這種人以外，沒有人會幹這種毀壞石像的勾當的。你問我這石像從那裡來的嗎？我想這不見得有什麼關係的。你既要問，我也不妨告訴你，我是從教堂街的奇爾道公司裡弄來的。這公司專製這種貨品，非常著名，並且已開了二十多年。我有幾個拿破崙像呢？三個——兩個賣給了白納考醫生，還有一個——在光天化日之下從我的櫃檯上被人摔碎了。什麼？你問我可認識這照片中的人？不，我不認識——啊，我記得了，他就是皮波。他是一個意大利工人，在這裡幹過活。他略懂雕刻，還能鍍鏡框的邊和做別的零碎工作。他在上星期走了，至今不曾聽見他的消息。我不知道他從什麼地方來，也不知道往那裡去。他在這裡的時候，我和他並無不睦。他走了兩天以後，我的一個石膏像便被人摔碎了。」

當我們從那店裡出來時，福爾摩斯對我說：「我們向這個摩西・哈德遜所問的話，總算沒有白費。我們已知道這個皮波，與康寧頓和肯辛頓的案子都是有關係的。得到這消息，雖然趕了十哩路的車程也還算值得。華生，此刻我們應再往教堂街的奇爾道公司去。這公司是那些石膏像最初的來源。假使我們在那裡得不到什麼線索，那未免要使我詫異了。」

我們又急忙趕路，從那繁鬧的倫敦市中，經過了不少旅館、戲院、圖書館、商場，最後到了泰晤士河沿岸的小鎮。我們在那廣闊的街上找了一會，便找到了那個雕刻公司。那公司外面的院子裡，排列了許多石碑，裡面有一大間工廠，大約有五十個工人在那裡雕刻或印模。公司的經理是一個德國人，很客氣地招待我們，對於福爾摩斯的問題也回答得很清楚。他在他的帳籍上查了一查，便知道從談文雕刻的拿破崙像仿印下來的石膏像，一共有好幾百個。但在一兩年間，賣給摩西·哈德遜三個，就是一組六個像的一半，另外半數是賣給肯辛頓的哈定兄弟的店。據這經理說，這六個像和別的像並無不同，所以他實在想不出為什麼有人要把這幾個像摔碎。那經理聽了這件事，只覺得好笑。那像的批發價是六先令，但轉賣的商店也許要十二先令或者多些。這像是用兩個模型印成的，一面是頭的前部，一面是頭的後部，印成後再用石膏把這兩個合而為一。這種工作，都是工廠中的意大利工人做的。做成以後，先放在通道的桌子上吹乾，然後儲藏起來。這一番話，就是那德國經理告訴我們的。

但當我們把那照片取出來時，竟產生了意想不到的結果。那經理一見，突然滿現怒氣。他的額角緊皺，藍色的眼睛露出怒光。

他呼道：「哼，這個流氓，沒錯，我認識他。我們公司本來很有信用的，但有一次，竟勞警察們光臨，都是這個人弄出來的。這件事發生在一年以前。他在街上刺傷了另一個意大利人，隨即到工廠裡來，有一個警察跟在他的後面，他就在店裡被捕。他的名字叫皮波，但不知他姓什麼。我僱用了這樣一個醜惡的人，也夠受了。但他很會幹活兒的。」

「他受了什麼處分呢？」

「大概監禁了一年。我想他此刻應該出來了，但他卻不敢再到這裡來了，這裡有一個他的表弟，你若要查問他的蹤跡，他一定可以告訴你的。」

福爾摩斯呼道：「不，不，什麼都不要向他的表弟說。請你千萬不要提起，這件事非常重要。我查究得越深，越覺得這案子的嚴重。剛才你檢查帳簿的時候，我見那石膏像賣出的日期是去年六月三日。但你是否可以告訴我皮波被捕的日期呢？」

那經理答道：「我可以檢查工資簿，或能告訴你個大略。」說時他在一本簿子上翻了幾頁，又道：「在這裡。他最後一次領取工資，在去年五月二十日。」

福爾摩斯道：「謝謝你。我想此刻我們不必再耽誤你的時間煩擾你了。」說完，他又向那經理叮囑了一句，叫他不要把我們查問的事情說出來，才握別退出。

那天下午，我們忙了好久，才在一家餐館裡進餐。餐館門口掛著一張新聞，標題道：「肯辛頓的兇殺案，瘋人行兇的奇聞。」我們瞧那報上的內容，才知霍蘭司・哈克先生的報導已印出來了。那篇新聞佔了兩欄，內容說得離奇動人。福爾摩斯把報紙放在桌上，邊吃邊讀。有一二次他不禁咯咯發笑。

他道：「華生，這新聞記載得很好，你聽著：『這件案子有令人滿意的一點，就是經驗豐富的官家警探雷斯特拉先生，和著名的諮詢偵察歇洛克・福爾摩斯先生竟有同樣的見解；他們認爲這一件奇怪的案子是一個瘋人所爲，而非故意謀殺。因爲這種舉動，除了是出於一個神經錯亂的人以外，實在沒有別的理由可尋。』華生，這份報導很有幫助，你若知道怎樣利用，那是很有益處的。現在你如果已經吃完，我們可回到肯辛頓去，看哈定兄弟店裡的經理對於這件事有什麼意見。」

那商店的主人是一個瘦小而精明的人，頭腦清楚，口才也很敏捷。

他回答我們道：「正是，先生。我已在晚報中讀到這一節新聞了，霍蘭司·哈克先生的確是我們的主顧。在數月以前，我們曾經賣給他那個石像。這三個石像，我們是從奇爾道公司裡批來的，現在都賣掉了。賣給誰嗎？查一下我們的帳簿便能知道。啊，在這裡。你瞧，一個是賣給哈克，一個賣給齊治威克區拉布納街的勃朗先生，還有一個賣給史丹福先生，他住在瑞亭區，下森林街。不，你這照片中的臉，我沒見過。像這樣醜陋的臉，見過之後，當然不容易忘記的。你問我們店中有意大利人嗎？有的，先生。我們這裡有幾個工人和打掃的人，都是意大利人。若說他們要瞧瞧這一本帳簿並那不算難事。我們對於這帳簿沒有特別看守的必要。唉，這實在是一件很奇怪的事。你們在偵查上若發現什麼，請隨時通知我一聲。」

福爾摩斯聽哈定先生回答的時候，用筆記了幾句。我覺得他問完後似很滿意，但他並沒發表什麼意見。等到從店裡出來時，我們便又匆匆去赴雷斯特拉的約會。當我們到貝克街的時候，雷斯特拉果眞已在那裡等候。他正在室中踱來踱去，顯見已不耐煩了。我見他嚴肅的的面容，便知他這天的工作並沒虛費。

他問道：「怎樣？福爾摩斯先生，有什麼成績？」

我的朋友解說道：「我們忙了一天，總算沒有白費。我們曾到販賣的商店和批發公司去問過。現在那些石膏像的來龍去脈，我都已明白了。」

雷斯特拉道：「那石膏像嗎？好，好，歇洛克·福爾摩斯先生，你有你自己的方法，我沒有任何反對的話，但我想我今天的工作，卻比你更有收穫。我已查明了這死者的身分了。」「當眞？」「我還查出犯罪的原因。我們有一個警探名叫希爾，平日專在意大利人居留的地方查察。我見死者的脖子上掛著天主像，又瞧他的膚色，便認爲他是南歐來的人。那個警探一見這死者的面貌，也立即認出他，他果眞是意大利人，名叫彼特洛，是倫敦城中的一個兇徒。他是黑手黨的黨員，專幹暗殺的舉動。現在你可以明白這件事的情由了。另外那一個人，大概也是意大利人，並且同是黑手黨黨員。這個人一定是犯了什麼黨規，彼特洛奉命處置他。他口袋中的那張照片，想必就是他所要追蹤的人——有照片才不致誤殺別人。彼特洛跟在那人後面，瞧他進了一間屋子，就在外面等他，等到那人出來的時候，兩人互相爭鬥，彼特洛卻反送了性命。歇洛克·福爾摩斯先生，你以爲對嗎？」

福爾摩斯拍手表示贊成，呼道：「好啊，雷斯特拉，好極了！但你對那石膏像還沒解釋。」

「石膏像嗎？唉，這石膏像竟深印在你的腦中，不能忘掉！其實這並沒有什麼意思。偷個石像，至多只有六個月的監禁。現在我們要著重的，是那件謀殺案。我告訴你這案中的線索，都到我手裡了。」

「那麼，你第二步辦法呢？」

「那很簡單。我可以同警探希爾到意大利區，找到了那照片中的人，然後把他捉住，定他謀殺的罪。你可願意和我們一塊兒去？」

「我不想去，我以爲我們結束這件案子，另有一種更簡便的方法。雖然我還不能確定，且這裡面另有一種因素是我們所不能控制的，但我想希望很大。假使你今夜和我們一塊兒去，我可以幫助你把那人捉住。」

「可是往意大利區去呢？」

「不，我想我們要逮捕他，還是往齊治威克去，更靠得住些。雷斯特拉，假使今夜你能和我一同往齊治威克去，我也答應你明天同你往意大利區去。這樣，既不耽擱，於你的事也不妨礙。現在我們最好睡幾個小時，休養一會。因爲我打算在晚上十一點後，方才動身，並且不到天亮不回來。雷斯特拉，麻煩你在這裡用餐，餐後可在那沙發上休息，等到時間到了再出發。華生，我請你打一個電話給送信公司，因爲我有一封重要的信必須立刻寄出。」

福爾摩斯在晚餐以後，看了許多舊報，藉以消遣。後來他從那堆舊報中探出頭來，眼光中流露出得意的神情，但他並不把研究的結果告訴我們。他在這一件複雜的案子中，一步一步的進行，最後的結果雖還不能預料，但我猜想福爾摩斯必定認爲那奇怪的罪徒勢必還要打另外兩個石膏像的主意。我記得其中一個的地點，就是齊治威克。因此，我知道我們那夜的目的，無非想等那人動手的時候，當場把他捉住。我又想起福爾摩斯故意在晚報上登載那節消息——一個瘋人的行爲，目的是使那人看了中計，疏於防備。這就是我友的計謀了。

到了出發的時候，福爾摩斯叫我帶著手槍。我既知他的用意，所以並不驚訝。他自己也拿了一個武器，就是他那一根灌鉛的獵杖。

那時有一輛四輪馬車早已在門前等。我們到了漢莫斯密斯橋，便下車用走的，走了幾步便到了一條靜僻的街道。街的兩旁是雅潔的小屋，每一間都和大馬路分隔。我們從街燈中，找到了拉布納別墅的門牌，見那屋子的燈光已熄，顯見屋中人都已入睡。不過前門還有一盞小燈，照著園中的小徑。這個園子和馬路之間有一排木栅隔著，栅裡黑影重重，我們就躲在這個地方。

福爾摩斯低聲道：「恐怕我們要等一會兒呢。今夜我們應謝謝滿天的繁星，還好沒下雨。我們這樣枯等，卻也不能吸煙消遣。不過，我預料我們一定可以得到相當的報酬的。」

我們等待的時間卻不像福爾摩斯所料的那麼長。並且這事的結果，也非常奇怪而突兀。在一片靜寂無聲中，那園門忽然開了，有一個黑色的人影閃了進來，從那園徑上經過，他像猴子一般敏捷。我們從前門的燈光中見了他一眼，霎時他已走入了黑暗的屋內，瞧不清楚了。這樣等了一會兒，我們都忍住了呼吸，接著，便聽見輕微的撬窗聲，窗子似應手而開，接著又歸於寂靜。一會兒，那人已進了屋子，我們看見有個微弱的光線，在室中晃動。他所要尋覓的東西，顯然還沒有到手，因爲他的燈光繼續在別的窗裡晃動。

雷斯特拉附耳道：「我們可走到那開著的窗口去，等他爬出來時捉住他。」

但我們還沒有走動。那人已從窗口爬出來。當他走到了前門的燈光下，我們見他腋下挾著一個白色的東西。他向四面瞧了一下，街上很靜寂，他似乎很放心的樣子。於是背向著我們，把他腋下的東西拿在手中，一剎那間，一陣破碎聲直刺我們耳朵。這個人因爲一心在他的事上，竟沒聽見我們從草地上走近的聲音。福爾摩斯像猛虎般地撲到那人的背上，一刹那間，雷斯特拉和我已各捉住他的一隻手，接著用手銬扣在他的手腕上。當我把他的身子轉過來後，瞧見一個黝黑而醜陋的臉，向我們怒目瞧著。這個人就是那照片中所見的人。

福爾摩斯像猛虎般地撲到那人的背上

但我們捉到了這個犯人，似乎在福爾摩斯眼中，並不算是他最重要的目的。他走到石階旁邊，仔細察驗那人從屋中取出來的東西。這是一個拿破崙像，已砸得粉碎，完全像我們在那天早晨看見的一般。福爾摩斯把一塊塊的碎片湊近亮光中看，並沒見什麼特殊之處。他剛驗畢，忽見屋子裡的燈光通明，前門開了，那屋主穿著襯衫從裡面出來。

福爾摩斯道：「我想你是勃朗先生吧？」

「正是，先生，你想必就是歇洛克·福爾摩斯先生了。我接到你差人送來的信以後，便照著你的話準備。我們把每個門都從裡面鎖著，靜等這事的發展。啊！我很高興看見你們已把這流氓捉住了。先生們，請你們到裡面來吃點兒東西，提提神。」

但雷斯特拉急著要把他的犯人送到警局裡

去，所以幾分鐘後，我們已僱了一部車子，四個人一塊兒向倫敦城中駛去。那個犯人一句話也沒有說，他的眼光從他蓬亂的頭髮下，惡狠狠地瞪著我們。有一次我的手幾乎摸到他，他忽然像餓狼一般的張口要咬。我們到了警察局裡，在他身上搜尋了好久，並沒有什麼東西，袋中只有幾個先令，和一把長鞘的刀，刀柄上還有剛染到的血跡。

當我們分別的當兒，雷斯特拉說道：「這樣好了。希爾很瞭解這些人，他一定會仔細審問的。照這樣看來，我所說的黑手黨的假設是對的，不過，福爾摩斯先生，你用這種簡捷的方法抓住他，我還是很感激你。但是我還不明白這裡面的情由哩。」

福爾摩斯道：「此時已晚，不便再解說了。此外，案中還有一兩個要點沒有弄清楚。我覺得這樣的案子，實在值得徹究到底的。你如果能在明天六點鐘再到我寓裡來，我想我能把這事的全部情由告訴你。這件事有幾個特點，在犯罪史上都可說是很獨特的。華生，如果我允許你把我的這些小問題刊載出來，那麼，我想，你的紀錄之中，定會多一樁奇怪的拿破崙像案了。」

我們在第二天傍晚又和雷斯特拉相見。他說了許多關於那犯人的事情。他叫皮波，姓什麼卻始終不知道。他在意大利人圈中，是一個有名的壞蛋。他從前是一個有本事的雕刻匠，曾一度老老實實的過日子。但後來走入歧途，已進過兩次監牢——一次犯了小小的竊案；另一次就是我們已知的——刺死他一個同鄉。他會說很好的英語，至於他所以要毀壞那石膏像的原因仍舊不明白。他在這問題上完全不肯回答。但據警探們的調查，知道他那時在奇爾道公司中服務，那幾個他所毀壞的像，都是當時他親手製成的。這些消息，有一部分我們早已知道。福爾摩斯很注意地傾聽。但我是知道他的脾氣的，我知道他那時的思緒正在別的地方，彷彿他那平靜的面具下面，含著不安和期望的心情。後來，他忽從椅子上跳起來，眼睛閃閃發光。這時門鈴響動，一分鐘後，我們聽見樓梯上的腳步聲音，一個紅臉白鬢的老人被引了進來。他的右手提著一隻老式的氈袋，他把那袋子順手放在桌上。

他問道：「歇洛克・福爾摩斯先生在這裡嗎？」

我的朋友鞠躬微笑，應道：「我想你就是瑞亭區的史丹福先生吧？」

老人答道：「正是，先生，我怕我來得晚些了，但那火車怪討厭的。你寫信給我，說起那個我所擁有的石膏像的事情。」我的朋友道：「正是。」「你的信我帶來了。你說：『我希望得到一個仿談文所刻的拿破崙像，並且預備十金鎊，和你交換你有的那個像。』這話對嗎？」「完全對的。」

老人又道：「你的來信我很訝異。因爲我實在想不到你怎麼會知道我有這種東西。」我的朋友道：「那難怪你要詫異的。可是理由卻很簡單。哈定兄弟店裡的哈定先生，告訴我他們最後一個像是賣給你的。他就把你的地址告訴了我。」「唉，如此嗎？他可曾告訴你，我出了多少價買的？」「不，他沒有說。」

「好，我雖然不富有，卻是一個誠實人。這石像我只出十五個先令買來。我想我在接受你的十鎊以前，這一點應讓你知道。」

福爾摩斯道：「史丹福先生，我想你很誠實。但我既說出了代價，我一定要照付的。」

「福爾摩斯先生，那也足見你的乾脆。你叫我把這石像帶來，現在我已帶來了。」

他把他的袋子打開，取出一個完好的拿破崙像，放在我們桌上。這同樣的像，我們已見過了幾次，不過都是已成了碎塊了。

福爾摩斯從袋中取出一張紙來，又把一張十鎊的鈔票放在桌上。

他說道：「史丹福先生，現在請你當著這幾個證人面前寫一張收據。你只須說你已把你對於這石像的一切權利讓渡給我。我是一個喜歡規例的人，以便將來彼此沒有異言。史丹福先生，謝謝你。這就是你的錢，祝你晚安。」

我們的客人走後。福爾摩斯的舉動，很引起我們的注意。他先從抽屜中取出一塊潔淨的白布放在桌上，又把他新買的石像放在白布的中央。最後，他舉起獵杖，在那拿破崙像的頭上擊了一下，那像立刻碎成幾塊。福爾摩斯急忙俯瞧那些碎塊，不一會，他忽然得意地歡呼，手中取著一塊碎屑，那碎屑中卻鑲著一個圓形的黑色東西，眞像蛋糕中嵌著的葡萄乾。

他呼道：「朋友們，我來爲你們介紹。這就是包格斯著名的黑珍珠！」

雷斯特拉和我二人靜坐了一會，接著，我們都身不由主地拍手歡呼，眞像在看戲，看到緊要關頭一般。福爾摩斯蒼白的臉上，泛起紅暈。他向我們鞠了一個躬，眞像舞臺上的名角，受了觀衆稱賞而答禮的樣子，只有在這一刹那間，他才會暫時拋開冷酷的態度，表現出他喜歡人家稱讚的樣子。這同樣的稱讚，若出於一般人，他往往會輕視，但這時出於他的朋友，卻又另當別論了。

他道：「朋友們，眞的，這是世界上最著名的珠寶。我實在幸運，竟能憑著推論——從柯隆那王子在達克里旅館中遺失起，直推想到藏在這六個石像中的最後一個裡面。雷斯特拉，你該記得當初這寶物不見的時候，引起多大的震撼。倫敦的警探們雖然費過許多心力，卻始終沒有結果。那時我也曾偵查這件案子，竟也尋不出端倪，案中王妃的侍女嫌疑很大。那侍女是意大利人，經查出她有一個哥哥在倫敦，但我們始終查不出他們之間有無聯繫。這侍女名叫盧克莉絲雅，現在我知道前天晚上被殺的彼特洛，就是她的哥哥。我從舊報中查明，這黑珍珠遺失的時間，恰好在皮波被捕的前兩天。皮波之所以被捕，是因爲他在奇爾道公司打傷人，也就在這個時候，這幾個石膏像做好了。這件案子的推理過程和實際發生順序雖是逆向的，但現在總算明白這事的經過了。皮波那時必已得到了這粒黑珍珠——他也許是彼特洛的同黨——他或許是彼特洛和他妹妹的接線人。後來，皮波就從彼特洛手裡竊取了那粒黑珍珠。但這種解說是否確當，我們不必深究。唯一的要點，就是這一粒黑珍珠當時一定在皮波手中。當他被警察追捕的時候，黑珍珠一定在他身上。他逃進了他工作的公司，他自知有被捕的危險，所以設法將他身上的寶物在極短的時間內藏好。否則，被捕後這東西必被搜出，不免就徒勞無功。那時那六個拿破崙像剛製好，正放在通道中吹乾，其中有一個還沒有乾硬。皮波是一個靈巧的工人，立即想出一個方法。他就在像上鑿了一個洞，把小珠子藏進去，又在洞上用石膏塗平。這眞是一個奇妙的祕藏之所，誰都不能找到的。但皮波被捕以後，判了一年的監禁，在這一年中，那六個石膏像都已銷售出去。他釋放以後，既不知道那一個像中藏著他的寶物，只好逐一把像打碎找尋。他知道他藏珠的時候，石膏還軟，必能把珠子固定包住，雖經搖動，也不會被發現。皮波有一個表弟，還在奇爾道公司裡，這表弟在帳簿上幫他查明了販賣的商店，首先是到摩西・哈德遜的店，之後又把三個像毀壞，仍不見珠子。他並不放棄，又靠著其他意大利人的幫助，查明了另外三個石像的地點。第一個就是哈克家，但當他動手的時候，忽被他的同黨彼特洛知道。因他覺得當時珍珠不見，必是皮波所竊，因此他跟在皮波的後面，打算找他算帳，不料後來竟反被皮波所殺。」

我問道：「皮波既與彼特洛同黨，二人想必熟識。那麼，彼特洛口袋中爲什麼要藏著一張皮波的照片呢？」

福爾摩斯道：「這也很明顯。他若要向第三個人詢問皮波的蹤跡，有了這張照片，當然就便利得多。後來這謀殺的事情既被發覺，我料想皮波必將急於進行他未完的工作。他深怕警察們知道他的祕密，自然要趁早下手，使警察們來不及準備。那時我不敢保證他是否尚未從哈克的石像中找到那粒珠子，也不知道他所找尋的一定是這粒黑珍珠，但我已知道他的確要在石像中找到什麼。因爲他曾帶著石像，到一個有燈光的空屋園中方才擊碎——足見他一定在找什麼東西。哈克的像是三個中的一個，假使他還沒有得到他所要尋覓的東西，勢必還要另尋其他二個像，我料他一定會挑選靠近倫敦的那一個先動手。因此，我就寫信警告屋中的主人，以免發生第二次慘劇。後來，我們也到那裡，當場把那人逮住。在這時候，我已知道他所要尋覓的就是那粒包格斯的黑珍珠。死者的身分讓我把這兩件事連接起來。但在那第五個像中，既還不見這黑珍珠，便知那珠子一定在最後一個像中了──瑞亭鎮。我即刻從他的主人手裡，把這粒珠子買回來，就是你們所看到的。」

我們靜坐了一會，彼此都沒有說話。

雷斯特拉道：「啊，福爾摩斯先生，我見你辦過不少案子，卻不曾見你辦得像這一件案子一樣巧妙。我們蘇格蘭警場的同事們決不會妒忌你，而是很尊敬你的。明天你如果到我們那邊來，我敢說從資深的警長到新進的警察，沒有一個不向你握手道賀呢。」

福爾摩斯道：「謝謝你！謝謝你！」這時他似乎因爲雷斯特拉欽佩的話，而顯得十分愉悅。可是過了一會兒，他又變回一個冷漠嚴肅、專重事實的人了。他向我道：「華生，請你把這珍珠藏在保險櫃中，把廉克冒簽案的文件取出來。雷斯特拉，再會。假使你還有什麼疑問來見教，我很樂意幫你解決的。」

三學生（原名 The Three Students）

在一八九五那年，因爲連續發生了幾件事情，所以歇洛克・福爾摩斯先生和我二人，就到一個著名的大學城裡去消磨了幾個星期。我現在敍述的一件小小故事，就是我們在大學城時遇到的。但假使我把那大學的地點，和犯罪的眞相寫出來，未免有些不當，且有些傷害。像這樣一種隱祕的事情，實在是應當讓它自然消失的。雖然如此，這件事仍有幾點足以表現我朋友的特殊才能，確有記載的必要。因此我在記述的時候，必盡力謹愼，在各種事實上，避開那些有關係的地點和人物，以免讀者因此發現此案中關係人的眞實身分。

那時我們寄住在一個靠近圖書館的寓所中。歇洛克・福爾摩斯整日泡在圖書館研究英國古代的憲章——這研究的結果也許會成爲另一篇故事的題目。有一天黃昏，我們的朋友希爾登・沙麥斯先生忽然來訪。沙麥斯先生是聖路加學院的導師和講師。他是一個高大的人，他很容易緊張，他個性本來就這樣，但這一次他卻已處於不能自持的情況，顯見他一定遇見什麼嚴重的事情了。

他一見到我們，便向我的朋友道：「福爾摩斯先生，我希望你能給我幾個鐘頭的寶貴光陰。我們聖路加學院裡發生了一件不幸的事情，幸而你恰好在這裡，否則我眞是不知所措了。」

我的朋友答道：「我現在很忙，不願意受別的事的阻擾。我想你還是去請教警察們吧。」

「不，不，我的好先生。此方法行不得的。凡事一驚動法律，勢不能撤回。這一件案子關係到學校的名譽，因此必須避免外界的流言。你的謹愼保密，和你的才能一樣著名。你是惟一能幫助我的人。福爾摩斯先生，我求你幫幫我吧。」

我的朋友自從離開了貝克街舒適的環境以後，他的脾氣變得更壞了。他因爲沒有了可參考的記錄冊、可應用的化學物品，和邋遢的屋子，似覺得處處都不適意了。他聳了聳肩，表示一種勉強答應的樣子，於是那位來客便急忙地講述他的故事。

他道：「福爾摩斯先生，我應該解釋清楚一點。明天是福次邱獎學金考試的第一天，我是主考員之一。我主考的科目是希臘文，第一個題目是希臘文的翻譯，那些參試的人，當然不能看見的。這翻譯的試題，都印在考卷上，假使被考生們看見，而預先準備，那自然對他們有很大的好處。爲了這個緣故，我特別注意考卷的保管。」

「今天下午大約三點鐘時，這考卷的校樣從印刷廠中送來。考題包含了修昔提底斯著作半章，我爲了避免錯誤，所以想仔細的校閱一遍。在四點半時，我的工作還沒有完畢，但我曾答應到一個朋友家中去飲茶。因此我把那印好的校樣，留在我的書桌上，便到我的朋友那邊去。我離開約有半個鐘頭。福爾摩斯先生，你也許知道我們學校的門有兩重——外面是厚重的橡木門，裡面有一塊綠色的呢幕。當我回到我的外門口時，我大吃一驚，因爲我看見有一個鑰匙留在門上。當時我還以爲我自己把鑰匙留著沒有取出，但我伸手向袋中一摸，那鑰匙卻仍在袋裡。這室門的鑰匙共有兩個，另一個是我的僕人班尼斯所有。他已爲我服傭了十年，他的誠實是無可懷疑的。我見那鑰匙確是班尼斯的，料想他必到我室中了，可能是要問我是否需要茶水，但當他退出來時，卻不留心把鑰匙留在門上。他到我室中去時，一定是在我離室後數分鐘內。他忘掉鑰匙這件事，在平日原沒多大關係，但在那一天，卻因此發生了意外的結果。」

「我進了室中，一瞧見我的書桌，便覺得有人把我桌上的文件搜索過一遍了。那考卷的校樣有三張長紙，我出去時是放在一起的。這時卻都已換了地方。一張在地板上，還有一張在近窗的邊桌上，第三張仍留在我原來放的地方。」

福爾摩斯聽到這裡，臉上才動了一動，道：

「我想那地板上的，是考題的第一張，窗口的那一張，是第二張，而放在原處的是第三張。」

「福爾摩斯先生，你的話完全對。你很讓我感到驚訝，你怎能知道的呢？」

「現在請你把這有趣的陳述繼續講下去吧。」

「那時候我以爲班尼斯竟膽敢翻動我的考卷，但我問他的時候，他卻竭力否認，我才覺得他的話不假，因此認爲一定另有人走過我的門外，見門上留著鑰匙，知道我已外出，就走進去偷看我的考卷。這裡面關係到一筆巨款的獎學金，或許有什麼不誠實的人，偷瞧了考題，以便在應考時容易合格，這是可能的事。」

「班尼斯因爲這意外的事情，非常驚惶。他一見到那考卷確有被人偷閱的跡象，幾乎嚇暈。因此我倒了些白蘭地給他，然後他就癱倒在一張椅子上。我在室中仔細檢驗，又發現了一些的跡象。在近桌的窗上，有幾片鉛筆木屑，還有一小段斷了的鉛筆，分明那個不誠實的人，在匆促中偷抄了我的考題，但他的鉛筆忽然斷了，因而重新削好，便留了這個痕跡。」

福爾摩斯的注意力，似已被這案情引起。他恢復了和悅的態度，說道：「好極了！這案子破案有望！」

「還有。我有一張新的書桌，桌面上鋪著一塊紅色的軟皮。我敢發誓那皮面上本來是完全光潔沒有污漬的，這一點班尼斯也可作證。但此刻我見那皮上有一條三寸長的刀痕——這並不是偶然劃到的，而是被刀切的。不但如此，我還在桌上發現一小塊黑色像泥團一樣的東西，那團東西上有不少斑點，好像混著木屑。我知道這些痕跡都是那個偷抄考題的人留下的。不過這個人卻沒有留下足印，或任何可尋的證跡。我正自惶急無措，忽然想起你在這裡，便直接到這裡來請教你了。福爾摩斯先生，你一定要幫助我，我此刻眞是進退兩難。現在只有兩條路；一條就是查出這偷抄的人是誰，還有一條就是把考期延後，以便我另行預備考題。但這一點不容易辦到，我若不說出這事的原委，冒然延期，那不免要引起外界的流言，使學校的聲譽受到影響。因此，我很希望祕密地解決這件事情。」

福爾摩斯站起身來，一邊穿上他的外衣，一邊答道：「好，我必盡我所能替你效勞，也許能指示你一些線索。這案子也不能說完全無趣。我且問你，那考卷的校樣送來以後，可有人到你的室中？」「有的，有一個印度學生，名叫陶萊特．瑞斯。他住在樓上，他來就是問我考試的事情。」「他也參加這次考試嗎？」「正是。」「當時考卷可放在你的桌上？」「據我記憶所及，那考卷是捲著的。」「但他看得出這就是印好的校樣嗎？」「那是可能的。」「以外就沒有其他的人了嗎？」「沒有了。」「還有人知道那考卷的校樣在你室中嗎？」「除了印刷的人以外，沒有別的人知道。」「班尼斯認識這個印刷的人嗎？」「不，一定不認識的，沒有一個人認識他。」「班尼斯現在在什麼地方？」「這可憐的人受到嚴重驚嚇，我出來時因十分急促，仍讓他坐在我室中的椅子上。」「你出來時門開著嗎？」「是的，但我已把考卷鎖好了。」「既然如此，可知若不是那印度學生看出了那捲著的紙就是考卷的校樣，那麼就是這個偷抄的人，本來也不知道你室中有這考卷紙，是無心撞見的。」沙麥斯道：「正是，我也這樣想。」

福爾摩斯帶著神祕意味地笑了一笑道：「好，我們去瞧一瞧再說。華生，這是屬於心理的案件，與身體無關，用不著你。但你若要同去也好。沙麥斯先生，我們走吧。」

我們委託人的起居室恰對著一塊蘚苔斑駁的庭院，靠庭院處有一扇有格子的長窗。有一扇拱門，門後有石梯，第一層樓就是那教師的臥室。樓上住著三個學生，每一層樓一個。我們到這個案發地點的時候，天色已暗下來了。福爾摩斯在那窗口站住。他踮起了腳尖，伸長脖子，向室中瞧視。

教師沙麥斯說道：「他一定是從大門進去的。除了這一塊窗上的玻璃外，沒有別的通道。」

福爾摩斯回頭向他瞧視，忽微笑說道：「這裡既找不出什麼，我們還是進去裡面吧。」

沙麥斯開了外面的門，領我們走進他的室

中。我們站在門口的時候，福爾摩斯便乘機察驗地毯。

他道：「恐怕這裡也沒有什麼跡象可尋。像這樣乾燥的天氣，更沒有多大的希望。你的僕人想必已恢復了。你說你原把他安置在椅子上，那一張椅子呢？」

「靠近窗口的那一張。」

「我明白了，就是靠近這小桌的椅子。我已把地毯檢驗完了，現在且瞧瞧這一張小桌子。這件事已經很清楚了。那人進來了以後，就把考卷一張一張的從中央的桌子上拿起，拿到了這靠窗的小桌上。他所以如此，就因他一邊抄寫，一邊還可以從窗口看見你。假使他見你從庭院走來，他還來得及逃走。」

沙麥斯道：「這卻不能如他的願。我是從側門進來的。」

「啊，既然這樣，他當時大概也有這樣的想法。你且給我瞧瞧那三張校樣。竟沒留下指紋！我想他一定先把第一張紙拿到了小桌上，便著手抄錄。他如果用最快的速度，至少要多少時候呢？可能要一刻鐘工夫。他抄完了第一張後，丟在地上，又拿起第二張紙，正抄到第二張的一半時，忽發現你回來了，於是就匆匆離開。但他當時來不及把這紙放回原處以預防你的察覺，也可見他的匆促了。當你從外面進來的時候，樓梯是否有腳步聲？」

「不，沒聽見。」

「好，假設這人抄錄的時候十分急促，把他的鉛筆弄斷，因此重新削尖。華生，這一點非常值得注意。那鉛筆不是一般的鉛筆，是一枝軟心且外面是深綠色的鉛筆。鉛筆一端，有銀色的字，印著製造者的姓名。那筆現在約剩一吋半長了。沙麥斯先生，你只要找到這一種鉛筆，便可查出那個人了。還有一點，他有一把大而鈍的刀子，這也可以幫你的。」

沙麥斯聽了這一番話，答道：「別的事我都明白的。不過你說這鉛筆的長短……」

福爾摩斯拿起一小片削下的木屑，上有NN兩個字母，還有一段卻沒有字。問道：「你明白嗎？」「不，我仍然……」

福爾摩斯道：「華生，我從前時常責備你，那是不公平的。原來除了你以外，還有別的人也像你一樣不容易領會呢。試想那NN有什麼意思呢？這很明顯是一個字的末兩個字母，而Johann Faber 廠製造的鉛筆，銷路最廣。因此可知那鉛筆已用完了 Johann 一個字長，那餘剩的還有多少，不是已想得到了嗎？」說著他把小桌子移到電燈下，又繼續說道：「我本希望他抄寫的紙是薄的，那麼，這光滑的桌面上，也許留著些痕跡——沒有，我瞧不出什麼。我想這裡沒有可研究的了，現在再瞧中間的桌子。這一粒，大概就是你說的黑泥團了。它是圓形的，略略帶尖，還有一個凹孔。你說的不錯，裡面和著些木屑。啊，這眞是有趣。桌上還有一條劃痕——我也看見了——這痕跡開始時很細，終點卻是一個個小洞。沙麥斯先生，你告訴我這件案子，我非常感激。你這一扇門通那裡的呢？」沙麥斯道：「通往我的臥室。」「你發現這事以後，可曾進去過呢？」「沒有，我立刻就去見你。」「我要在四周瞧一瞧。這是一間老式的屋子，現在請你等一等，我先查一查地板——不過，我瞧不出什麼。這呢幕做什麼用？你把衣服掛在幕後嗎？假使有什麼人被迫藏身在這臥室中，他必定藏在這裡。因爲床太低，衣櫥太淺，都不能容身。我想幕後面不會有人吧？」

福爾摩斯說完，伸手把那呢幕拉開。我見他這時的神情，略帶著些緊張的樣子，似準備有什麼意外。但實際上那幕後並沒什麼，只有三四套衣服，掛在一排鉤子上面。福爾摩斯轉過來，突然俯向地板，呼道：「哈，這是什麼？」

有一粒黑色的泥團，正像先前在書桌上所見的一樣。福爾摩斯把這東西放在掌中，拿到燈光下。

他說道：「沙麥斯先生，你的那位來客，不但在你的起居室中留下痕跡，也在你的臥室留下同樣的東西呢。」沙麥斯道：「他到這裡來幹什麼呢？」

「我想這一點十分明顯了。你既然從另一條意外的路回來，他原先便沒有瞧見，直到你走到門口，他才驚覺。你想他那時會怎樣呢？他必盡量把足以露出跡象的東西拿走，然後急忙走到你的臥室中來藏匿。」

「哎喲！福爾摩斯先生，你是說當我和班尼斯在書室中交談的時候，那人就在我的臥室中？」「我覺得是這樣。」

「福爾摩斯先生，我想還有別的可能吧。你可曾瞧過我臥室中的窗？」

「瞧過了，窗框是鉛製的，窗上有格子。有三扇分段的窗，有一扇有摺葉，窗口的大小足以容一個人通過。」

「這窗口恰朝著庭院的一角，所以這地方從外面看不見的。那人也許從這窗裡進來，當他經過臥室的時候，留下了些痕跡，後來見門開著，就從門逃出去了。」

福爾摩斯搖了搖頭，不耐地道：「我們且

從實際的方面著想。我聽你說有三個學生，都要從這石梯上去，並且都要經過你的房門。是不是？」「正是。」「這三個人都參加這一次考試嗎？」「是的。」「你在這三個人中，可覺有誰特別可疑呢？」

沙麥斯遲疑了一下，答道：「這個問題很難答。我想，沒有證據擅加以懷疑，未免不妥。」

「姑且讓我們聽聽你的懷疑。證據方面，我可設法搜查。」

「那麼，我可以把這三個學生的品行，約略告訴你。住在最下層的那個名叫吉爾克。他是一個優秀的運動員，在足球隊和棒球隊裡都很有名，而且在跳遠和低欄上得過錦標。他是一個很好的學生，他的父親就是著名的雅培士·吉爾克爵士。爵士因賽馬而傾家蕩產，因此他的兒子現在很貧苦。但這孩子刻苦耐勞，將來一定有出息的；第二層樓就是那印度學生陶萊特·瑞斯。他是一個靜默難測的人，眞像那些印度人的深沈特性一般。他其他的功課都很好，不過他的希臘文比較弱。他很穩重，辦事有條理；最上一層的那個名叫麥克拉倫。他是全校最聰敏的學生。他若喜歡研究功課，一定會是最出色的。不過他的脾氣剛愎，不受束縛，去年幾乎因爲賭紙牌的事被開除。他每學期總是閒蕩不肯用功，因此他對於考試的事，當然是最害怕的。」

「那麼，你懷疑這個人嗎？」

「我不敢這樣說。但在這三個人中，他似乎比較有可能些。」

「很好，沙麥斯先生，現在讓我們見見你的僕人班尼斯。」

他是一個瘦小的人，面容光潔，頭髮已灰

白，年紀大約五十歲左右。他本來安靜的生活，似乎因爲這一件突然發生的事情而很不平靜。他臉上的肌肉，不時因受驚嚇而抽動，他的手指也顫抖不止。

他的主人向他道：「班尼斯，我們正在偵查這件不幸的事情。」「好，先生。」

福爾摩斯道：「我聽說你把你的鑰匙留在門上？」「正是，先生。」「在這重要的日子，裡面又留有考卷，你卻偏偏有這種大意的舉動，豈能不讓人懷疑？」「先生，這眞是最不幸的事，但我平日也常會這樣。」「你什麼時候進來的。」「約在四點半，就在沙麥斯先生飲茶的時間。」「你在裡面耽擱了多久？」「我進來後一見他不在室中，立即退出。」「你可曾瞧見這桌上的紙件呢？」「先生，沒有，當然不會瞧見。」「那麼，你怎麼會把鑰匙留在門上呢？」「我手中有一隻茶盤。我本想回去時再取鑰匙，後來卻忘記了。」「這外層的門，可有彈簧鎖呢？」「沒有，先生。」「那麼，這門便一直開著了？」「正是，先生。」「那時室中無論有什麼人，隨時都可以出去嗎？」「正是，先生。」「當沙麥斯先生回來去找你的時候，你是不是覺得很不安呢？」「是的，先生。我在這裡服務了好多年，從來沒有遭遇過這樣的事情。當時我幾乎暈過去。」「我也聽說你如此。當你覺得不舒服時候，你在什麼地方呢？」「先生，我在什麼地方嗎？就在靠近門的地方啊。」「這卻奇怪了，你後來是坐在壁角的那張椅子上。你爲什麼走過了另外這兩張椅子不坐呢？」「先生，我不知道。我當時實想在不到我應坐在什麼地方。」

沙麥斯接口道：「福爾摩斯先生，我想他不會知道什麼的。那時候他的臉色很慘白難看。」

福爾摩斯又繼續問那僕人道：「後來你主人外出的時候，你可是仍留在這裡？」「我只待了一兩分鐘，隨即鎖上門，回我自己的房間。」「那麼，這件事你懷疑什麼人呢？」「先生，我不敢說。我不相信這學校之中有什麼人會幹出這種事，這對他有什麼好處。先生，我實在不相信有這種事。」

福爾摩斯道：「好了，謝謝你。哦，還有一句話。你不曾把這一件事向那三個學生說起吧？」「沒有，先生。我沒提任何一個字。」「事後你可曾見過他們呢？」「也沒有，先生。」「很好，沙麥斯先生，現在我們到外面的庭院中去談談。」

外面的庭院有三條方形的燈光，從屋內的三個臥室透出窗外，照在我們的頭上。

福爾摩斯仰起頭來瞧著，說道：「你的三隻小鳥都已歸巢哩。哈，這是什麼？有一個人像是惶惶不安呢。」

就是那個印度學生。他黑色的身影，忽然在窗簾上映出。他正在室中走來走去。

福爾摩斯道：「我想分別窺察一下這三個人，這可辦得到呢？」

沙麥斯答道：「這並沒有困難。這幾間臥室要算學校中最老的屋子，所以常有來賓們進去參觀的。來，我來引導你們。」

當我們叩吉爾克的房門時，福爾摩斯低聲道：「請不要說出我們的姓名。」一會兒，有一個瘦長柔髮的少年開門出來。他聽說我們要參觀那屋子，便表示歡迎的態度。那屋子實在很古老，建築上確有特殊之點。福爾摩斯讚賞著出了神，便取出鉛筆和記事冊來，說要畫一個草圖。他的鉛筆忽然折斷，因此向這少年借用一枝，接著又覺得不很適用，又向他借一把刀子，削尖他自己的筆。我們到了那印度學生瑞斯的室中，福爾摩斯又重演同樣的把戲。我見這靜默的少年，有一個鷹鉤鼻，眼光中帶著一種懷疑的神情。他見福爾摩斯把草圖畫完了後，似顯出很希望我們早些離去的樣子。我瞧福爾摩斯的神情，在這兩個學生的室中，似都沒有得到他所要尋覓的線索。我們到了第三個學生的門外，卻遇到了阻難。我們叩了幾下門，裡面的人不但不開，還說出不客氣的話，那人很生氣地說：「我管你是誰！快走開！明天要考試了，我不願被任何人打擾。」

我們沒辦法，只得退回下樓。我們那位引導的人漲紅了臉，怒聲道：「眞是一個鹵莽的孩子。他當然不知道敲門的是我。但無論如何，他的態度太不客氣了。並且在眼前的這種情形之下，未免令人可疑。」

福爾摩斯的回答卻很奇怪。他問道：「你能告訴我他確實的身高嗎？」

沙麥斯答道：「福爾摩斯先生，我無法準確地說出來。他比印度人高些，但不及吉爾克的高度。我想大約在五呎六吋左右。」

福爾摩斯道：「這一點很重要。沙麥斯先生，祝你晚安。」

沙麥斯一聽，發出意外地呼聲。「啊，福爾摩斯先生，你不會這樣突然離去，就讓我處在這困難的境地中吧？你似乎還不知道我的處境。明天就要考試了，今夜我必須有一個切實的應付方法。假使這一張考卷，查不出是什麼人偷抄的，這考試我便不能這樣隨隨便便的舉行。這個問題你總要幫我解決的。」

「你聽其自然吧。明天淸早，我會再來和你談這個問題。那時候我也許可以指示你應付的方法。眼前你不必有任何行動，先裝做沒有這件事。」

「福爾摩斯先生，就照你的吩咐吧。」

「你儘管放心，我們一定能夠想些方法，幫你解除這個困難。我現在要把這黑泥團和鉛筆屑拿走。再會吧。」

我們出來時，再次經過那塊空地，仰瞧上面的窗口。那印度學生仍在那裡踱來踱去，另外兩個卻看不見了。

我們到了街上，福爾摩斯問道：「華生，你認爲怎樣？這眞像一種紙牌遊戲。這裡有三個人，一定是其中一個幹的，你且選擇一個。你想是那一個呀？」

我道：「最有嫌疑是說話無禮的那個孩子。他平日的行爲也最壞，但那個印度學生，看起來也很狡猾。他爲什麼不停地在室內走來走去呢？」

福爾摩斯道：「這不足爲奇。有好多人在用心記東西的時候，往往會這樣。」我道：「他看我們的時候，態度也很奇怪的。」「你設身處地替他想，明天就要考試，每一分鐘都很寶貴，卻忽有一群陌生人進去，換成你也一定會顯出這種樣子的，因此這一點不算什麼。此外他的刀子和鉛筆等，也都沒問題。只是有一個人很令我懷疑。」我道：「誰呀？」「就是那個僕人班尼斯，他在這事中有什麼目的呢？」我道：「我覺得他是一個完全誠實的人。」「我也覺得如此。這就是使我疑惑的一點了。試想一個完全誠實的人，爲什麼——啊，這裡有一家文具店，我們且進去瞧瞧。」

這城中共有四家文具店，福爾摩斯一一走遍，取出他的鉛筆屑，說是要找一枝同樣的鉛筆，並願意出重價購買。可是那種筆並不是普通尺寸，所以各店中都沒有同樣的存貨。我的朋友雖然不能如願，但並沒因此鬱鬱不樂，只聳了聳肩，又繼續道：

「我親愛的華生，這是我們惟一的線索，竟也沒有結果。但我覺得即使不能證實，這案子也可以成立了。唉呀！朋友，現在已將近九點鐘了。我們的女房東約我們在九點半吃晚飯的。華生，你終日不停地抽煙，且不定時的就餐，恐怕不久就會被退房了。那時我勢必要連帶被趕走了。但我希望這個逐客令，不要在解決這疑問以前發出才好。」

那天晚餐以後，福爾摩斯靜坐著思索了好久，卻不再提起這一件事。到了隔天早晨八點鐘，我剛梳洗完畢，他忽進我的房裡來。

他道：「華生，此刻我們必須前往聖路加學校了。你可以不吃早飯就去嗎？」我道：「可以的。」他道：「沙麥斯在我們給他肯定的答覆前，一定是惴惴不安的。」「那麼，你現在可有確切的線索告訴他？」「有。」「你已經有這事的結論了？」「正是，我親愛的華生，我已把這疑團解開了。」「你得到了什麼新的證據嗎？」「唉，你還不知道哩。我今天六點鐘起床，總算沒有白費。我在兩個鐘頭中，至少走了五哩路。現在你瞧這個。」

他打開手，手掌中拿著三粒黑色的小泥團。

我詫異道：「福爾摩斯，這東西你昨天只有兩粒啊！」

「不錯，今天早晨又得到一粒，只要查出第三粒是從什麼地方來的，就可知第一、第二粒的來源。華生，你說對嗎？好，現在快走。我們趕快去替沙麥斯解圍了。」

我們到了沙麥斯室中。見這不幸的教師驚惶不寧，樣子非常可憐。因爲在數小時後，考試就要開始，他卻還在迷惑的歧途中，不知道究竟把這件事宣布出來好呢？還是任這作弊的學生也參加這高額獎學金的考試？因此他精神上的紛亂，已到了極點。當他一見福爾摩斯進去，立即伸出兩臂來歡迎。

他呼道：「謝天謝地，你終於來了！我怕你已絕望而放棄了。我此刻怎麼辦呢？這考試的事可以進行嗎？」福爾摩斯道：「那當然應進行。」「但這個不誠實的……」「他是不能應考的。」「你已知道是誰了嗎？」「應該是如我所想。如果這事件不要公布出來，我們不得不借用些權力。現在我們可以組成一個小小的私人法庭。沙麥斯，請你站在那裡！華生，你站在這裡。我坐在這扶手椅上。我想我們這樣地角色扮演，已夠引起一個犯罪人的恐慌，現在請你按一按鈴。」

那僕人班尼斯進來，見了我們這種庭審的樣子，不由得驚駭退縮。

福爾摩斯道：「請你將門關好。班尼斯，現在你可願把昨天的事情，老實告訴我們呢？」那僕人的臉色，頓時蒼白道：「我已完全告訴你了。」福爾摩斯道：「沒有別的話了嗎？」「先生，完全沒有了。」「好，那麼，我可以提醒你幾句。昨天你坐在這椅子上時，可曾有一個動作是爲了掩藏什麼東西，以便不讓人看出有什麼人到過這屋裡來呢？」班尼斯的臉色變得更蒼白，道：「先生，沒這樣的事。」

福爾摩斯道：「也好，我只是提醒你一句罷了。我老實承認，這一點我原沒法證實，但事實上卻是可能的。因爲沙麥斯先生一離此室，你就可以把那個藏在臥室裡的人放了。」

班尼斯用他的舌頭舔他乾燥的嘴唇道：「先生，那時一個人也沒有。」

「班尼斯，你這樣說就太可惜了。你以前都是說眞話的，現在我卻知道你是在說謊。」

那僕人的臉色忽然顯出怒氣，道：「先生，眞的沒有人。」「班尼斯，快說吧。」「不，先生，當眞沒有。」「既然如此，你大概不肯告訴我們了。你可以留在這室中嗎？請站在近臥室的門那邊。沙麥斯，現在我請你到樓上吉爾克的房間，叫他下樓到這裡來。」

數分鐘後，那教師已帶了一個少年一同進來。他是一個高碩活潑而有和悅面孔的少年，他藍色的眼珠，向我們每個人看了一遍，最後，忽看見屋角的班尼斯，不禁露出駭容。

福爾摩斯說道：「先把門關好。吉爾克先生，此刻我們這裡沒有旁人，也不必說什麼廢話，現在大家不妨開誠布公。吉爾克先生，我們要知道像你這樣一個可敬的少年，怎麼會幹出昨天的事來呢？」

那不幸的少年震了一下，便以一種恐懼和責怨的眼光瞧著班尼斯。

班尼斯忽而呼道：「不，不，吉爾克先生，我沒有說半句話——我沒有說出一個字！」

福爾摩斯道：「你本來沒有說，可是你現在說了。先生，你應當明白班尼斯既已如此，你也沒有辦法了。現在你惟一機會的就是據實承認。」

吉爾克舉起了他的一隻手，起先似還想竭力撐持，可是轉瞬間，他的兩膝一曲，趴在桌子旁邊，嗚嗚咽咽地哭泣起來。

福爾摩斯婉聲道：「唉！人都會犯錯的。這件事，別人還不致於把你當做一個罪徒看待。我想還是我來把經過的情形說給沙麥斯先生聽，說錯的地方，你再改正，這樣，也許可以使你感覺輕鬆些。你同意我這樣做嗎？好，好，你不必回答。現在且聽著，看看我有沒有錯怪你。沙麥斯先生，你起初告訴我，這考卷在你室中的事，沒有一個人知道的，除了印刷的人之外，連班尼斯也不知道，那印書人當然毫無可疑。他要抄錄，儘可多印一份，大可不必到你室中來偷抄。還有那印度學生，也沒有關係。因爲考試紙當時是捲著的，他雖進來過，但也不知道裡面是什麼東西。從另一方面看來，若說一個人刻意走進你室中，卻才恰巧發現你那份重要的考試紙放在桌上，這種奇怪的巧合，也是不近情理的。所以那個私自進來的人，一定早知道室中有這考卷的。但他怎麼知道的呢？後來我到了你的室中，察驗那一扇窗，你以爲我懷疑有什麼人從窗裡進來。其實光天化日之下，庭院對面又有房子，誰敢當著別人的視線，越窗而進？那也是不可能的。我

福爾摩斯婉聲道：「唉！人都會犯錯的。」

當時所以仔細看那窗口，就是要測量一個人有多少高度，才能從窗口看見房裡的桌子上有什麼東西。我的高度有六呎，但必須踮起了足尖，才能瞧見，假使一個人在六呎以下，那自然更沒有機會瞧見了。現在你可以明白，假使你的三個學生中有一個人的身高特別高，這個人就值得注意了。後來你告訴我那桌上的痕跡，你又說起吉爾克是一個跳遠的能手，於是這一點我便完全明白了。之後我設法搜集證據，不久便完全得到。這件事情是這樣的，這少年昨天下午在運動場上練習跳遠，他回來的時候，手中提著他的跳遠鞋，這種鞋底都有長釘——你當然也知道。當他經過你窗口的時候，因爲他身材高大，因此瞧見你桌子上的校樣，同時便猜想到這校樣是件什麼東西。當他經過你門口的時候，假使你僕人不曾粗心地把鑰匙留在門上，那當然也不會出什麼岔子。但他一見鑰匙，腦中突然產生了一股衝動，便想走進來瞧瞧是否眞是考試紙的校樣。這一點也並不算怎樣冒險，即使被人瞧見了，他也可以假託是進來請問什麼。他進來以後，瞧見這幾張紙果眞是校樣，於是禁不住誘惑。他就把他的跳遠鞋放在桌上，又把一樣東西放在近窗的椅子上。這是什麼東西呢？」

那少年答道：「手套。」

福爾摩斯便以得意的眼光瞧著班尼斯，繼續道：「他把他的手套放在椅子上，之後就取了桌子上的草樣，一張一張的抄錄。他以爲他的教師會從大門回來，他可以瞧得見。不料沙麥斯先生卻從側門進來，所以他突然聽見他的教師已到門外，於是就匆匆取了放在桌子上的跳遠鞋向臥室奔去，可是竟忘了椅子上的手套。你瞧見桌子上有一條劃痕。一端細而一端深，那深的一端，恰向臥室的門，可見當他取起他的跳遠鞋向臥室中逃去的時候，略一用力，那鞋釘便在桌面上劃了一條痕跡。還有那粒黑的泥團，起先本是附在鞋釘上的，因爲匆促將鞋取起，一粒泥團就落在桌上，他到了臥室之後，又落下了一粒同樣的泥團。還有一點我須說明，今天早晨，我到運動場上去察勘過，見那跳遠的地點，鋪著黑色堅韌的泥，另外又附著些木屑，以防運動員滑倒果眞，我也在那裡得到了一粒同樣的泥團，我的假設便完全成立。吉爾克先生，我的話正確嗎？」

這時少年已站了起來，答道：「先生，你的話完全正確。」

那教師沙麥斯說道：「天啊！孩子，你難道沒有別的話嗎？」

「有的，先生，我現在覺得非常慚愧。沙麥斯先生，這裡有一封信要給你。昨天夜裡，我覺得我的舉動非常不當，心中很難過，所以今天凌晨寫了這一封信給你。先生，就是這一封。你可以瞧見這信中寫道：『我已決定不參加這一次的考試。我已得到了一個羅德西亞警局辦事員的職務，立刻要往南非洲去了。』」

沙麥斯高興地道：「我很高興聽到你有這種悔改的舉動，且決定不享受這種不光明的權利。但你的改變又是怎樣發生的呢？」

吉爾克伸手指著班尼斯道：「就是這個人，他把我引進正軌上去的。」

福爾摩斯道：「班尼斯，你現在可以說了。我曾對你說過，只有你有這個可能放走他。因爲當沙麥斯先生出去時，你仍留在房裡，雖然後來你也出去了，且將這外面的門鎖上；但等到我們再來時，室中已空，可見那藏匿的人一定是你放掉的。若說他從窗子逃走，那是不可能的。現在請把你的動機解說明白，使這件疑案，就此結束！」

那老僕道：「先生，這是很簡單的。你雖聰敏，卻也想不到。先生，我從前本是雅培士．吉爾克老爵士的僕人，這個少年也就是我的小主人。老爵士傾家破產以後，我就到這學校裡來充當僕役，但我對於舊主人仍念念不忘。因此，我很盡心地照顧小主人，以盡我報答舊主的心意。昨天我走進此室，一聽見這個驚耗，第一接觸我眼睛的東西，就是吉爾克先生留在那張椅上的手套。我認識這手套的，而且也知道是怎麼回事。我自忖這東西如果被沙麥斯先生瞧見，事情必沒法挽救。故而就在那張椅上裝作嚇暈的樣子，直到沙麥斯先生出去以後，我才敢從椅子上站起來。那時這一位我從小抱大的小主人從臥室中出來，把經過的事情完全告訴我。先生，我那時豈不要設法救他？並且想到，他已故的父親假使知道這件事，必定也會訓斥他這種舉動實在是不正當的，因此我當時就向他說明利害關係。先生，你想這件事我應受責備嗎？」

福爾摩斯站起身來，誠懇地道：「不，你當眞不應受責備的！沙麥斯，現在我們已幫你把這個小小的問題解決了。我們的早餐正在旅館中等我們。華生，走吧！小朋友，我想，在羅德西亞有一個光明的前途正等著你，你已錯了一次，我們且看你未來的努力了。」

眼鏡（原名 The Golden Pince-Nez）

三本厚重的手稿，記載著我們一八九四年一整年的工作，材料這麼豐富，若要選擇有趣味、並足以表現我友所以成名的特殊能力的案件，我自認是很不容易的。我翻了幾頁，看到所記的都是些令人憎惡的故事，像紅水蛭事件和銀行家可怕的死狀等等。我在這手稿裡，還找到關於阿達耳頓的慘事、英倫古塚的奇事，以及有名的史密司·莫第麥的案子等，也在這時期發生。還有捉住一個刺客名叫賀瑞特的事——這是福爾摩斯的一樁功勞，曾因此得到法國總統的一封親筆謝函和巨額獎賞。這許多案子，似都可以提供小說的材料，但是我認爲都沒有像約克斯雷老市場的事那麼有趣，那件案子不僅有可憐的少年威洛比·史密司慘死，後來方才查明的罪案原因也是很奇特。

這是十一月裡狂風暴雨的一夜，福爾摩斯和我坐著靜默了好久。他拿了一個高倍的放大鏡，照看古碑的拓文，解釋字義；我則仔細研究外科醫學的論文。這時外面的貝克街上被狂風暴雨橫掃而過，大雨猛烈地打著窗子。我們住的是城的中央，四周十哩範圍內都是建築物，但在這大自然的肆虐之下，全倫敦城眞像田野中的一個小丘，我走到窗邊，往街上看去，若有若無的燈光，在泥濘的地上與光亮的鋪石路上閃爍著。有一輛單騎馬車，從牛津街濺水而來。

福爾摩斯放下手裡的放大鏡，捲好碑文，說道：「好，華生，眞好，我看得夠了。這眞是考驗我的眼力，這是十五世紀後半期一間修院的碑文。哈！是什麼聲音？」

在呼呼風聲裡，傳來一陣馬蹄的奔馳聲，和從石路上輾過的車輪軋軋聲。我看見馬車停在我們的門口。

有一個人從車裡走出來，我驚道：「咦，他是來做什麼的？」

「他有所要求！他有求於我們。可憐的華生，我們必須準備外套、領巾、雨鞋，幫助他和天氣戰鬥。還好，還有希望，那空車已經回去了，如果那人要我們與他出去，必定會留住空車。親愛的華生，你下去開門，別讓這個人站在風雨之中。」

當通道中的燈光照著我們那位半夜的訪客時，我認出他。他是史坦萊．霍普金，一個有前途的警探，曾經和福爾摩斯合作過幾次，他很大聲地問道：「他在嗎？」

「上來，親愛的朋友。」福爾摩斯的聲音，從上面傳下來。「我希望你在這樣的夜裡，不會有什麼計畫見教。」

這警探上了樓梯，我們的燈光便直射到他那光亮的雨衣上，我幫助他把雨衣脫下，福爾摩斯則把木片投入火中，使火爐更旺些。

「親愛的霍普金，伸出你的腳來暖一暖。這裡有一支雪茄，華生醫生已經吩咐人預備一杯熱水、一個檸檬，這可算是極好的藥劑。你一定有什麼要緊的事，所以僅管是狂風暴雨裡還趕到這兒來。」

「沒錯，福爾摩斯先生，我已經忙碌了整個下午。此刻我有求於你。你有看見報紙上記載關於約克斯雷慘死的事件嗎？」

「今天我在研究十五世紀的東西，除此之

外我都不知道。」

「報上只記了一小節，但大都是錯的。那事發生在肯特，距離查林格洛斯七哩，距鐵路線三哩。三點十五分，到約克斯雷時已是五點鐘了。我偵查了一會，乘末班車到查林格洛斯，再乘馬車來看你。」「你對於這事，還不十分明瞭嗎？」「我完全不明白。看上去雖很簡單，但是仔細研究，卻非常複雜呢！福爾摩斯先生，我找不到犯案的主因，很煩悶。事實是死了一個人，但我看不出有人要害他的理由。」

福爾摩斯點燃了雪茄，將背靠在椅上。他說：「讓我們聽聽事情的約略情形。」

史坦萊・霍普金答道：「我知道的事情很多，並且十分清楚。這件事是這樣的：幾年前，約克斯雷舊市場有一間屋子，屋主是個老人。他租給了一個大學教授康來，他是個虛弱多病的人。一年之中，有一半的光陰都躺在床褥上，其餘的時間，則是拄著拐杖，在屋子四周散散步；或是乘了輪椅，在花園裡散散心。他的鄰人都很尊敬他，他的名聲不錯，因爲他學識淵博。服侍他的有：管家婦馬可太太和一個女婢蘇珊・坦頓。在一年以前，這教授要寫一部書，想找一個祕書。起初來了二個人，試用都不合，後來用了第三個威洛比・史密司先生。他是一個很年輕的人，大學畢業，恰合他的意。祕書的工作，是在每天早晨替教授記錄他口述的東西，夜裡則是查閱資料，準備明天的工作。我曾調查過，威洛比・史密司品行端正，待人溫和，簡直沒有絲毫污點。但是他卻在今天早晨死在教授的書房裡。照這樣的情形看來，只能說是被謀害了。」

大風咆哮，在窗櫺外淒慘地怒吼著。福爾摩

細的情形說出來。

摩斯和我又靠近火爐一點，那警探慢慢地把詳細的情形說出來。

他道：「我敢保證，即使我們遍尋英國，你也找不到一個這樣與世隔絕的人。這教授除埋首於他的工作以外，沒有別的事了。少年史密司也像他主人一般，鄰近沒人認識他。另外二個婦女，也沒有什麼事情需要和人打交道。園丁莫第末爾負責推輪椅。他是領陸軍年金的人，品行很好，但不住在那屋子，住在花園後面的三間小屋裡，這麼簡單的家庭，在約克斯雷老市是僅有的。花園的門距離通倫敦的要道嘉山街大約一百碼，有一個門閂，可以開關，出入很自由的。現在我要告訴你關於女婢蘇珊・坦頓的說詞——她是惟一曉得這事詳情的人。約在上午十一點到十二點之間，她在自己樓上的臥室裡掛窗簾。那時康來教授還躺在床上。如果天氣不好，中午以前，他是極少起來的。管家婦在屋後很忙碌地作事，威洛比・史密司在臥室裡，那臥室是兼作起居室的。這女婢聽見威洛比下樓走到樓下書房的腳步聲。她沒看見他，但是她確信那急速而規律的腳步聲一定是他，不會錯的。她沒有聽見關上房門的聲音，但是隔了一分鐘，樓下忽傳來一陣可怕的喊聲——不能辨別是男子或女子的聲音。一剎那間，劇烈的打鬥聲驚動全屋，後來一切又恢復平靜。這女婢呆呆地站著，驚愕了一會，才鼓起了勇氣，放大膽子走下樓梯。這時書房的門已經關上。她開了門，看見那少年威洛比・史密司先生倒在地板上，手足還顫抖著。起初她沒見到他的傷口，她去扶他起來，才看見鮮血流滿了他的頸部。脖子上有一個極小極深的傷洞，已切斷了頸脈和氣管。那兇器還放在他身邊的地毯上，是一柄塗火漆的小刀，一望而知是老式寫字檯上的東西，這是教授書桌上的一件用具。起初這女僕以爲少年史密司已經死了，但她仍試著把玻璃瓶裡的水倒在他的額上。一瞬間，他張開了眼睛，顫聲說道：『教授，是她……』這女婢發誓，這二句話是很明確的。之後他無法再說別的，高高舉起了他的右手，就死了。這個時候，管家婦也到這出事的地點，但是她來得太遲，沒聽到他臨死前的話。她離開了蘇珊，匆匆地到大學教授的臥室裡去。他已經起身，坐在床上很懼怕地顫抖著，因爲他知道發生不幸的事了。馬可太太（管家婦）見教授穿著睡衣——他平日總在十二點之後才會換好衣服，且必須要莫第末爾幫他。教授說他也聽見那喊聲，但不明白原因，並且對於少年所說的『教授，是她』那句話，更不明白有什麼意義。他想這一定是他死前精神恍惚的胡言亂語。他相信威洛比·史密司在世界上沒有一個仇敵，也沒有足以讓他致死的原因。老教授喊園丁莫第末爾去報警。隔了不久，警官就委託我去。當我到那邊的時候，沒有什麼東西被移動過，我又吩咐不許別人在這屋子的重要通道走動。福爾摩斯先生，這是讓你一展身手的大好機會。而且這案子已條件齊全。」

我友苦笑道：「只缺少福爾摩斯先生是嗎？好，你對於這件案件，準備以什麼方法對付？且先講給我們聽聽。」

「福爾摩斯先生，請你注意這張粗略的平面圖。這圖可以告訴你教授書房的位置，和案中的其他要點，有助你的偵察。」

他展開這粗略的圖，（現在我重畫在下面）放在福爾摩斯的膝上。我站在福爾摩斯的旁邊，從他的肩上看下去。一會，我又聽得霍普金繼續解釋：

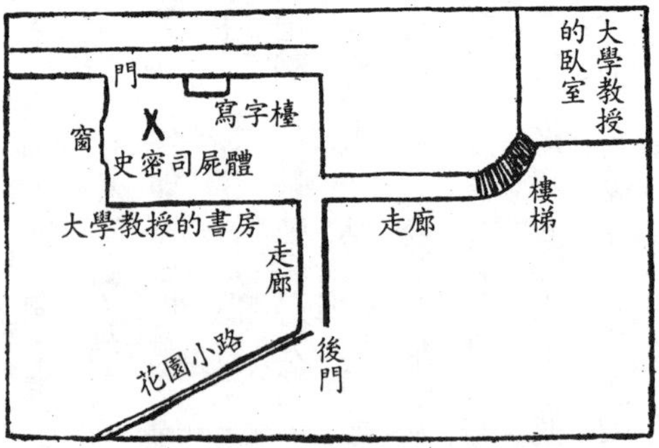

「這當然是極粗略的，我不過記些大概。你如果認爲太少，那麼明天可以仔細去查看。首先要討論的是，兇手是從那裡進去？如果是從外面進去，那麼，必經過花園小路和後門。那邊是到書房惟一的通路，最方便且沒有阻隔，別的路，都曲折不便，難以出入的。他逃出去，一定也沿這條路。其他二個門，一是被蘇珊所阻隔著，因爲她從書房上面的房間走下來會遇見那兇手；還有一扇門是通往教授的臥室。所以我十分注意花園的小路。最近曾下過大雨，各種腳印一定很明顯。

我的考察結果非常不理想，因爲那兇手非常小心熟練，像是犯罪的老手，在小路上竟找不到腳印。他沿著小路旁邊的草地過去，他一面走，一面留心著，不把腳印遺留下來。我找不到一些頭緒，只見青草被踐踏得亂七八糟。不過有人走過是無疑的，且一定是兇手。因爲雨是昨夜開始下的，而早晨園丁及旁人都沒有走過。」

福爾摩斯道：「等等，這小路通那裡？」「通一條街。」「小路有多長？」「一百碼左右。」「你何不在門外的街上找尋腳印。」「不幸那街是鋪石的路。」「好，你可曾到大街那邊去考察。」

「不曾，那裡被行人踏得夠了。」「等等，你看草地上的腳印，是來的還是去的呢？」「不能確定。那裡沒有顯明的跡象可以辨別。」「腳印大？還是小？」「我也不能辨別。」

福爾摩斯很急燥地叫道：「這是受大風雨影響之故。好，好，你現在要做什麼？霍普金，我看你簡直沒得到任何證據。」

「福爾摩斯先生，我想我所得到的是極重要的線索：我知道兇手是從花園小路到屋子裡的。我考察走廊上鋪著椰子毛編的墊子，卻找不到什麼痕跡。我又走到書房裡，裡面有一個極大的寫字檯，下面有二排抽屜，中間有一個小櫃子，抽屜是常開的，櫃子卻鎖著。這抽屜裡面所放的都是沒有價值的東西，櫃子裡則有幾張重要的文件，但是都沒有損傷的痕跡，據教授告訴我，並沒遺失什麼，足見這一定不是竊案了。」

「我曾走到死者的身邊。他躺在櫃子的左邊——就是圖上畫著×的地方。傷口在他頸部的右邊。從後到前，所以一定不是自殺。」

福爾摩斯道：「有沒有可能是他無意觸刀而死的。」

「不會的，我看刀子離他身子很遠，並且他臨死時還開口說了兩句話的！啊，我幾乎忘了，我還在死者的右手裡拿到一件東西。」史坦萊·霍普金從袋裡取出一個小紙包，他翻開後，取出一個夾鼻的金絲邊眼鏡，上面還繫著兩條斷了的黑絲帶。他又說道：「威洛比·史密司的視力很好，這東西一定是兇手的。」

歇洛克·福爾摩斯從他手中取過那鏡片，很注意地察看，似覺得極有趣味。

他舉起來夾在鼻子上，走到窗邊，看看街

上的景物。又在燈光下面，飽看了一番，忽然哈哈大笑。他走到檯邊，在紙上寫了幾行字給史坦萊・霍普金看。

他說：「這是我能對你盡力的地方了，也許有些幫助。」

那詫異的年輕警探把紙接了，讀道：

「尋找一個衣服華美的婦人。她的鼻子很寬，二眼的距離很近，看東西的時候，眼睛瞇成一線。額上皺紋很多，可能有點削肩。她的度數很深，在最近的幾個月裡，至少有二次曾到眼鏡行去，因眼鏡行不多，所以應不難找到。」

霍普金很驚愕。他呆瞧著我，我也很驚訝。福爾摩斯忽笑道：「這很簡單，而且一定很準。現在告訴你們幾點，這眼鏡的製作非常精美，所以我推測，一定是屬於婦女的——這一點和死者臨死前的二句話又很吻合。她是態度嫻雅穿著體面的人，這點你們一定也很明白。因為眼鏡上鑲著金，價值極鉅，不論誰戴了這樣的眼鏡，如果說她其他方面很邋遢，那是不合情理的。這眼鏡的鋏子極粗，足見那婦人鼻子很厚闊。這樣的鼻子，大概是短而粗，但是也有例外。此外，我的臉很狹長，但我戴了這付眼鏡，二眼卻不能在鏡片的中心點，因此我知道那婦人的二眼，距鼻子很近。華生，你認為對嗎？這鏡片凹度極深，表示她的度數很深。而且如果她習慣瞇著眼睛看東西，那她的額頭、肩膀一定與平常人不太一樣。」

我說道：「是，我相信你說的幾個理由。不過我不懂，你怎樣知道她曾最近去過眼鏡行二次。」

福爾摩斯拿那眼鏡道：「這鼻鋏上襯著二個軟木，目的是讓鼻子可以舒服些。一邊已經褪色，磨擦得薄些，但是另一邊卻是新的，顯然這一邊是掉了重裝上去的。且我又判定這舊軟木的時間不過只有幾個月；因此我肯定這婦人曾二次去同一家眼鏡行配那個新軟木。」

霍普金帶著喜不自勝地感歎聲道：「呵！眞是不可思議。我得到了一切證據，卻不曾注意到這一點。不過我也曾經想要遍訪倫敦的眼鏡行。」

「你一定要去打聽。現在，你可還有什麼要告訴我們的？」

「沒有了，福爾摩斯先生，我想你所知道的也許比我多。我們已經問過當地人，在馬路上，或是火車站上，曾否見過陌生人，但還沒有消息。唉，兇手犯罪的原因是什麼，那是最使我弄不明白的一點。」

「啊，我現在也無法幫助你。但是，明天你可要我們同去呢？」

「福爾摩斯先生，我求之不得啊！從查林格洛斯到嘉山，早晨六點鐘有班火車，約八九點可到約克斯雷老市場。」

「好，我們就搭那一班車。現在已一點鐘了，我們的睡眠時間不多。你且睡在這火爐邊的沙發上，我要點上酒精燈，以便在出發前給你一杯咖啡。」

隔天，大風停止了。但天氣依然寒冷，我們動身時，看見嚴冬的太陽從泰晤士河升起，照著陰沈的世界，和流動遲緩的河水，彷彿對於我們這件案子，表示出憐憫。

我們在一個小站下車，從車站到嘉山約有數哩路。我們在小客寓中進了早餐，就乘了一輛輕便馬車一直到約克斯雷老市場。有一個警察在花園的門前遇見我們。

霍普金問道：「你好，威爾遜，可有什麼消息？」「先生，沒有，沒有什麼。」「沒有人來報告過瞧見什麼人嗎？」「先生，沒有。昨天並沒有人來。」「旅館裡和寄寓所，你都問過了嗎？」「問過，先生，那邊沒有一個人和這事有關係。」「好，這是到嘉山惟一的路。那人想必曾寄住在那裡，或是從那裡悄悄上了火車。福爾摩斯先生，這就是我所說的花園小路。我昨夜說找不到腳印的地方，就在這裡。」「草地上的那裡有痕跡呢？」「那裡，先生。這狹小的草地——就在小路和花壇的中間。我現在看不見痕跡了，但那時我瞧得很清楚的。」

福爾摩斯道：「是，是，的確有人經過這條路的。」福爾摩斯說時，站定在草地的旁邊。他又道：「這婦人的心思的確很細密，因爲她走的時候，一面要留心小路。一面要留心花壇，不讓她的足跡留下來。」

「正是，先生，她一定是一個頭腦冷靜的女子。」

我對福爾摩斯的面孔凝視著。

他對霍普金道：「你說她回去時，也走這條路嗎？」「是，先生，那裡沒有別條路了。」「從這一片草地上嗎？」「自然了，福爾摩斯先生。」

「哼！這是一種奇怪的舉動，非常值得注意的。好，我想我們且走完了這條路再說。花園的門常開著嗎？現在假定那婦人走了進去，但當時她沒有傷害人的意思，否則她一定會帶著兇器，不會用那寫字檯上的刀了。她沿著走廊前進，卻沒有在椰子墊上留下痕跡，後來她就到了書房，她留在那裡有多少時候？這個問題，我們還無從推測啊！」

「先生，時間不久。我忘了告訴你，管家婦馬克太太曾在書房裡整理的，那時距出事時間不遠——她說大約一刻鐘多。」

「好，這給我們一個範圍。這婦人走進屋子做些什麼呢？她在寫字檯邊，來回了幾次，又爲什麼？抽屜裡又沒有什麼。如果這裡有重要的東西，沒有不鎖的。啊！這是那個櫃子。櫃面上有一條刮痕，那裡來的？華生，你且擦一根火柴。霍普金，你怎麼沒告訴我？」

這刀痕劃在櫃上嵌的銅片上，在鎖孔的右邊，大約四吋長，劃破了些漆面。

「福爾摩斯先生，我知道。但是在鎖孔旁邊，有這種碎紋也是常有的事。」

「這是新痕。你看這銅片上劃痕的光色，如果是舊的，那麼顏色和光亮，應當和銅片一樣。讓我用放大鏡細看。這漆還沒有落下來。馬可太太在這裡嗎？」

一個臉上有憂容的老婦人走了進來，福爾摩斯問道：「昨天早晨，你曾擦過這櫃子嗎？」「是，先生。」「你可曾見過這刮痕？」「不，先生，我沒有見過。」「我知道你不曾看見。你擦的時候，還沒有這碎紋。誰有這櫃子的鑰匙？」「教授常把鑰匙繫在他的錶墜上。」「一個很普通的鑰匙嗎？」「不，先生，是一個秋白牌的鑰匙。」

「好極了，馬可太太，你可以走了。現在我們要開始工作了。我料想那婦人走進了書房，到了櫃子前正想開櫃，或者已經打開了。那時候威洛比·史密司來了。她匆促地取回鑰匙，偶不留神，就在門上劃了一條痕。他去捉她，她便就近取了一件東西——就得了這一把刀。她本只是想防衛，嚇退他。那知用力過猛，竟刺中了他的要害。他倒地而死，她連忙逃走。那時她是否已得到她所要尋求的目的物，現在還不知道。蘇珊在嗎？蘇珊，你聽見叫聲之後，可有見到什麼人從這門裡脫逃？」

「先生，不可能的。在我下樓之前，若有人從通道中走過，我可以看見的。並且這門不曾開過，否則我也能聽見。」

「那麼，她一定沒經過這門，而是從她進來的門出去的。我知道另有一條通往教授房內的路。這路能通別處嗎？」「先生，不能的。」

「喂，霍普金，我們可從這路過去，見一見教授，這是很要緊的一件事——到教授臥室的走廊也鋪著椰子墊。」「先生，這有什麼關係呢？」

「你不覺得有關係嗎？好，我也並不固執。我也許錯，但我覺得似有注意的價值。現在你引導我進去，幫我介紹一下。」

我們經過的那條走廊，和到花園的距離相同。廊末有一段樓梯，接著一扇門。我們的引導者敲了門，領我們到教授的臥室裡。

那是一間極大的臥室，牆角的書架上，放滿了書籍，四周都堆著書，他簡直被書所包圍著。他的床在中央，那個靠在枕頭上的人便是這屋子的主人。我看他的面孔瘦削的像鷲一般，深灰色尖銳的眼睛，對我們凝視，眼窩深陷，眉毛也下垂。他的頭髮和鬍鬚都是白的，只有嘴邊的鬚有點微黃。在他的白鬚上，露出一支紙煙的微光，他的房裡充滿了煙味。他伸手和福爾摩斯握手，我看見他的手，也飽染了尼古丁味。

他輕婉且慢吞吞地說道：「福爾摩斯先生，你吸煙嗎？請吸一支紙煙。先生，你也吸嗎?我最喜歡這一種煙。我向亞歷山大的阿亞拿艾公司買的，每一次寄來一千支，夠我二星期使用。先生，我知道吸煙很不好，但是一個老人總得有一些嗜好——煙和著作，一樣都不能離開我。」

福爾摩斯燃了一支紙煙。眼睛向臥室的四周看了一看。

那教授道：「煙和工作，但是現在我只能吸煙，不能繼續工作了。唉，好不幸啊，可憐的年輕人。他練習了幾個月，已成了我很好的助手了。福爾摩斯先生，你對於這事，有什麼看法?」

「我還沒有什麼意見。」

「如果你能夠在這問題上，給我們一些指示，我實在很感激你。我年紀老了，多病又癱瘓，不能做什麼事，必須拜託你了。你是一個精敏能幹的專家，一定能夠處理妥當的。所以你能到這裡來，我們實在覺得十分幸運。」

當教授喋喋不休的時候，福爾摩斯在室中踱來踱去。我見他煙吸得非常急，似眞要分享這老人的紙煙。

老人繼續說道：「先生，這眞是一個重大的打擊。在那邊檯上的一堆紙，都是我著作的原稿。我考證埃及和敍利亞的可伯德寺的歷史，這點足以發現宗教的基礎。我很衰弱，所以，不得不請個助手替我寫。現在我的祕書不幸被刺，這篇著作不知什麼時候才能完成。福爾摩斯先生，你的煙癮比我還大啊。」

福爾摩斯微微一笑，又從匣中拿了一支紙煙，這已是第四支了。他在殘煙上引著了火，說道：「我是一個鑒賞家。康來教授，我現在不再驚擾你。因爲我知道案發的時候，你在床上，一定不知道什麼。我只是要問，那可憐的死者，臨死時說的二句話，就是『教授，是她……』就你猜想，是指什麼呢？」

教授搖搖頭道：「蘇珊是一個鄉下女子，這種愚笨的話是不能作準的。我認爲這可憐的死者，一定是在精神恍惚之下才說出這奇怪的話，她卻把它認爲是重要的話。」

「我明白了。你對於這齣悲劇，沒有什麼看法嗎？」

「是。這也許是一件意外的事。不過據我的意見，這或許是一件自殺案。這少年也許有什麼心事是別人所不知的。這種見解，或許比謀殺更近情理。」

「但是這眼鏡，又怎樣解釋呢？」

「啊，我是一個讀書人，只會空想，無法去實地驗證的。但是，朋友，我想這大概是情人們的禮物。情人送扇子、手套、眼鏡是極普通的。他臨死的時候，拿了愛人的贈品，以作殉身的東西，這也許可能的。前次這位先生說，草地上有腳印，但是，這是容易猜錯的。至於兇刀離死者很遠，那也許是他自己丟擲的。我的話，沒有什麼價值，但是我總認爲威洛比・史密司是自殺身亡的。」

福爾摩斯依舊踱來踱去地思索著，又不停的一支接著一支的吸著紙煙。

最後他說：「康來教授，請告訴我，櫃中有什麼重要的東西嗎？」

「我想沒有什麼東西足以引起您的注意，不過是些家族中的文件、我亡妻的遺信，和大學畢業證書——這是我畢生的榮耀。這裡有個鑰匙。你可以自己去看。」

福爾摩斯接了鑰匙，仔細地察看，又轉身

說道：「不，我想這鑰匙不能幫我。我要到花園去，仔細想一想這件事。這是不是一件自殺案呢？我一定會設法辨明的。康來教授，我在午餐以前，不會再來打擾你了。等到二點鐘之後，我再來向您報告。」

福爾摩斯的心緒很亂。我們倆靜默地在花園小路上走來走去了好幾次。最後我問他：「你可曾得到線索？」「都在我所吸的紙煙上，我也許錯誤，但是那紙煙一定能告訴我的。」我說道：「什麼？我親愛的福爾摩斯。」

「你自己去想吧。我們的線索，之前在眼鏡行，現在卻有了捷徑，已轉移到紙煙上面來了。啊，馬可太太來啦。讓我和她談一談。」

我覺得很奇怪，福爾摩斯和婦女交際的手腕何以這樣地玲瓏。不要多久，他就得到管家婦的歡心，談了不少的話，好像是老朋友了。

「是，福爾摩斯先生，你說的沒錯，他的煙癮眞大，日夜不停地吸。先生，他的房間，好像倫敦的霧一樣濃。可憐的史密司先生也是喜歡吸煙的，但是沒有教授那麼厲害。我不知道吸這種煙對健康是好還是不好。」

福爾摩斯說：「啊，吸這煙會減少食慾的。」「先生，我對吸煙的事不懂。」「我想教授的食量不大吧？」「他是不一定的。」「我和你打賭，他今天早晨，一定沒有吃早餐。他吸了這麼多的煙，也不會再吃午餐了。」「你輸了，先生，他今天早晨吃得很多，比平日還多。並且他預先吩咐我，備一盤豐盛的薄片肉做午餐。我自從昨天見了這少年史密司先生死在地板上後，嚇得吃不下飯……我想尋遍了全世界，一定沒有人和教授一樣食量反增。」

這天早晨，我們在花園裡逗遛。霍普金到

鄉村去訪問一個奇怪的婦人，因爲他聽孩子們說，昨天有人見一個婦人往嘉山的路上走去。

我友的精力，忽然不振，對於這事也很冷淡。霍普金回來報告消息，說已問了孩子們，那走過的婦人模樣兒，和福爾摩斯所斷定的一點都不差。的確戴了一副金絲邊的夾鼻眼鏡。福爾摩斯聽了，依舊不能引起他的興趣。他很注意蘇珊，她伺候我們進午餐。她自己告訴我們，史密司先生曾在昨天早晨出去散步，回來後不過半小時，慘案便發生了。

我知道我友的腦海裡，已有了全面性地完整計畫，他忽從椅子上跳起來，看一看錶道：「二點鐘了，我們應立即去見教授。」

這老人剛吃了午餐，盤裡都空了，足見那管家婦所說他食量大增的話不假。他又在那裡吸紙煙。他那尖銳的眼光，瞄向我們，白鬚飛拂，態度很怪。他已穿好了衣服，坐在火爐邊的靠壁椅裡。

他把檯上的紙煙匣蓋推開，請我們吸，說道：「你好，福爾摩斯先生，悶葫蘆打破了沒？」福爾摩斯接過那煙匣，但卻不小心從手裡滑下來，掉在地板上。二分鐘之後，我們才把全部的煙拾起來。我看見福爾摩斯的眼睛閃閃發光，臉上也泛出紅暈。他突然說道：「是，我已明白了。」

史坦萊．霍普金和我不約而同地驚愕，一齊對他凝視著。

那教授的面孔微微顫抖，忽露出鄙夷的神情，問道：「是嗎？可是在花園裡明白的？」

「不，在這裡。」「這裡？在什麼時候？」「現在。」「福爾摩斯先生，你的確太滑稽了。但我覺得這事不是兒戲，你何以如此胡亂說話。」

「康來教授，我的確已經完全明白。但你的目的是什麼，這件不測之事什麼部分是你所造成的，我還不能完全說清楚。我想再隔幾分鐘，大概就可以聽你招供了。我現在可以把這件事複述出來。……昨天有一個婦人到你的書房裡，她來的目的，是想得到你櫃中的文件。她自己有一把鑰匙。一不留心在漆上劃了一條痕。因我曾仔細察驗你的鑰匙，鑰匙端上一點痕跡也沒有。假使是你的鑰匙所劃，當然會有。因此你不是同謀者。她盜刦的舉動，你是不知道的。」

教授張開嘴唇，吐出一縷煙，說道：「這很有趣。你還有別的話嗎？你既如此清楚這婦人的情形，你可以說出那婦人的行動了嗎？」

「我姑且說說。第一步，她被你的祕書捉住，她想刺了他逃走。這不幸的結果，我想一定是偶然的。因爲我相信她不是故意要闖這個大禍——若是刺客決不會不帶兇器的。她做了這件事，很恐慌，便急忙逃出。不幸的，眼鏡在扭打的時候遺失了。她近視，沒了眼鏡，找不到出路。她走到一條走廊，以爲就是她方才進來的路，因爲兩個走廊都鋪了椰子墊，沒想到走錯了。等到她發現錯誤，已來不及了。既無法往回走，又不能留在廊中。怎麼辦呢？只得前進繼續上樓。她開了一扇門，就到你的房裡。」

這老人張開了嘴，怒視著福爾摩斯，臉上露出驚愕恐懼的神情。一會，他聳著雙肩，還假裝出笑容道：「福爾摩斯先生，這眞有趣。但是你說得有破綻。我昨天在臥室裡，從沒離開這裡。」「康來教授，這一點我知道。」教授道：「你想，我躺在床上，婦人走進來我怎會沒看見呢？」「我沒這麼說。你是知道的，你和她談話。你認識她，你還幫她藏躲。」

教授又高聲大笑，忽然站起來。他的眼珠變紅，好像火爐裡的餘燼。

他叫道：「你瘋了嗎？你竟說出這顛狂的妄話。我幫她躲藏嗎？她現在在那裡？」

福爾摩斯指著臥室牆角邊一個高大的書櫃，說道：「她就在這裡！」

我看見這老人雙臂顫抖，含怒的面孔呆住了，他把背靠著椅子。這時，那書櫃忽然轉動，有一個婦人走了出來。

她叫道：「沒錯，沒錯。我在這裡！」她的語調帶著很濃的異國腔。

她臉上有不少的灰塵，並覆滿了蜘蛛網，那是從躲藏的地方帶出來的。她的臉孔果眞不很美麗，恰好符合福爾摩斯的推測。她的下巴較長，是尋常女子所難有的。因爲她近視很深，又剛才從黑暗中走出來，一時便呆呆的站著，好像看不見我們在那裡。她的氣質很像貴族，高昂著下巴顯出她的傲氣和頑強。史坦萊·霍普金伸手想去捉她，請她到監獄裡去，但她搖手拒絕，似表示不受他的壓迫。她那種高傲的神氣，竟使人不能不服從。那老教授倒在椅子上，臉色蒼白，用火紅的眼光凝視著她。

她道：「是的，先生，我是你們的犯人，我剛才在藏匿的地方都聽見了。我可以據實承認，那個少年確實是我殺死的。你說這是出於意外，這也是實情。我當時還不知道我手中執的是刀，因我在急迫的當兒，隨便從桌子上拿了一件東西，打算攻擊他，以便使我脫身。這就是眞相。」

福爾摩斯道：「夫人，我知道這是實話。

但你此刻似乎不太舒服？」

她的面容很可怕，那滿積著灰塵斑紋的臉忽變成灰白色。她坐到床邊，繼續說：「我到這裡不久，但是我想你猜得很對——我是這個人的妻子。他不是一個英國人，他是一個俄國人。他的眞實姓名，我不能告訴你。」

老人掙扎起來道：「上帝保佑你，安娜，上帝保佑你！」

她很輕蔑地向他望了一眼，作鄙夷聲道：「塞吉斯，你爲什麼這樣貪生怕死呢？你這舉動害了好多人，自己也沒有得到好處。現在我快死了，但是我必須說明實情——先生，我曾說過，我是他的妻子。當我們結婚的時候，他五十歲，我只有二十歲。是在俄國的一個城裡舉行的，那邊有一個大學，地名我不必說。」

老人又吞吞吐吐地說：「上帝降福於你！」

「我們是革命黨，都是無政府主義者，你明白嗎？後來遭遇困難——一個警官被殺，所以許多黨人被政府捉去，但證據還不足。我的丈夫爲了要保全他的生命，和得到大筆的報酬，便洩漏祕密，背叛他的妻子和朋友。是的，我們都是因爲他的招供被捉去的。有幾個人被殺了，有的充軍到西伯利亞。我是黨中的無名小卒，沒有死，也沒有終身監禁，我的丈夫帶了不義之財到了英國。他靜悄悄地住在這裡，他知道如果有同黨的人知道他的蹤跡，必會下公正的裁判，他就活不成了。」

那老人伸出他顫抖的手臂去拿一支紙煙，說道：「我在你的掌握中了，隨你處置。安娜，你一向待我很好。」

她接著說道：「我還沒告訴你們他的惡行咧！我在我們同黨中，有一個知己朋友。他很高貴、仁慈、不自私自利——這點恰和我丈夫相反，他痛恨暴力，如果使用暴力是犯法，我們都已犯法，但這少年卻沒有。他常寫信勸戒我。那些信都足以證明他沒有暴動的意思，可以挽救他。還有我的日記，也可以救他脫罪。我在日記裡感激他、佩服他，並且對他的想法表示贊同。但是我的丈夫忽然找到了這些信和日記，便藏了起來，立誓要傷害這青年的性命。他的計畫雖然失敗，但是艾萊席司卻被定罪，流放到西伯利亞去。現在他還在那邊的鹽礦裡做苦工。惡漢！你想想看！現在艾萊席司的工作和生活就像一個奴隸——你的生命在我的手裡，但是我竟放過你！」

老人說：「安娜，你是一個好人。」他說時又吸了一口煙。

她想站起來，但是仍舊倒下去，並且很痛苦地叫了一聲。

她道：「我一定要說完。當我的服刑期滿後，便想拿回那日記和信。我如果能把這些東西交給俄國政府，我的朋友便可以得到釋放了。我知道我丈夫已到了英國，經過了幾個月，我找到了他的住址。我知道他還把日記保存著，因為當我在西伯利亞時，曾收到他一封責罵我的信，他還引用日記上的幾節話。我想他為了報仇，一定不肯還我，我必須自己去拿回來。有了這個打算，我便請了一位私家偵探，祕密地到我丈夫的屋裡。塞吉斯，他就是你的第二個祕書，不久便離開你了。他探知這幾頁日記和信件，藏在你的櫃子裡，並得到了你鑰匙的印子，他便不肯再幹了。只畫了一張屋子的路徑圖給我，告訴我在每天的上午，祕書有其他的事情，書房是空的。最後我鼓足了勇氣，就自己來取那些信。我成功了，但是那人卻喪命了！我剛拿到信，要鎖櫃門時，這少年卻捉住了我。那天早晨，我已見過他，他曾在路上遇見我。因爲我問他康萊教授的住宅在那裡，卻不知他就是康來的祕書。」

福爾摩斯說道：「就是這樣！就是這樣！他臨死的時候，所說的『是她』，『她』，就是指你。大概他先前曾和教授談及你了，因此臨死時要告訴教授就是你所幹的。」

婦人用命令式的口氣道：「你一定要讓我說下去。」這時她的面容緊皺，像有很大的痛苦。她又道：「當他倒地後，我急忙走出來，卻走錯了門，走到這房間裡來。他本想要聲張，但我告訴他，他的命在我手掌中。如果他要處置我，我就告訴同黨們。我不是愛惜自己的性命，只是要完成我的心願。他知道我言出必行，他的命運確實在我手裡。爲了這層理由，他便保護我，教我躲在這黑暗的地方。他在房間用餐會分給我。而我也得到他的同意，等到警察離開了這屋子後，便可利用夜晚逃出去，以後不再到這裡來。但是，現在被你找到了。」她說著忽伸手到胸邊，取出一個小紙包，拿給福爾摩斯。她說道：「這是我最後的要求。這裡面就是救艾萊席司的證物。我信任你，因爲你是有正義感的人。拿去，你一定要拿給俄國大使。現在我已盡了我的責任。」

福爾摩斯突然喊道：「阻止她！」他轉身搶取她手裡的玻璃瓶。

她倒在床上，說道：「太遲了！我從躲避的地方出來以前，已經服了毒藥。我的頭暈了，我要死了！我拜託你，先生，記著那小紙包……」

他轉身過去，搶取她手裡的玻璃瓶。

我們回城裡的時候，福爾摩斯對霍普金和我說：「這是一件極簡單的案子，卻給了我許多教訓。這案子全憑著這副眼鏡，才能發端。幸而那垂死的少年奪下了這個東西，否則我也不知我們是否能夠解決這案子。我看了眼鏡的度數，知道她近視很深，沒有了眼鏡便像瞎子一般。當你對我說她出去，也曾從那狹窄的草徑上經過，但卻沒有留下一點痕跡，我就認爲這太神奇了。我的意思就是——這樣是不可能的。除非她有第二副眼鏡，才能走得這般細心，和進來的時候一樣。但我知道她決不會再帶著另一副眼鏡，於是我便料想她也許仍留在屋中。我見了兩條同樣的走廊，知道她在匆忙之際，容易搞錯，一定走到了教授的臥室裡。於是我很仔細地考察，看這假設是否合於事實。我在臥室裡踱著，細心找她躲藏的地方。我本有一個假設，以爲地板上或許有活門，但是地毯是釘著的。後來我又想到書架後面也可以做祕密通道。你該知道，這種密室通道，在圖書室裡本就很普通。我看見有許多書籍，都堆在書架下面的地板上，但有一個書架底下卻很少，所以可能是一扇門。但是沒有什麼東西能夠幫助我證實。後來我見那地毯顏色是暗褐的，便想藉以用做試驗。我便吸了許多紙煙，把煙灰彈在可疑的書架前面的地上。這是一種極平常的狡計，但是非常有效。然後我便下樓。華生，你當時雖然同在，我知道你決不會明白我的用意的。我和管家婦談話後，知道教授的食量果眞增加，便讓我更確定有第二人與他分食。後來，我們再一同上樓，我假裝把煙匣打翻，俯身看地毯。果然，煙灰上有不少腳印，那分明是兇手在我們離開的時候，從藏匿處走出來所留下的。好，霍普金，這裡是查林格洛斯車站了。我爲你的成功恭禧，你此刻勢必要回總部裡去了。華生，我想我們就乘車到俄國公使館一趟吧。」

球員的失蹤（原名 The Missing Three-Quarters）

我們住在貝克街的時候，常常收到不可思議的電報。有一封電報非常特別，深印在我的腦海裡，無法忘掉。七八年前，二月的一天早晨，天氣非常陰沉幽暗，忽然來了一封電報，竟讓歇洛克・福爾摩斯先生思索了一刻多鐘。這電報是寄給他的，現在寫在下面：

「請你等我。非常不幸。右中衛失蹤，明天不可缺。

歐伍登」

福爾摩斯連讀了幾遍說：「史屈蘭特的郵戳，十點三十六分發。歐伍登先生發電報的時候，一定受了很大的刺激，所以文辭這樣的斷續不順。好，好，他快到這裡來了。我敢說，等我讀完這泰晤士報，他就會來把一切詳情告訴我了。這幾天沒有事做，生活太呆板乏味，就算是有人委託我無關緊要的瑣事，我也很歡迎的。」

我們近來的生活的確很呆板，而我覺得無所事事的時候非常乏味，且令人恐懼。我知道我友的腦力異常敏捷，如果沒有什麼工作做，那是很危險的。近年來，我屢次強迫他停止不當的舉動——發狂似地使用麻醉藥。現在我知道，平常，他好像戒掉了這種人造的刺激物，但是我知道這刺激物的惡魔沒有死，只不過是睡著罷了，並且這惡魔的睡眠很淺。每逢他安閒的時候，那惡魔便會醒來。我只要看到他那蒼白的面孔和奇怪的眼神，便知道那就是惡魔的甦醒期。現在幸虧有歐伍登先生，把莫名其妙的使命丟給他，打破了沈悶的日子——沈悶的日子對他的損害，比什麼風浪都厲害。

我們所盼望的那個發電報的人來了。他先送進一張名片來，上面印著「薛利爾·歐伍登，劍橋三一學院」他是一個年輕壯碩的男子。他很快地走進門來，寬闊的肩膀都撞到房門了，他以憂愁的面孔，對我們瞧了一會。

他問道：「那一位是歇洛克·福爾摩斯先生？」

我的朋友點了點頭。

「福爾摩斯先生，我曾到過蘇格蘭警場。我遇到了警探史坦萊·霍普金，他介紹我到這裡來。他說這件事不是尋常的警探所能辦到的，必須請教你。」

「請你坐下來，並且告訴我詳細的情形。」

「這件事眞是可怕，福爾摩斯先生，簡直可怕極了！我遇到了這件奇怪的事情，害得我頭髮都急白了。高特來·司唐登——你一定聽過他的名字吧？他是我們隊裡的健將，我們寧可缺少二個衝鋒，也不願沒有司唐登做中衞。不論是襲擊，衝鋒，傳遞，沒有人能比得上他，他非常傑出，是我們隊上的靈魂人物。福爾摩斯先生，現在我該怎麼辦呢？那就是我要來問你的問題。因爲——我們雖有馬哈斯替補，但他是一個右鋒，不能常守在邊線上的，他的確是個好球員，可是他不會判斷情況，馬登或是強納生都是牛津大學的大將，極容易包圍住他；史帝文生的速度固然出衆，但到了球場就不能勝任了。福爾摩斯先生，請你救救我們，你若不幫我們找出高特來·司唐登來，我們必失敗無疑了。」

我的朋友傾耳細聽。這位客人很急切地說

著，並用他粗壯的手拍打著膝蓋，以求別人能更了解。福爾摩斯伸手去拿那本備忘錄，檢查S部，所得的結果卻是白費。

他一面看，一面說：「這是亞瑟·司唐登，是一個專造僞鈔的人；亨利·司唐登，我協助警方把他送上斷頭臺的；但是高特來·司唐登在我的紀錄上卻是一個新名字。」

我們的客人非常驚訝，道：「什麼？福爾摩斯先生，我以爲你一定認識他，如果你從沒聽過高特來·司唐登的名字，那麼，你一定更不知道我薛利爾·歐伍登了。」

福爾摩斯很和藹地搖搖頭。

這球員狂叫道：「什麼？在英格蘭和威爾斯的比賽中我是第一名後備軍，而且我年年參加各大學的球賽，但是這不足道。我沒想到英國的靈魂——高特來·司唐登，你竟也不知道。他是有名的中衛，劍橋、布萊克海斯，還有其他五次國際比賽他都有參加。福爾摩斯先生，你住在那裡的？」

福爾摩斯看到這位壯碩少年的驚訝，忽然大笑起來。

他道：「歐伍登先生，你和我是生活在不同世界的人；你所在的是個愉快而健康的世界。我與社會各界都有接觸，但就是不曾與業餘的運動團體接觸過。這種團體原是英國最好最健康的事業。你今天意外而來，我才知新鮮空氣和光明的世界裡竟也用得著我。我的好先生，請你坐下，並且慢慢地，仔細地把過去的事，和你希望我幫忙的，都告訴我。」

少年歐伍登的臉上露出憂煩的神情來。他平日似慣用他的肌肉甚於用他的心思。現在我把許多重覆和莫名其妙的地方刪掉後，下面所記的，就是他所講的奇怪事件了。

「福爾摩斯先生，事情是這樣的，我方才說過，我是劍橋大學橄欖球隊的隊長，高特來·司唐登是隊裡最優秀的一人。明天我們要和牛津大學比球。昨天我們一同到倫敦來，住在班特蘭私人旅館裡。十點鐘時，我在各房間巡視了一下，看見他們都已睡了。因爲我相信訓練必須精嚴，睡眠也須充足，才可以培養出色的球隊。在高特來還沒睡覺之前，我曾和他講過幾句話。我看見他的臉色慘白且帶著憂愁，就問他是什麼緣故。他便道：『沒有什麼，不過略爲頭痛罷了。』我和他道了晚安，就離開了他。過了半小時，門房向我報告，有一個面容醜陋滿臉鬍鬚的人拿了一封信來看高特來。那人沒有到他房裡，信是別人送到他房裡的。高特來讀了一遍，就癱在椅子上，好像受了棒打斧砍一般。這門房非常驚慌，想要趕過來向我報告，但是高特來阻止他，並且飲了一杯水，起來踱了幾次，於是就走下樓去。那人本站在廳上等的，他和那人說了幾句話，便一同走出去。後來這個門房看見他們飛也似地向街上奔去，朝著史屈蘭特的方向去。今天早晨，高特來便不見了，他的床沒有睡過，種種東西都和昨夜所見的一樣。他如此奇怪的失蹤，實在值得注意。他至今都沒有消息，我知道他不會回來了。高特來是一個有責任感的人，他平日踢球的時候，如沒有什麼非常之事，他是決不會離開的。我覺得他如果眞的走了，那麼，我們恐怕就不能再和他見面了。」

歇洛克·福爾摩斯靜聽他說完，便問道：

「之後你做過什麼事？」「我打電報到劍橋打聽他的消息。但是，我得到那邊的回電，卻說沒有一個人看見過他。」「他可能回到劍橋去嗎？」「是，有最後一班車——十一點一刻的車。」「但是，照你的觀察，你是否覺得他不曾乘這一班車回劍橋去呢？」「是的。因爲沒有一個人看見過他。」「你之後又做過什麼事？」「我打電報給蒙特·詹姆斯勳爵。」福爾摩斯道：「你爲什麼打電報給蒙特·詹姆斯勳爵？」「高特萊是個孤兒，蒙特·詹姆斯勳爵是他最近的親族——我想是他的舅舅。」「這樣，這事有一線光明了。蒙特·詹姆斯是倫敦的大富人。」歐伍登道：「不錯，我聽高特來說過。」「那麼，你的朋友和勳爵的情誼可親密呢？」「是的，他是他的繼承人。老勳爵已將近八十歲了，極有精神，能夠打球。但個性吝嗇，是一個專制的守財奴，從不肯給高特來一先令。但是，將來早晚都要歸他的。」「你得到蒙特·詹姆斯勳爵的回電了嗎？」「沒有。」「你的朋友有什麼事會到蒙特·詹姆斯勳爵那邊去呢？」「他昨晚一定有什麼事，所以很煩悶。如果是爲了金錢問題，去找最近的親族，那是很近情理的。不過照他平日所說的推測起來，他是沒有機會得到他舅父的錢的。高特來既不受他舅父喜愛，若非萬不得已，他是決不會去找他的。」「好，我們來假設，如果你的朋友是到他親族蒙特·詹姆斯那邊去，你可以解釋，那面貌粗暴的客人，在這樣的時候到來，又使他倉皇憂愁，究竟是爲什麼呢？」

薛利爾·歐伍登伸手拍著他自己的頭，說道：「我無法解釋。」

「好，好，我今天有空，沒有事做，很有興趣研究這一件事。我勸你去預備明日比賽的事，不要再冀望這個失蹤的少年了。他既受了逼迫，不得不去，那麼對方一定會阻止他不得回來。讓我們到旅館裡去看一看，也許那個門房可以提供我們一些線索呢。」

歇洛克·福爾摩斯在平常著手偵探的時候都會循循善誘，讓人平靜下來。到了高特來·司唐登的房間裡，他仍依著這老辦法，讓那門房仔細告訴他。據門房說，昨晚的客人，不像上等人，也不像僕人。穿著不怎麼樣，大約五十歲，灰色的鬚，蒼白的面孔，衣服也十分粗俗。他的神情非常激動。當他伸手到袋裡拿出信的時候，門房見他的手不停地抖著。高特來·司唐登隨手把信塞在袋裡，並不曾在廳上和那人握手。他們說的幾句話，門房只聽見「時間」兩個字。後來他們出去時奔跑的情形，和先前所講的相同。那時廳上的鐘恰巧是十點半。

福爾摩斯坐在司唐登的床上，說道：「你是值日的門房嗎？」「是的，先生，到了十一點鐘，我的職務便移交給別人了。」「值夜的門房，可曾看見什麼？」「不曾，先生，只有幾個人從戲院裡回來得很晚。但是此外都沒有人了。」「你昨天全天沒有離開過崗位嗎？」「是的，先生。」「你可曾取過信件給司唐登先生？」「有，先生，一個電報。」「啊！這是有關係的。那電報什麼時候來的？」「大約六點鐘左右。」「司唐登先生收電報的時候，是在什麼地方？」「在他的房間裡。」「他拆看電報時，你可在他旁邊呢？」「是的，先生，我等看他要不要回電。」「好，有沒有呢？」「有的，先生，他曾寫一封回電。」「是不是你去發的？」「不是，他自己拿出去的。」「那麼，他寫回電的時候，你在旁邊看見了。」「是的，先生，我站在門旁，他背對著我，坐在桌子邊。當他寫完了，對我說：

『好了，門房，我自己去發。』」「他寫的時候，用什麼東西？」「一支墨水筆，先生。」「他的電報紙，是不是就用那桌上的電報紙？」「是的，先生，他用最上面的那一張。」

福爾摩斯站起身來，伸手去拿那最上面的一張電報紙，走到窗邊，仔細地驗看。

「很可惜，他沒有用鉛筆寫。」他說完，很失望地聳聳肩，就把電報紙丟在桌上。他又接著說：「華生，就像你所知道的，若用鉛筆寫，往往會留下一個印子。我曾因這一個線索，解救一件瀕臨破碎的婚姻。這紙上卻沒有印跡。但我很高興，他用的是粗筆尖的毛筆，我一定能在吸墨水紙上面，尋出一些痕跡來。啊，是的，果然在這裡！」

他把那吸墨水紙撕下一片，把下面的文字，指給我們看。

Stand by us for God's sake

薛利爾・歐伍登非常高興，快樂地喊道：「拿到玻璃窗邊去看。」

福爾摩斯道：「不必了。這紙很薄，反過來便看得清楚字影了。」他把紙反了過來，我們一同讀道：

Stand by us for God's sake

「這是電報最後幾個字，高特來・司唐登發出不久就失蹤了。這電報上面，至少還有六句沒有留下痕跡來。但是這殘留的『看在上帝的份上，搭救我們』二句，已經能夠證明這少年是有危險的遭遇了！『我們』二字，很有意思，一定還有另一個人牽連在裡面。這人可是那面孔蒼白的老人？他們有什麼關係呢？他們要抵抗危險，求救於第三者，到底爲的是什麼事呢？我們偵查的範圍，已經縮到這幾點上了。」

我開口道：「我們首先要去調查那個收電人是誰。」

「的確，我親愛的華生，你的見解很合我心。但是我敢說，若你走到電報局去，要看別人的電報稿，那辦事員一定不肯的。唉，這件事有不少困難與阻礙啊！我必須用些手段設法試一下。歐伍登先生，現在先檢查桌上的紙件吧。」

桌上都是些信札、帳單、日記簿等紙件，福爾摩斯很敏捷地翻著，一隻眼睛非常地專注。他說道：「沒有什麼問題。你的朋友身體很強健。不是嗎？」「聲如宏鐘！身強體壯！」

「你知道他生過病沒有？」

「平日一天也沒有生過病，但曾在踢球的時候受了傷，跌壞了膝蓋，但這都只是偶然的。」

「我想他未必全像你所說的這麼強壯。他也許有什麼不可告人的病。我請你允許我取一二張紙放在我的袋子裡，這些紙將來也許對於此事有些用處。」

「不要動，不要動！」這時突然出現一個奇怪的聲音。

我順著聲音的來源看去，有一個古怪的矮老頭兒正在門口。他穿著一件粗陋異常的黑色衣服，戴了一頂闊邊的帽子，白色的領結結得很鬆。他的外表好像鄉村的牧師，或者喪家的執事。但他樣子很引人注意，聲音極尖銳。

他問道：「你是誰？先生，你憑什麼權力動他的紙件？」福爾摩斯道：「我是一個私家偵探，想要偵查他失蹤的案子。」「啊，是嗎？誰教你來的呀？」「這位是司唐登先生的朋友，是蘇格蘭警場介紹我的。」「你是誰，先生？」

「我是薛利爾·歐伍登。」「那麼，你就是打電報給我的人了。我是蒙特·詹姆斯勳爵，我是乘了快船趕來的。你已請了一位偵探來了嗎？」「是的，先生。」「一切費用，你已預備了嗎？」「我想我們找到了我的朋友高特來後，他一定自己會付的。」「但是如果他永遠找不到，那怎麼辦呢？哼！回答我這個問題啊！」「如果這樣，那麼，該由他的家族……」

這吝嗇的小老頭，忽狂喊著道：「先生，沒有這種道理的！別想向我取一便士，一個便士都沒有。偵探先生，你明白嗎？這少年人雖然只有我一個親人，但我告訴你，我是不會負責的。我向來不浪費，現在我也決不胡亂花錢的。你隨意移動這些文件，我告訴你，這裡面要是什麼有價值的東西，你可要負責。」

福爾摩斯說：「好極了，先生。你對於這少年的失蹤，可有什麼看法？」

「沒有，先生，我沒有什麼看法。他已成年，能照顧自己了。他笨得看不住自己，我只有完全拒絕擔負找尋他的責任。」

福爾摩斯眨著雙眼，戲謔地說：「我十分明白你的意圖。只是你還不明白我的意思。高特來·司唐登是一個窮人，倘使是被人刼持了，他是沒有什麼東西值得勒索的。但是，你的財產卻都要『如入汪洋』了。蒙特·詹姆斯勳爵，那一群盜賊若捉住了你的嗣子，勢必逼他說出你房屋的門徑、起居習慣，和你貯藏財貨的地方，那麼，你就危險了。」

那個令人討厭的老頭兒。臉孔忽然變白，像他白色的領帶一般白。

「天啊，先生，我意想不到他們的計謀這樣的惡毒！世界上怎會有這樣殘忍的惡徒！但是，高特來是一個忠實剛毅的少年，不會受他們的脅迫勸誘，害他舅父的。我今晚要把所有的金銀器物都移存到銀行裡去。偵探先生，我求你盡力而爲，讓他平安地回來。關於偵察費用，好，不論多少，成功之後，你來向我拿好了。」

他如此膽小，眞是又氣又好笑。我們問他侄子的交友起居，他的確一點也不知道。我們只能依賴那殘缺不全的電報勉強推斷這件事了。老人和我們握手道別，歐伍登也去和他的同隊中人商量明日的事。這裡有一間電報局，距離旅館很近，我們便走進去。

福爾摩斯說道：「姑且一試，華生，如果我們帶了警局的命令來，說要查看電報稿，那是一定成功的。但是，現在卻還未到這地步呢。我想，這裡出入的人很多，發電人的面孔，他們未必會認識吧！讓我試試看。」

他走到一個年輕女辦事員的面前，很和善且輕聲地說：「我很抱歉，請你原諒。我昨天發的電報，可能略有一些小錯誤，所以至今還沒有得到回電。我怕電報末端忘了署名。你可以拿出原電來讓我確定嗎？」這年輕小姐拿過來一疊存根，問道：「什麼時候發的？」「六點鐘過一點。」「收電人是誰？」

福爾摩斯把一個手指放在嘴唇上，眼光閃閃地望著我道：「電報末幾字是『看在上帝的分上』……我很掛念，因爲得不到回電。」

那小姐取出一張電報來，說道：「在這裡，沒有署名。」

福爾摩斯說道：「怪不得我沒得到回電，唉！我爲什麼這麼笨？的確！早安，女士，很感謝你的幫忙。」當我們從電報局走到街上時，他輕輕地拍他自己的手。我問：「怎樣？」「大有進展，我親愛的華生，我爲了要看那原來的電報稿，本有七個不同的計策，但是現在用了這個計策，在這麼短的時間成功了。」「你方才得到了什麼？」也答道：「一個我們偵探的出發點！」他又高聲喊了一輛馬車，說道：「查林格洛斯街車站。」我道：「我們將要有遠行嗎？」「是的，我想我們必須去一趟劍橋。從所得的訊息看起來，那裡是這案子各線索的集中點。」

我們的馬車到了格萊恩路，我問道：「告訴我，你對於這件失蹤案，可有什麼想法？我從沒有遇見過像這樣隱晦難明的事。你方才說誘拐侄子，就是要圖謀舅父的財產。你已確定這想法了嗎？」

「我親愛的華生，我認爲未必是這麼一回事。我若不如此說，那老頭兒無所恐懼，一切事都要給我不便了。」

「你對於這案的看法，能仔細告訴我嗎？」

「我能夠陳說幾點。你一定也覺得這一件意外之事，恰巧發生在重要比賽的前一夜，並且所牽涉的人，又是決勝的必要人物，那未免有些奇怪。雖也有這種巧事，但是極有注意的價值。這種業餘的遊戲本不含賭博性質的，但是外界有許多人郤常藉此賭博，好像賽馬場裡常有惡漢藏住別人的好馬一樣。第二種假設是極顯明的。這少年是富人的後嗣，雖然他眼前並沒有錢，但也許有惡人設計綁了他，想藉此勒索贖金。」

「這幾個說法，都和電報沒有關係啊！」

「不錯，華生，電報是我們必須解決的疑點，而且不能走岔了路。現在我們去劍橋，就是要讓這電報現出一些線索來，指引我們。我們偵查的路很黑暗呢！如果在今夜得不到什麼端倪，或顯著的進步，那麼，我不免要感到奇怪了。」

當我們到了這古老的大學城（劍橋）時，天色已經暗了。福爾摩斯在車站上喚了一輛馬車，吩咐車夫到萊斯朗・亞姆司醫生家裡。不久，我們的馬車停在一條極熱鬧的街道旁的一間小屋前面。我們進去等了好久，才被請到談話室去，看見那醫生坐在桌子旁邊。

有關醫界的事，我已好久沒接觸了，所以萊斯朗・亞姆司的名字我竟不知道。現在我才知道他不但是大學中的一個醫科教授，而且對各種學科無一不曉，無一不精，是位名滿西歐的學者。一個人即使不知道他曾有這種光榮的事，只要看到他莊嚴端正的面孔，就會留下深刻的印象。他眉毛很濃，眼睛炯炯有神，堅實的下巴，可以知道他擁有特殊的特質，就是冷酷，沈著和剛毅。他拿了我友的名片，看了一看，那頑固的臉上絲毫沒有愉快的神情。

「歇洛克・福爾摩斯先生，我聽過你的名字，我並且曉得你的職務，但這種工作不是我所贊成的。」

我友輕輕地說：「醫生，那麼你不是反而贊成那些犯罪的事了？」

「你的工作是在抑制罪惡，但我認爲警察的力量已經綽綽有餘，還要勞動旁人做什麼？不但如此，你時常干涉人家的私事，把別人家庭間不能告人的祕密公開出來，這太不忠厚了。人家很忙，你卻去浪費他們的光陰。譬如現在我正要寫一篇論文，你卻來纏擾我。」

「的確，醫生，但是我要和你說的是比論

文還要重要的事。並且我要告訴你，我做的事恰和你所說的相反。我怕人家的祕密落入官警的手中，以致暴露於衆，所以處置起來，總求能隱便隱，不是尋常的警探可比。我到這裡來，是要問你關於高特來．司唐登先生的事。」

醫生道：「他怎麼了？」「你可認識他呢？」「他是我的一個密友。」「你已接獲報告，知道他失蹤了嗎？」

「啊，是嗎？」那醫生說時，冷酷的臉色仍舊不變。福爾摩斯道：「他昨夜離開了旅館，就沒有什麼消息。」「他一定會回來的。」福爾摩斯道：「明天是大學足球比賽的日子。」醫生道：「我對於這種兒戲沒有什麼興趣。我很愛他，因此很擔心他有不幸的事情。但足球比賽，我絕對不願意費什麼心思。」

福爾摩斯道：「我是來調查司唐登先生的事，想請你幫助。你知他現在在那裡嗎？」「不知道。」「昨天你沒有遇到他嗎？」「沒有。」「司唐登是不是一個強健的人？」「當然。」「你知道他生過病嗎？」「不曾。」福爾摩斯忽把一張紙，放到醫生的眼前道：「那麼，這醫費收據是怎麼回事？這收據的日期是上個月。高特來．司唐登先生在劍橋付給萊斯朗．西姆司醫生十三幾尼。這紙我是從他桌上的紙堆中取來的。」

醫生漲紅了臉，並且憤怒地道：「福爾摩斯先生，我覺得我沒有明白告訴你的必要。」

福爾摩斯依舊把收據收在記事簿裡，道：「你如果想在大庭廣衆之下宣布這件事，那就等著吧！我對你說過。我能幫你守密，不告訴別人，就連別人不得不宣布的事，我也能替他保密。你如果聰明點，那還是確實地說出來吧！」醫生道：「我什麼都不知道。」「你可知道他到倫敦後的消息？」「不知道。」

福爾摩斯微微嘆息道：「唉呀，唉呀，電報局誤事了。高特來・司唐登昨天晚間六點十五分曾在倫敦發一個緊急的電報給你。這電報和他的失蹤大有關係——但是你卻沒有接到。眞是非常可惡啊！我要到電報局去叫他們追究一下呢！」

萊斯朗・亞姆司醫生從桌邊跳了出來。他黝黑的面孔因爲激怒而變成了深紅色。他說道：「我要冒犯你，請你出去。先生，你去告訴你的雇主蒙特・詹姆斯勳爵，我不願幫助他做這一件事。先生，廢話少說。」他按了電鈴，喊道：「約翰，領這二位客人出去。」一剎那間，我們便出來到了街上。

福爾摩斯突然失聲大笑，說：「萊斯朗・亞姆司這人性情非常特別，我從未見過像他這樣的人。以他的才幹，若不做醫生，去接替莫理亞提（按：即「最後問題」中之巨敵）的遺缺，是非常適當的。可憐的華生，我們在這薄情的城裡沒有親友熟人，又不能拋掉了已著手的工作而回去，眞是可憐。這裡有一家小旅館，恰巧在亞姆司家的對面，非常適合我們的需要。你去選擇一間靠街的房間，並去買些今夜需用的東西，我還要去略爲探訪哩。」

這趟探訪所花費的時間非常久！等到福爾摩斯回來時已是九點鐘了。他臉色慘白，垂頭喪氣，衣上沾染了灰塵，肚子又餓，並且疲倦。桌上的晚餐早就涼了。他吃過飯，拿起煙斗，仔細思考，好像一個哲學家的模樣。

有馬車的聲音從街上傳來，我們連忙走到窗邊。有一輛四輪馬車由二隻灰色的馬拉著，煤氣燈的光在醫生的門前閃耀著。

福爾摩斯說：「他已出去三個鐘頭了，六點半過出發，現在才回來，至少走了十哩或十二多哩路了。他每天一定出去一次，也許二次呢！」

「這是醫生出診的常例，有什麼奇怪？」

「但是萊斯朗・亞姆司不是一般出診的醫生。他是一個著書立說，研究醫理的人。若有人到他那裡討論什麼，那是合理的，但平常不會出診的人，爲什麼現在要遠行呢？照理他應該不會安排這種出診的。他到那裡去了呢？他去看誰呢？」

「他的馬車夫……」

「我親愛的華生，你難道不知道我先前已經向他的馬車夫問過了嗎？不知他是不是奉了他主人的命令，還是他本來就如此兇惡。我正

想去問他，還沒有開口，他就放出狗來。我幸虧帶了拐杖去，狗和人都不敢接近我。但是探訪的機會卻因此失掉了。後來，我從同旅館的一個人口裡才打聽出來。他告訴我醫生的習慣，和他每日遠行的情形。我正在細細地聽，他的馬車已從門前經過了。」

「你無法跟去嗎？」

「你的看法很好。華生。今晚你彷彿電石發出火星來，想不到你有如此的進步。你一定看見在我們旅館的旁邊，有一家腳踏車店。當我見馬車走了，就去租了一輛腳踏車，看那馬車還在我的視線裡，我急起直追，相距在百碼左右。後來離開了城市，到了鄉村。馬車忽然停住，醫生急忙下車，反向我奔來，對我說路狹得很，恐怕馬車妨礙我腳踏車的前進。他這計策眞狡猾，我無可奈何，只得超過了馬車，

沿著大路，比他先走。走了沒多遠。回過頭來，望望後面的馬車，卻沒看見。等了好久，仍舊不來。我於是想起，方才他停車的地方，有幾條岔路，大概他繞岔路去了。我折回來，仍舊找不到馬車。現在你見他在我後面回來了。若說醫生的遠行，和高特來·司唐登的失蹤有關係，那也不盡然如此。不過既然有人注意他，那麼，他的行動自然都會格外留心。但是他外出的時候，惟恐別人跟去，實在令人懷疑，所以不能視爲平常之事啦！」

「明天我們可以再跟他去。」

「我們能嗎？不要看得如此容易！你大概還不明白劍橋的地勢，是不是？我今夜所走過的鄉村非常空曠，沒有什麼樹木。我們若跟蹤他，他不是個粗心的人，怎會看不見我們呢？我已打電報給歐伍登，如果倫敦有新的消息，可按照這裡的地址告訴我們。我們只要全力偵探萊斯朗·亞姆司醫生好了。方才我在電報局裡向那女辦事員取司唐登的原電來看，萊斯朗就是該電的收電人，所以我知道他的姓名。他一定知道少年的行蹤，他既然知道，我們卻沒法知道，那是多麼丟臉啊！這件事一定是他一人搞的鬼，在幕後操縱。華生，我立誓要偵破他們的祕密，我們既擔負了偵探的責任，決不可半途而廢的。」

但直到隔天的早餐以後，我們都不曾再討論這一件事，福爾摩斯拿了一封信，對我微笑。

「先生：我向你保證，你密切地監視我的行動，完全是荒廢時間。昨夜的事，你該已知道，我四輪馬車的背後有一扇窗，我坐在裡面，可以非常清楚地看見後面跟蹤我的人。如果你願意毫無目標地來回跑二十哩路，那隨你的便！告訴你，不要爲了援救高特來・司唐登先生而監視我，我覺得你如果回到倫敦去，回答你雇主說沒法追查，那才是你對他最好的報答。你在劍橋的光陰都拋於無用之地，眞可惜啊！

萊斯朗・亞姆司」

福爾摩斯說：「好一個直言無隱，正直的醫生啊。好，好，他激起了我的好奇心，我一定要努力地進行。」

我說：「他的馬車現在在他門口。他正走上去了。我見他抬起頭來，急視我們的窗。讓我乘那輛腳踏車，試試我的運氣吧！」

「不要不要，我最親愛的華生！你雖聰明，但我想一定比不過這機警的醫生。我想我還有別的方法可探察這件案子。我要請你暫時自便，因爲如果有二個奇異的陌生人在這鄉村之中冒然行動，是要激起人家許多閒話的。去遊覽一下這老城的名勝古蹟吧！我希望在黃昏前回來的時候，可以帶給你好消息。」

我的朋友又失敗了。他夜裡回來後很煩悶，表示他的不遂所願。

「我又虛度這一天了，華生，我既知道醫生出行的方向，用盡了功夫走遍了劍橋附近的鄉村，仔細地調查和探訪。契斯特頓、歐司頓、瓦特比區，和歐京頓等處，我的足跡都到過，但毫無所得。這種兩匹馬拉的四輪馬車，天天在這『睡鄉』（指荒村）裡出沒往來，他們卻都茫然不知。足見這醫生眞狡獪且厲害極了。啊！可有電報給我嗎？」

「是的，我已看過，就是這個。『到三一學院向傑瑞姆・狄克遜要龐貝』我不懂電文的意思。」

「啊，我清楚的。這是我朋友歐伍登發來的，就是回答我的問題。我要寫一封信給傑瑞姆·狄克遜，大概可以幸運成功了。球賽的消息，有嗎？」

「有，這是本地的晚報，有詳細的記載。牛津勝一球，並且有二球險些踢入劍橋的球門。最後的結論是：『穿藍色球衣的劍橋隊之所以失敗，是因爲頂尖球員高特來·司唐登沒上場，後補球員在防衛和攻擊上都非常弱。』」

「我們的朋友歐伍登的預言被證實了。但是，我和醫生亞姆司一樣，對足球沒有興趣。華生，我們上床睡吧。我預料明天將是忙碌的一天。」

隔天早晨，當我看見福爾摩斯的時候，非常的驚慌。他坐在火爐旁，手中拿了他的小注射器。我平日深惡的這件東西現在又在他手裡了。他見我驚慌的樣子，把注射器放在桌上，微笑道：「我親愛的朋友，不要驚慌。這東西雖然有害，但這次我當它是這案的利器。我曾略略進行偵探，非常順利，現在方才回來。華生，吃一頓暢快的早餐，今天我們再去跟蹤醫生亞姆司的蹤跡。不到他的巢穴，我是不想吃飯，不想休息的。」

我說：「如此說來，最好我們帶了早餐出去。他出去得很早，馬車已在門口了。」

「不要緊，讓他去好了，他如果能再到我們所追蹤不到的地方，方才算是靈敏的。你準備好了就下樓來。我介紹一位偵探給你。他對於偵探的專門學識相當出衆，今天可以幫助我們的。」

當我跟福爾摩斯下樓以後，走到了馬房裡，他開了一個木籠的門，牽出一隻狗來。那隻狗雙耳下垂，黃白相間，身體肥矮，那種外表介於獵兔狗和獵狐狗之間。

他很鄭重地說道：「讓我介紹你給龐貝。龐貝在這裡是最驕傲，最勇敢的狗。他不善於奔馳，看他的形狀就知道了。但是他的嗅覺卻非常的靈敏。好，龐貝！你雖走得不快，但已比我們走得快了。所以我只好不客氣地在你的頸上套上項圈。孩子，現在跟我來，我指示你所應做的工作。」

他指揮牠越過街道，到醫生的門前，這狗立刻向四周嗅著，東張西望，狂吠亂跳地穿越大街而去。牠的頭時常昂起，是因爲頸項間有了束縛，行動不能如意的緣故。大約過了半個鐘頭，我們已離城到了村路上了。

我問道：「福爾摩斯，你打算怎麼辦？」

「有一個老計策，但是很有效。今天早晨，

這狗狂吠亂跳地穿越大街而去

我到醫生的馬房裡，用你所深惡的注射器注射大茴香油在四輪馬車的後輪上面，我注射了很多，所以這隻狗能夠依著大茴香的氣味，追到天涯海角的。我們的朋友亞姆司能到什麼地方，龐貝沒有找不到的。哼，狡猾的惡漢啊！今夜看他怎麼逃。」

這隻狗突然走出了正路，折到一條綠草叢

生的小路上。走了半哩遠，來到另一條廣闊的路上。從這裡向右轉，就會回到剛才我們出發的鎮上。這條路極曲折，往南的話就會和我們來時的方向相反。

福爾摩斯說道：「我常在鄰近的許多鄉村裡探訪他的蹤跡，卻無人知道。原來如此。我們再向右去，就要到川平登村了，天呀！有一輛四輪馬車從轉角處衝來了！快點，華生，否則我們又要失敗了！」

他牽了龐貝，跳進園門，我們就藏身在籬後。他的馬車聲音很大地駛過，我瞥見亞姆司醫生正坐在裡面，他雙肩向前拱著，頭垂在兩手掌上，像是非常憂苦的樣子。我回過頭來，看我友嚴肅的面孔，知道他也看清楚了。

他說道：「恐怕今天的情況更不樂觀了。唉，我們探訪的這件事已不能再拖下去了。來，龐貝，這裡有一間小屋。」

我們的行程已經到了終點了。龐貝跳出籬來，馬車的車輪在地上輾過，所留的痕跡很深，一條曲折的車印，引導我們到了小屋旁邊。福爾摩斯把狗繫在竹籬上，我們倆急奔到小屋前面，我友在那扇破舊的小門上用力地敲了幾下。裡面始終沒有回音。但是屋裡不像是沒人住。有一陣不清晰的悲泣聲傳進我們耳裡。福爾摩斯站著躊躇了一會兒，回過頭來，對著來路呆看。忽見一輛四輪馬車來了，那二隻馬的確是灰色的。

福爾摩斯叫道：「天呀！醫生回來了！這案子可以弄明白了，乘他未到之前，我們先看看屋裡的情形。」

他推開了門，我們走進去，那悲泣的聲音更大聲了。後來竟變成狂哭。我們知道那聲音

忽見一輛四輪的馬車來了

是從樓上傳來的。福爾摩斯走上了樓，我跟著他。他把半開的門推開，我們便站在一個奇怪的景象之前。

一個年輕貌美的婦女橫躺在床上，已經死了。她慘白的臉容，沒有血色，深藍的眼睛，張得很大，金黃色的頭髮披散在二肩上面。有一個年輕人把面孔藏在衣服裡，半坐半跪，在

她的床邊嗚咽地哭著，分明已不勝悲痛。我們進去他並不知道。福爾摩斯伸手放在他的肩膀上，他才發現。

「你是高特來・司唐登先生嗎？」

「是，我是，但你來得太慢，她已經死了。」

這少年的神智已錯亂，他明明不知我們爲什麼去的，只當是醫生送一位助手來了。

福爾摩斯剛想告訴他，他的朋友因他忽然失蹤，驚駭異常，可是還沒有開口，就聽見扶梯上的腳聲。回頭看時，亞姆司醫生嚴肅而懷疑的面孔已出現在門口。

他說道：「先生，你們終於達到目的了。並且在這樣的時刻進來。現在我不願在死者的面前和你們爭執，但是，如果我年輕一點，遇到你們這樣的行動，我決不肯干休的。」

福爾摩斯很鄭重地說道：「亞姆司醫生，

請你原諒我。我們此來，在你看來一定會嫌唐突。如果你能和我們一同下樓，我們彼此可以把這不可思議的事情說一個明白。」

一分鐘之後，那嚴厲的醫生和我們都在樓下的起居室裡。

他說：「好，先生，說吧！」

「首先，我希望你明白，我不是蒙特・詹姆斯勳爵所雇用的人，並且在這件事情上立場完全和那位勳爵相反。有人失蹤了，設法探知他的安危，那便是我的責任。只要沒有犯法的事，我就可隱祕不宣。我想這案子雖奇怪，不會有法律的問題，這樣，你儘可放心，我友和我會保守祕密，決不致在報紙上宣露出來。」

亞姆司醫生立刻走前一步，和福爾摩斯握握手。

「你是一個好人，我從前錯怪你了。我離開司唐登後，坐在車廂裡，想他一個人在這裡，非常寂寞而可憐，為了安慰他起見，所以匆匆地回來了，因此和你相遇。你已知道了這件事的大概情形了，那是容易敍述的。一年以前，高特來・司唐登在倫敦租屋而住，發狂似地愛上了他房東的女兒，他們就結了婚。她很美麗，並且賢慧，娶她做夫人決不辱沒名聲的，但是高特來是一個刻薄老貴族的嗣子，這結婚的消息如果傳進那老人的耳裡，那他就會失去遺產的繼承權。我因他為人很好，且才華洋溢，於是設法援助他，替他嚴守祕密，不告訴別人。因為這件事如果稍一洩露，便要引起喧然大波。幸虧這荒郊有一間小屋，讓她住在這裡，沒人會知道的。高特來為人謹慎，所以到現在仍沒人知道這件事。其中的祕密只有我和他的一個好僕人知道。不料後來他妻子染上了危險的疾病，是一種很嚴重的肺癆。現在那僕人已被派到川平登鎭求助去了。這可憐的孩子悲傷得簡直要瘋了。但是他還要到倫敦去參加球賽，因爲他不能託故規避。否則祕密就會洩露了。我拍電報安慰他，他接到了電報，回覆我，請我好好的診治，電文的內容，就是你以前見過的。我不想把眞正的病情告訴他，因爲我已知她是無藥可救了，他回來也沒有什麼用，反使人懷疑，徒讓自己悲傷罷了。但是我把眞確的情狀告訴了她的父親，不料他竟奔去告訴女婿高特來，結果，他便不告而別，鎭日跪在病人的床前，像瘋子一般。直到今天她死了，他還是依依不捨。福爾摩斯先生，經過的情形就是這樣，請你謹愼點，不要宣布出去。」

福爾摩斯和醫生握手道別。

他對我道：「華生，來。」我們就走出那間籠罩著愁雲的小屋，來到冬天和煦的陽光下。

情天一俠（原名 The Abbey Grange）

一八九七年的冬季，某個多霧而寒冷的早晨。我覺得有人把我搖醒，我睜眼一看，原來是福爾摩斯。他手裡執的燭光，照在他急切而意味深長的臉上，無異告訴我，又有什麼奇事發生了。

「起來，華生，起來，有好玩的事來了。不必多說！快穿起你的衣服，隨我來。」

十分鐘後，我們兩人都坐到一輛馬車裡。車聲轔轔，在這冷寂的街上，直奔查林格洛斯車站去，黯淡的曉日，方在雲中漸漸顯現。我們從車窗裡，可以隱約看見工人們從旁邊走過，福爾摩斯一言不發地裹在厚重的大衣裡。我也是一樣，因爲這時很冷，而我們又都沒有進食。直到到了車站，我們喝了些熱水，又坐上開往肯特郡的火車。此時略覺得溫暖些，他才開口講話，我也傾耳靜聽。福爾摩斯從他的衣袋裡拿出一封信來，高聲讀道：

「我親愛的福爾摩斯先生：我很希望你能立刻前來幫我辦這件非常的事情。這事全仗你的大力相助了。除了夫人被放開外，其餘一概都沒有動過，像我初見時一般。但請你火速前來，萬勿耽擱。因尤司德斯勳爵不可能一直留在原處。——你忠實之友史坦萊·霍普金上，肯特郡下午三點三十分發。」

福爾摩斯讀罷，又道：「霍普金求我相助的案子已有七件了。每一次他的請求都很有意思，我想那些案件，都已入了你的記載中了。華生，我知道你的確有選擇的能力，而且你喜歡以小說家的眼光，來觀察事情。不過略欠缺科學上的工夫，以致不能充分地啓發讀者。你記事多用文采，想以驚心動魄的寫法來引動讀者的情緒，這樣卻不能啓發讀者的理智。」

我冷笑道：「那麼，你爲什麼不自己寫呢？」「我要的，華生，我要的。現在你也知道我事務紛忙，不能下筆。但等到我年老退休的時候，我要把我平生得到的偵查經驗，著爲講義傳給世人。我們現在要去偵查的也是一件暗殺的案件。」

「那麼，你想尤司德斯勳爵死了嗎？」「我想是的。因爲霍普金並不是容易受驚的人，現在他寫的信，竟這樣潦草，可知那邊必有什麼劇變了。並且屍首還留著等我們去察驗，也可見並不是自殺，否則他也不會來請我們。至於放開夫人，可知在那悲劇發生的時候，她是被人禁錮在房裡的。華生，我們此去將會有一個有趣的早晨。這兇案是在昨夜十二點鐘以前發生的。」

「你怎麼確定的呢？」「我從火車班次的時間上觀察推算而得的。出事後，先有本區警察被喚到家，再去通知蘇格蘭警場。那麼霍普金必先去過蘇格蘭警場了，然後再來通知我。經過了這許多的手續，豈非要費去一夜的工夫呢？好了，我們已到齊賽爾賀斯特車站了。我們將要知道是怎麼回事了。」

我們坐了馬車，沿著那狹窄的鄉野小徑跑了二哩路，然後到一所別墅門前。我們下了車，已有一個年老的看門人開了門在那裡等候。他滿面愁容，顯示他遇到不幸的事。這條路，一直通到大門，兩傍榆樹掩映。路端盡處，便有一所低矮寬敞的屋宇，前有派拉笛亞式的石柱，一看房屋的中央部分，就知道是多年的老屋了。上面覆滿了長春藤，但是那些高大的窗子卻都是後來換上去的。還有一間邊屋，也完全是新造的，此時，年輕的霍普金警探帶著懇切的面容走出來招呼我們。

他道：「福爾摩斯先生，我很高興見你前來，並且華生醫生也一同來了。但是假使我早知道這事已有了頭緒，也不敢驚擾你們了。因為夫人醒來後，已把這件事情清清楚楚地報告過，不需我們再查了。你還記得路易山姆那夥盜黨嗎？」「怎麼，是阮達爾等三人嗎？」「正是，毫無可疑，是他們父子三人做下的事。兩星期前，他們曾在西頓罕地方犯過劫案。現在又敢接著在這樣鄰近的地方犯罪，眞是大膽極了。毫無疑問這是他們做的。現在我正要緝查他們哩。」「那麼，尤司德斯勳爵已被殺了嗎？」「是的，他是因頭顱被家中的鐵鉗擊傷而死的。」「車夫告訴我，尤司德斯勳爵的姓是勃拉根史得爾。」「不錯，他在肯特郡可算是大富翁。他的夫人正在室中。可憐的夫人，受到驚嚇了。當我初見她時，她幾乎要被嚇死了。我想最好你也去見見她，聽她怎樣告訴你這件事，然後我們可以一同到餐廳裡去察驗。」

勃拉根史得爾夫人不是一般的女子。丰姿綽約，體態溫雅，實在是我所少見的。她金黃色的秀髮、蔚藍的明眸，若不是最近她遭遇了重大的事，使她憂愁不歡，定會更加美麗。她的眼皮有些浮腫，顯見她遭遇了極大的不幸。有一個個子很高的女僕，正很小心地用加醋的水幫她洗拭。夫人很疲倦地倚坐在椅上。但在我們走進去時，她很快的對我們看了一眼，那種敏捷而曼妙的神情，可以見得她的才智和勇氣並不曾因爲遭遇可怕的事情而喪失。她披著一件寬鬆的藍底銀花的睡衣，還有一件黑色圓花的餐服，放在她身邊的床上。

她懶懶地說道：「霍普金先生，我已完全告訴你了。我能不必再重說嗎?但是如果你認爲是必須的，我也可以把我遇見的事情，告知這兩位客人。他們曾到餐廳去過嗎?」

「我想他們極願意夫人把你所經歷的事情，向他們再陳說一遍。」

她道：「你們若能把這案子辦理妥當，我不勝感激。我一想起他仍橫屍在那裡，就覺得很可怕。」她說時帶著顫抖，以手掩著她的嬌容。這時她的袖子翻落，福爾摩斯忽然向她問道：「夫人，你還有別的傷口。怎麼回事?」

有兩處很鮮明的紅色傷痕，露出在她一隻雪白嫩圓的粉臂上。她聽了連忙遮起來。

「沒有什麼，這和昨夜的事情沒有關係的。若你和你的朋友願在這裡坐下，我可完全告訴你們。我是尤司德斯・勃拉克史得爾勳爵的妻子。我嫁給他，大約已有一年了。我們的婚姻，實在沒有什麼快樂，這是無容諱言的，即使我隱瞞不說，恐怕我們的鄰居也會要告訴你們。我生長在澳大利亞的南部。曾呼吸著自由的空氣生活過，所以我對於英國拘謹、講求禮節的生活很不習慣。最難堪的，便是我的丈夫。他平日酗酒兇暴。他這種行爲，人人都覺得卑鄙可惡的。和這種人相處，那怕是一小時，也會讓感到痛苦的。你們試想，一個靈敏高尙的女子，日夜與他勉強伴繫著，如何能夠忍受呢?這種婚姻是褻瀆神明的、罪惡的、桎梏的。我敢說你們這些可惡的法律是要受咒詛的——上帝也不忍看見這種罪惡。」這時她忽然站起來，兩頰漲紅，眼光含著憤怒。她的女僕用手將她慢慢扶回椅子的背墊上。她怒氣消失時，開始悲泣起來。最後她繼續說道：

「我要把昨夜的事告訴你們了。你們或許已知道，這裡的許多僕人都睡在那邊新造的邊屋裡。這中間的屋子是我和我丈夫的住屋，廚房在正後面，而我的寢室就在樓上。我的女僕姬瑞莎睡在三樓，此外，就沒有別人了。這裡和邊屋的距離很遠，不容易互傳聲息。我想那些盜匪，一定早已知道這種情形，否則他們也不致這樣猖狂了。尤司德斯勳爵在十點半鐘回到他的房間，那時那些僕人們也都回到他們的住處。只有我的女僕還在三樓，因為她怕我有事要喊她，所以尚未就寢。我在這室中看書，直看到十一點鐘左右。我在上樓之前，都會到各處去巡查一遍，這是我的慣例。因為尤司德斯勳爵是放任家事不管的，所以我不得不自己照料一切了。我先走到廚房，然後到伙食房、彈子房、客廳，一間一間地察看。最後走到餐廳。當我走近窗邊，那窗本有很厚的窗幔掩蔽，我忽覺得寒風撲面，方知那窗開著未關。我去拉開窗幔，瞥見一個肩闊高大的壯年人正走進室來。這窗是法蘭西式的長窗，直垂到地上，像門一樣，可以開了走到草地上去的。我手中拿著寢室裡用的蠟燭，燭光中看見他背後又有兩人掩進。我害怕極了，立刻退後，那人上前捉住我的手臂，用手扼住我的咽喉。我正要張口高呼時，他用他的拳頭在我眼上猛擊一下，把我打倒在地上，我便失去了知覺。不久，見他們已拉斷了叫僕人的鈴繩，把我緊緊縛在橡木椅子上。我無法動彈，他們又把一塊手帕塞在我的口裡，使我不能出聲。這時我那不幸的丈夫來了。他一定是聽見了什麼聲音趕來的，他穿著睡衣睡褲，手裡握著一根烏木棍子。撲到一個暴徒身邊去，但是另一個年紀較大的暴徒俯倒身軀，從爐架上取了鐵箝，奔過來對我丈夫腦後猛擊下去。他遂立刻倒地，聲息全無，動也不動了。我目睹這個慘狀，不覺又暈了過去，但幾分鐘後，我又甦醒，張開眼來，見他們從櫃裡拿走許多銀器，還有一瓶酒。他們每人手裡拿著一個玻璃酒杯。我似乎已經告訴你們了，其中一個年紀較大的有鬚髯，另外兩人都是青年。他們像是父子，一同附耳低語，之後走過來看看我的繩子是否縛得穩牢，最後關上了窗，揚長而去，隔了大約一刻鐘，我才把口中的布弄掉，高聲呼喊了數次。我的女僕聽見我的聲音，第一個奔來解救。其餘的僕人就也都驚醒，一齊趕了來。我們遂去報警，警察立刻通知倫敦警局。這就是我可以告訴你們的所有情形。先生，我希望以後不要再讓我重述這可怕的故事了。」

霍普金問道：「福爾摩斯先生，還有什麼事要問的嗎？」

福爾摩斯道：「我不會再煩擾夫人的心情了。但在我未到餐廳以前，我想聽你講述當時的情況。」他說時，看著那個站在夫人旁邊的女僕。

她說道：「我在他們進屋以前，已看見這些人了。因爲我坐在樓上窗邊時，瞧見那三個人站在門外月光下。但那時我實在不曾想到有什麼危險的事要發生。過了一個多鐘頭，我聽見女主人的驚喊，連忙奔到樓下，看見她可憐的樣子。還有我的男主人也已腦漿迸裂，倒在地上了。我的女主人嬌軀柔弱，當然容易被暴徒縛住，而她的衣服上也濺著血跡。但她膽識還是過人，現在的勃拉根史得爾夫人和當年阿德雷得的瑪麗·弗萊瑟，勇氣可說沒有任何改變。你們已問得很多了，先生，我要陪她到她房間休息了。」

她說罷，好像慈愛的母親一般，伸出手臂，扶著她的女主人離去。

霍普金說道：「她服侍她的女主人已有幾十年了。從她女主人還在襁褓時，直到離開澳洲到英國來，都寸步未離、忠心不貳。她的名字叫姬瑞莎，在今日要得到她這樣一個忠實可靠的女僕已很少了。」

福爾摩斯表情豐富的臉上，已完全失去了興趣。我知道他已失望極了。不過暴徒還沒被有逮捕。且這個人爲什麼要殺害勳爵，還值得研究。然而就像著名的奇能醫生，最樂於被人邀請去診察疑難危險的病症，若是平淡無奇的病，不過多一種煩擾罷了，有什麼趣味？他這種心情，是我從他目光裡見到的。但是一到餐廳，見了那奇異的現場，頓時又引起了我友的注意，他又振作起精神。

這是一間很高大的餐廳。頂上是橡木的天花板，四壁懸著古代兵器和鹿頭飾品。門的對面，有高大的法蘭西式長窗，是我們聽夫人說過的。右邊也有三扇小窗，慘淡的陽光，從窗間射入，照滿了一室。左邊有一隻深大的火爐，爐架也是橡木製的。爐旁有一隻很重的橡木椅子，椅子腳上還縛有犯罪用的繩子。雖已解去了，但一頭卻仍留在那裡。這些瑣碎的情形，當時卻不足以喚起我們的注意。我們全神專注在那可怕的屍體上，它正橫陳在火爐前的虎皮毯上。

死者的身材高大且強健，年齡大約有四十歲左右。他仰臥地上，白齒微露，脣邊留著短短的黑鬚，兩隻握拳的手舉起在他的頭旁，一根沈重的烏木棍橫在半邊。死者的容貌含著怒

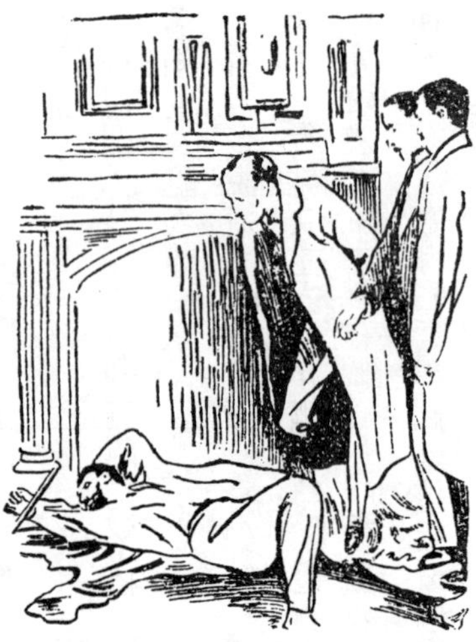

死者兩隻握拳的手舉起在他的頭旁

意，好似要報仇一般。他是睡後聽到聲音而起身的，所以他的身上，還穿著很奢華的繡花睡衣，而他的雙足卻赤露在褲外。他頭上受的傷很重，橫在他身邊的鐵箝已成弓形，可見得那一擊之猛烈了。福爾摩斯把鐵箝察看了一下，說道：「這老阮達爾一定很有力氣。」霍普金道：「是的，他是一個可怕的強盜，還有許多懸案未破獲。」「你們應該懸賞嚴緝啊。」

「我們早已通緝，但一直以爲他已逃回美洲去了，現在又犯這命案，可見他還在英國，看他們怎麼脫逃，各處海口，都已通令嚴緝，今天傍晚以前，懸賞獎金就會發布，不過使我最感奇怪的，便是他們怎敢當著勳爵夫人面前，做這殺人的事情。不怕她事後洩漏嗎？」

「不錯，人們會認爲他們應該把夫人殺死了，才可以滅口。」

「我想他們一時沒想到，她暈了以後會立刻醒來。」

「或許是這樣的。那時她似乎已完全無知

覺了，所以他們不必去取她的命。霍普金，勳爵平日的爲人怎麼樣？我曾聽別人講起過他的怪事。」

「他在清醒的時候還算平和。但酒醉時，卻變得非常兇惡，好像有魔鬼附身一樣，不論什麼事情，都任情妄爲，常常鬧出禍來。雖然，他是個有名望的貴族，我已聽說他有兩次瘋狂的舉動。第一次，他把煤油潑在他夫人鍾愛的狗身上，想點起火來燒死，這事好不容易被勸住了。又有一次，他喝醉了，爲難夫人的女僕姬瑞莎，竟拿鐵罐向姬瑞莎丟擲。所以宅中的人和我們都知道他的行爲狂暴。我想他家中沒有了他，反能清靜光明了。你現在看來，以爲如何？」

福爾摩斯遂俯身屈膝，很注意地察看那椅子上留著綁夫人的紅繩。他反覆細看著這繩扯斷的一端。他說道：「當這鈴繩拉斷時，廚房的鈴聲必然大響了。」

「暴徒怎能肯定沒有人會聽見呢？他怎敢這般鹵莽行事去扯斷鈴繩呢？」

「不錯，福爾摩斯先生，你說得不錯。你這個問題我也曾自問了幾次。我想那些暴徒必然查明了屋中的情形。他也必知這裡的僕人，都睡得很早，沒人會聽到廚房的鈴聲的。所以我懷疑他和某個僕人串通。但是家中的八個僕人，都是很謹慎安分的。」

福爾摩斯道：「依理推解起來，或可懷疑女僕姬瑞莎。因爲她曾被主人用鐵罐擲到頭上，有可能懷恨圖報。可是她對她的女主人卻十分忠愛，一定也不忍出此惡計的。罷了，這些事情，何必多去研究，只要你們捉到阮達爾，就不難知道實情了。那夫人所說的事情，從現場各項東西看起來，似乎已證實了。」說到這裡，他走近法蘭西式的長窗，把窗開了，又道：「這裡也沒有痕跡可尋，因爲地上的泥土十分乾燥。我看那爐架上的蠟燭，是像點過了的。」

「正是，那些暴徒必是靠著他們自己的燈，和夫人所拿的寢室用蠟燭，以便行事。」

「他們可劫去什麼東西？」「他們倒沒多劫奪東西，只從櫃裡取去了半打左右的銀器罷了。勃拉根史得爾夫人認爲，他們眼見傷了人命，一時驚慌，所以來不及搜尋室中所有的物件，就急忙逃走了。」「的確有可能，但他們還曾在此飲酒呢。」「大概他們想要壯壯膽吧。」福爾摩斯走過去道：「這三隻玻璃杯仍留在櫃裡啊。」「是的，酒瓶他們也留在那裡。」「讓我們察看一下。咦！這是什麼？」

那三隻玻璃杯是放在一起，都倒過酒的。其中有一隻杯底還剩著一些酒的餘滓。那酒瓶放在旁邊，還有三分之二的酒剩在瓶裡。瓶邊放著一個很長的瓶塞，可以見得暴徒所喝的酒是一瓶好酒。

這時福爾摩斯的態度，似乎有了改變。他本來已失去了興趣，但現在我從他滿含了興奮的目光看來，他又燃起了興趣。他拿起了瓶塞，細細檢視。問道：「他們怎樣拔去塞子的？」

霍普金指著一隻半開的抽屜，果見抽屜裡有一個很大的開瓶螺鑽。

「勃拉根史得爾夫人，可曾說過他們是用過這個東西的？」

「沒說過。想必他們開酒瓶時，她剛好失去了知覺。」

「是的。但照跡象看來，這個螺鑽並沒有用過。這瓶酒是用一個小螺鑽開的。或許是附在小刀上，只有一吋半長，可以帶著放在衣袋裡的那種。若你細細察看瓶塞，便可見塞上所留的孔很小，並且拔了三次才開的。如果用了這個長螺鑽，就毫不費力了。你們若捕獲那人，一定可見他身邊有這種多用途的小刀。」

霍普金道：「妙啊，你說的果然很對。」

「但是這些杯子，卻使我有了疑問。勃拉根史得爾夫人可的確親眼看見這三個人喝過酒嗎？」

「是，她明明白白告訴我她親眼看見的。」

「那麼，這事有眉目了。別的話，也不必多講。霍普金，你應該知道，這三隻酒杯是值得注意的。怎麼，你不認爲嗎？哦！算了吧。但如果有人像我一樣有特別的想法、特別的能力，而願意捨棄手中簡易的結論，而去尋繹複雜難解的事。這樣，這三隻杯子當然是惟一的線索了。霍普金，你既然已有很確切的想法，我也不能幫你什麼，再會了，阮達爾被捕獲時，或許有別的新消息，到時候請你告知我們。希望你不久就可成功。華生，我們不如回去吧。」

在我們回去的路上，我瞧見福爾摩斯的表情，像是有事情解決不了的樣了。有時像已得到了什麼，有時卻又表示著懷疑，只要看他緊蹙的眉毛，和難解的眼光，便可知道他仍在思考寺院莊餐廳裡的慘劇。在我們火車剛開出車站時，他忽地想到什麼，拉著我一躍而下，跳到月臺上。

一剎那間，那火車已飛馳而去。他對我說道：「我親愛的朋友，請原諒我。我很抱歉，使你徒然爲我犧牲寶貴的光陰。但我實在很不願拋下這件事情回到倫敦去。華生，我覺得這不是平常的盜案。據我觀察所得，覺得其中大有問題。可是那夫人的陳述和女僕的話，都已得到充分的證實，我該怎樣辦呢？假使沒有夫人說過的話，我僅從觀察所得，反有把握。但是這案子的疑竇實在很多，我一定要探出這事的眞相。華生，請你在這凳子上坐下，不妨等往齊賽爾賀斯特的火車開來。現在我要把我得到的證據告訴你。請你腦中切不要再將她們主僕的話認爲是千眞萬確的。她雖然美麗溫文、非常動人，但不可因此失去我們的判斷力。我們如果冷靜地思考她的話，便可知其中有可疑的地方。這些暴徒在兩星期前，曾在西頓罕犯過劫案，報上已詳細記載他們的相貌和犯罪情形。所以假使有別人犯罪，很可能推到他們身上。按照事實而論，大凡盜匪既已得手，都會安享幾時，然後再行動手，決不會接連去冒險的，還有盜賊行劫，平常都在深夜，斷沒有在十一點鐘時就行事的。還有更奇怪的事，他們既要夫人不聲張，卻又打她讓她狂喊。況且只要對付一個勳爵，又何必三個人一齊動手。而既來行劫，卻又只奪去了一些銀器，並不多取錢財。最奇特的是三個人飲酒，酒瓶中卻只喝去一半，使我更覺詫異了。華生，你對於這些奇特的情形，可有什麼想法？這許多情形，樣樣都奇怪，出於情理之外。依我看來，最奇怪的，是那夫人的被縛在椅子上。華生，這一點我無法不懷疑。因爲他們何以不殺夫人，又不把她放在其他安穩的地方，反讓她立刻向人求救？這豈不太愚笨了嗎？但是無論如何，我所說過的三隻玻璃杯，尤其可疑。因此，我不能相信夫人的話。」

我道：「那酒杯有什麼可疑呢？」「你可曾仔細看過嗎？」「我看得很淸楚的。」我道：「我們聽說這三個人都喝過酒。這句話，你可相信？」「爲什麼不信？每隻杯裡，都有酒跡留著。」「不錯，但是只有一隻杯裡剩著酒滓。這點你必須注意。你想這究竟是什麼理由？」「或許這隻杯子是最後斟的酒，所以就有了酒滓。」他道：「不見得吧。這瓶中的酒還多，決不會前兩杯沒留著酒滓，而這一杯卻有。我有兩種解釋，第一，是斟過兩杯後，酒瓶忽受著了搖動，渣滓浮起了，所以第三杯裡就有了酒滓。不過這種說法，也很勉強。不，不，我的猜想一定對。」「那麼，你猜想是什麼呢？」「我想只有兩隻玻璃杯是用過的，不過有人把兩杯中的餘滓倒在第三杯內，假裝有三個人在場，藉此欺人耳目罷了。是的，我的假設一定不會錯的。假使如此，那麼藉著這些小小跡象，卻把平常的事情變成非常的事情了。並且也可知勃拉根史得爾夫人和她女僕倆所說的話，完全都是謊言，一句也不能相信了。她們有意要隱瞞殺人的眞犯，我們必須不靠她們的說詞，自己去找出眞兇來，那就是我們的職務了。華生，到齊賽爾賀斯特的火車來了，我們回寺院莊去吧。」

寺院莊裡的人見我們去了又來，不勝詫異。但是霍普金已到總署去報告案情，歇洛克·福爾摩斯恰能獨佔著餐廳。他把門鎖上，專心搜索了兩個鐘頭。我像一個好奇的學生，跟著老師試驗化學物品，亦步亦趨地一同注意尋察。窗子、窗幔、地毯、椅子、繩子，各種東西，都細細查驗。那時，勳爵的屍體已被移走了，室中諸物都仍保留著，和早晨所見的一樣。我很詫異，因我瞧見福爾摩斯忽然站到爐架上去。在他的頭頂上有一條幾寸長，已斷了的紅繩，連在那鐵絲上，他審視了好久，然後用一膝靠在壁間支柱上，又伸手攀著那繩的斷處。最後他跳下地來，臉上現出滿意的笑容。

他說道：「華生，我的假設完全正確，我已尋到了頭緒。險些兒被她們所誤。現在我那捕犯人的鐵鍊，雖還欠缺少許，但幾乎已完全鑄成了。」我道：「你已知道行兇的人了嗎？」

「華生，兇手只有一人，但是個十分有力氣的人，眞像猛獅一般，你看他只用鐵箝一擊，就結束了勳爵性命。我推測這人身高六呎三吋，很敏捷，心思也很細密，夫人的話也是他所授意的。但他卻留給我們一個破綻呢。」「破綻在那呢？」

「華生，倘使你拉斷這鈴繩，它會在那裡斷掉呢？當然斷在和鐵絲連接的地方。現在爲什麼卻斷在繩尾三吋的地方呢？」「因爲那裡恰剛好朽壞，所以一拉就斷了。」

「不錯，這繩的一端，我們已看過是被破壞的。但是另一端並沒有壞，那人是用刀故意割斷的。你在這裡看不出，若站到爐架上去，便可很清楚地瞧見那繩是用刀割斷的，並不是朽壞了。可見那人切繩子，而不敢拉斷，是因爲怕鈴響會驚動他人。所以，他怎麼做呢？他便跳到爐架上把它割斷，但還有些攀不著，於是他把膝擱在支柱上，才以刀割斷鈴繩。你可看見支柱上的灰塵嗎？我的身體可算高了，但還有三吋的距離搆不到，那麼這人自然還要比我高出三吋左右。咦！你看那橡木椅座上的痕跡是什麼？」「血。」

「當然是血跡，我們可以推翻夫人的話了。如果行兇時，她是坐在椅子上的，那麼，這血跡只能濺到夫人的衣服上，而不會濺到椅座上。她一定是在她丈夫死了以後，才被綁在椅子上的。如果不信，只要一看夫人昨天穿的衣服，一定也有同樣的血跡。我們起初雖然被欺騙，險致失敗，但是到底得勝了。我現在要去見一見那個女僕姬瑞莎，探探她的口氣。」

這澳洲的女僕姬瑞莎，是一個很值得注意的人。起先她躊躇不肯說，後來經福爾摩斯和言悅色地誘導，她才肯開口。並且不隱瞞她怨恨主人一事。

她說道：「先生，我主人用鐵罐投擊過我，因爲我聽見主人痛罵夫人，我就忍不住對他說，若是夫人的長兄在，他一定不敢這樣狂悖。他聽了大怒，便將鐵罐擲到我的頭上。倘使他不欺凌我可愛的夫人，就算他擲一打鐵罐，我也不恨他。但他依然虐待他，夫人始終忍著，不肯告訴我。她臂上的傷痕也是他用別針扎傷的，那些痕跡，你也看見過了。這惡魔——上帝會原諒我說我主人的壞話的。幸虧他現在已經死了，不然他在世上一日，終是一個惡魔。我還記得在十八個月以前，我們初次和他相遇時，他還很和藹可親。但這十八個月彷彿像是十八年。我的夫人是第一次離家出遠門到倫敦來。爵士用他的封號和家產，以及倫敦人的氣派，來哄取我夫人的愛情。我想就是別的女子遇到了他，也會像我夫人這樣，一失足成千古恨的。讓我想想是幾時遇見他的。唉！我告訴你們，那是在我們剛到倫敦以後。我們是在前年六月到此的，和他見面是在七月。他們是在去年正月結婚。現在夫人正在樓上室中，她當然願和你們見面。但請你們不要再多問，煩擾她，因爲她的玉體還很虛弱呢。」

勃拉根史得爾夫人仍倚在那椅子裡，但氣

色比早上好了些。這女僕和我們一同進入，又拿了藥水幫她夫人擦拭眉間的傷痕。

夫人說道：「我望你們來，不是要再來盤問我的。」

福爾摩斯和聲答道：「勃拉根史得爾夫人，我們不敢多來煩勞你。我來是很願爲夫人效力的，因我知道夫人已很疲困了。若你當我是個朋友而信任我，你會相信我一定公平的處置你們的事。」她道：「你要我怎樣呢？」「請你告訴我實情吧。」「福爾摩斯先生，你怎麼說出這種話！」「不，不，勃拉根史得爾夫人，你這樣是沒有用的。你總該聽過我小有名氣。我已找出線索，證明你所告訴我們的話，都是虛言欺人。」

主僕兩人一聽這話，不禁面色都發白，呆呆地瞪著福爾摩斯。

姬瑞莎遂高聲叱道：「你眞是個厚顏無恥的人，你說夫人告訴你的都是假話嗎？」

福爾摩斯從椅子上站起身來，向夫人說道：「你沒有話對我說嗎？」「我都告訴你了。」「勃拉根史得爾夫人，請你再想一想。你不要後悔哦！」

夫人美麗的臉上，躊躇了一會，但仍毅然說道：「我所知道的，已完全告訴你了。」

福爾摩斯拿起他的禮帽，兩肩一聳，說道：「我覺得很可惜。」

他遂不再說什麼話，和我離開房間，走到外邊去。在園中有一個池塘，我的朋友走到那邊，見池水已結成冰，但有一個洞，可容一隻小鴨進出。福爾摩斯看了一會，然後走到門邊，草草寫了一張字條，交給了看門人，請他留給霍普金，接著和我一同出去。

他向我說道：「這事成功不成功，我也不能預料。但是我們第二次到這裡的情形，我並不想保密，一定要讓他知道，才不失我們的光明磊落。我想我們第二步要做的事，便是到英澳郵船公司走一趟。那是在鮑爾美街的盡頭，我應該還記得。」

我們到了那裡，福爾摩斯送進他的名片。公司裡的經理，便出來相見，把我們所問的事，一一向我們回答。我們才知在一八九五年六月時，只有一艘輪船從澳洲開來。船名叫做直布羅陀磐石號，是一隻最大最好的船。船客中曾有弗雷瑟小姐及她的女僕姬瑞莎。這船現在正開往蘇彝士運河以南的某處，預備回澳洲。船上的人員，沒有大調動，只換了一個船主。船主的姓名是傑克·葛洛克，現已升任貝斯洛克號船主。這船將開往南安普頓。他居住在西頓罕，今天早晨或許會到這裡來。但福爾摩斯此時不想和他見面，只想知道他的爲人。經理便講起他的爲人忠實可靠，並且又熱心任俠，他很有力氣，船上的人都很怕他。福爾摩斯聽了這些話，遂和我向經理告別，離開英澳郵船公司，坐車趕到蘇格蘭警場。但到了門口，他坐在車中，並不下車，他的眉毛皺了一皺，好似深思著什麼。後來就吩咐車夫轉到查林格洛斯電報局去，拍發了一個電報，然後就回到貝克街。

我們走進室中的時候，他道：「華生，現在我無法做決定了。因爲這案子如果破案，那人的性命，就無人可以救了。我假使把罪人的姓名宣布出來，那麼，我所做的行爲，反不如那罪人所做的事來得正當了。我現在寧可不遵守英國的法律，卻不願違背我的良心，所以情願放了他，並且還要知道一些確實的事情。」

那天薄暮時候，霍普金前來，他想緝捕阮達爾父子，卻不能得手。

霍普金說道：「福爾摩斯先生，我眞要相信你是仙人了。我時常想，你的智力實在不是平常人所有。你怎麼知道所丟掉的銀器會在水池裡呢？」福爾摩斯道：「我也不知道啊。」「但你教我到池裡檢查一下。」「那麼，你已搜到了嗎？」「是的，我都已找到，完全沒有遺失。」「我很高興能幫助你。」

「但你並不是幫助我。你反而把這件案情弄得更加模糊了。那裡有盜賊劫到了財物，卻反拋在最近的池子裡呢？」

「這眞是一種奇怪的行爲。如果那人的目的不是劫取這些東西，那他只不過藉此掩飾，所以，自然要急著把贓物丟掉了。」

「但是你的腦子裡，怎麼會想到這點呢？」

「哦，我想是這樣的。他們從法蘭西式的長窗出去時，那邊便是一個池塘，而冰上恰巧有一小洞，豈不是他們最好的藏物處呢？」

霍普金不禁呼道：「啊！這是一個最妙的藏物地方了！是的，是的，我現在明白了！他們行劫的時候還不算晚，路上的行人還多，所以，他們恐怕被人瞧見了贓物，就急忙沈進池裡，以後來拿就方便多了。妙啊，我的說法，勝過你的推論吧。」

「不錯，你得到很好的推論。我也承認我的假設是荒謬的。你可設法讓他們來潛取贓物，這樣，逮捕他們也更容易了。」

「是的，先生，是的。你雖然幫我，但我已受到很不幸的打擊了。」「怎樣？」「福爾摩斯先生，今天早晨阮達爾父子已在紐約被捕了。」

「咦！霍普金，這和你的想法牴觸了。可見他們並不曾在寺院莊犯過劫案。」

「這是我的不幸，福爾摩斯先生，這是我的大不幸。大概除了阮達爾父子，這裡還有父子三人的竊黨，是警局中人不知道的。」

「不錯，或許有那一回事。那麼，你打算怎麼辦？」

「福爾摩斯先生，此刻不是我休息的時候，我得先把這事徹底解決了才行。恐怕你沒有別的事可教我了。」「我已對你說過了。」「那一件事？」「就是我說過的這是一場騙局。」

「福爾摩斯先生，我始終不了解，爲什麼是這樣呢？」

「唉！那的確是一個問題。但我只不過把這想法告訴你，你自可盡力尋找，其中自有緣故的。你不在這裡和我們一同用餐嗎？好，再會，讓我們早些聽到你的好消息。」

晚餐之後，他坐在床上，把兩腳伸到熊熊的火爐邊取暖，他瞧著手錶，說道：「華生，我坐在這裡，等事情的新發展。」「什麼時候？」「就現在。我敢說你認爲我所做的對霍普金不利。」「我相信是這樣。」「華生，你答得很好，你總知道我所瞭解的是非官方的，而他所瞭解的是官方的。我可以私自處置我的事情，但他卻不能。他一定要明白揭穿，不然他便不忠於他的職務。這事我還有些不明瞭，不願立刻把罪人放到刑網裡去，所以我才謹慎不洩露，要等到我完全了解這案才決定。」我道：「但是幾時可以了解這案呢？」「時候到了，你將要看見這奇怪的最後一幕了。」

這時忽聽見樓梯上傳來腳步聲，室門開

了，走進一個英俊的少年。他身材高大，唇邊的小鬚是金黃色，碧眼隆鼻，黝黑的膚色，是被熱帶的陽光曬黑的。他的步履矯捷，足見他身子強壯而靈活。他把門關上，兩手緊按著胸前，一起一伏的，好似有許多遏止不住的情緒。

「請坐，葛洛克船主，你接到了我的電報嗎？」

我們的客人便坐在椅子上，很懷疑地看著我們。

「我接到你的電報，照著你所約的時間來了。我聽說你已到過警局，這事我也無須逃避。先從最壞的說起。你打算怎麼處置我。逮捕我嗎？你是個好人，快請你說出。你不能坐在那裡像貓捕老鼠般玩弄我啊。」

福爾摩斯說道：「請先吸一枝雪茄。葛洛克船主，請你安心吸煙，不要亂了你的情緒。若我把你當做和尋常的罪人一樣，我決不會在這裡和你一同吸煙。你要知道，在我們面前，儘可坦白說明實情，我們或可幫助你。但你假使欺騙我，我也就不能輕恕你了。」

「你要我怎樣做呢？」

「請你把前夜在寺院莊所做的事情老實告訴我——我要一個眞的事實，不要添一句，也不要少一句。大概的情形，我已略知，倘你有一句虛言，我就在窗邊吹警笛，立刻便可把你捉到警局裡去。」

這人想了一會，以他大而黝黑的手掌在他腿上拍了一下。

他說道：「我不妨說出來，我深信你的爲人和你的話是一致的。我把事情的經過告訴你吧。但我要先聲明。大丈夫行事，磊磊落落，我並不擔心什麼，畏懼什麼，且始終認爲我做的事情沒有什麼好慚愧的。那可惡的畜生，現在雖已死了，但假使他再復活，我仍會把他擊斃的。但瑪麗小姐——瑪麗・弗雷瑟——我誓不稱呼她夫家令人詛咒的名字。我一想起她的痛苦，眞恨不得犧牲了我的生命，以博她一笑。但我能做什麼呢？我會全部告訴你，請你想想我該做什麼。我從一開始說起。我和她相見的時候，她是船上的客人，我是直布羅陀磐石號船的大副。當我第一次看見她時，心中就產生無限的愛慕，以後更是與日俱增。甚至有幾次在黑夜裡，我跪下去親吻船板，因爲她親愛的足跡曾從那裡經過。她似乎不曾發覺我的愛，待我像平常一般。我也沒有一絲一毫怨恨，因爲我對她雖有愛情，但她對於我，完全是朋友的情誼。直到分別的時候，她仍是毫無牽掛的，但我卻情不自禁，心中想念不已了。我從海外第二次回來，聽說她已和人結婚了。她不該嫁給她心愛的人嗎？勳爵和資財自然也是她應當要得的。像她這樣美麗，當然沒有嫁給窮漢的道理。我並不爲她出嫁而悲傷，我不是那種自私的人。我很替她慶幸，她幸而不曾委身下嫁一個沒有錢的海員。這就是我多麼愛瑪麗・弗雷瑟的情形了。我也不想再和她見面。但是我最近航海歸來，我升做了新船主，一時新船未能下水，所以我同手下衆人在西頓罕迫留兩個星期。一天，我走在鄉野小徑時，忽和她的女僕姬瑞莎相見。她把她主人和夫人的事一起告訴了我。我聽了，幾乎要發狂。這醉漢連舐她足上的香履都不配，竟敢用手痛打她！後來我又和姬瑞莎見面，便想再和她相見。她不願再見我，恐怕給她的丈夫知道。但在前日我接到通知，知道我的船在這一星期就要開航了。我決定要在我離開這裡以前再和她見一面。姬瑞莎是常和我見面的，因爲她愛夫人而深恨那個惡狗，並對我表示著同情。我從她那裡得悉了屋中的情形。瑪麗常坐在樓下小室中看報讀書，前夜我潛到那邊，輕輕敲動窗戶，她起先見了我不肯開門，但我知道她心裡實在是愛我，斷不忍讓我一直站在嚴霜下的。她果然低聲敎我從那邊長窗裡進去。我如言走去，窗果然開著，我走進去，就一同坐著談話。她櫻唇裡發出的話語，使我聽了熱血如沸，不覺咒罵起那個惡漢，竟敢大肆蹂躪我心愛的玉人。先生，當我和她坐在窗邊談話時，心跡坦白，皇天可鑒的。不料尤司德斯竟像一個狂人一樣，衝進室來，向她罵最汚穢的話，舉起他手中的烏木棍，敲中她的臉。我那時也勃然大怒，就跳到爐架邊拿起鐵箝和他決鬥。請看我的肩膀，曾被他先擊一棍，我便用箝擊中了他的頭部，他就倒地而斃。你以爲我後悔嗎？一點也不！因爲不是他喪命，便是我的性命不保。不但這樣，這也與她的性命相關。我怎能棄下她，讓她受他的擺佈呢？這就是我殺死他的情形了。可是我做得不對嗎？倘使你們當中任何一個處在我的情境，會怎麼做呢？在她被棍擊的時候，曾發出叫聲，姬瑞莎聞聲走下樓來。在櫃上有一瓶酒，我便開了，倒一些酒在她的口中，因爲她突然受驚，幾乎發暈。我自己也喝了些。姬瑞莎很鎭定，她便和我商議，我們一定要裝做強徒刼殺的情形。我遂爬上去割斷了鈴繩，姬瑞莎告訴她的女主人該怎麼做。我遂將她綁在她的椅子上，又將繩子的一頭刮磨得像天然的一樣，否則人家定會疑心世上怎有這種盜匪，敢去割鈴繩了。我又取了一些銀器帶走，裝成盜劫的行爲。接著我和他們告別，吩咐他們在我走後一刻鐘左右，就可以報警。我把銀器抛在池裡，然後回到西頓罕，覺得在我一生中，做了一樁好事。這就是全部的眞相了。

福爾摩斯先生，你是不是要我殺人償命？」

福爾摩斯吸著煙，沈默了許久，便走過來和我們的來客握手。

他說道：「和我的料想差不多。我知道你的話都是眞的，我沒有不明白的地方。除了善於跳高的人，或是航海家，沒有人能跳到那支柱上去割鈴繩的。除了水手以外，更沒有人能打這種結在椅子上的。而夫人只有一次和海員接觸的機會，那便是在她航海到此的航程中。而且我知道這人必然和她的一生有關係。因爲她肯這樣爲他掩飾，也足顯出她對他的感情。你知道我一旦找出這個線索，就很容易把你找到了。」

「我曾以爲，那些警察決不會看出我們的計謀的。」

「這些警察都不知道。他們也不會相信我所知道的。現在，葛洛克先生。我雖然很相信你的舉動，是因爲一時的難堪，起了極端的憤怒，他人也能原諒你的，但這究竟是一件重大的案子。我不敢肯定你的舉動雖出於自衛，在法律上是否可以赦免。這一點應由英國法庭定奪的。同時我對你深表同情，但假使你在二十四小時內逃走，我保證沒有人妨礙你。」

「那麼我走了以後，事情便會明白宣布出來嗎？」「當然會宣布出來的。」

他臉上不禁產生一種義憤的形色道：「這是什麼提議，是男子漢該做的嗎？我知道法律上必定會認爲瑪麗是同謀。你想我能讓她一人受罪，而我逍遙法外嗎？先生，我決不會這麼做的，他們把我怎麼辦便是。但是福爾摩斯先生，看在上帝的份上，請你想些法兒。可以救免瑪麗的罪。」

福爾摩斯第二次伸出手來和他握手道：「我不過試試你罷了，你實在是個有擔當的大丈夫。此事我願完全負責。我已給霍普金很好的指示了。他能不能辦理，我不管他。葛洛克船主，我們在此可以用另一種的法律來解決。你是罪人，華生，你當英國的陪審官，你當陪審員最適合了。我是審判官，現在你的陪審官已聽了這些證據，你覺得這罪人是有罪，還是無罪？」我道：「無罪。」

「葛洛克船主，你沒有罪，可以被釋放了，此後法律如果沒有找到什麼受害者，我便保證你的安全。一年後你可以回來和那可憐的婦女相見。也希望你和她的將來，能不負我今夜的宣判。」

第二血跡（原名 The Second Stain）

我常把我友福爾摩斯先生的探案寫出來，貢獻給社會。但自從記了「情天一俠」一案後，已久不握筆了。這並不是因爲缺乏資料的緣故，也不是因爲讀者減少了興趣，實在是因爲福爾摩斯對於繼續披露他的探案，一時猶豫不決，不肯讓我介紹出來。以前他因探案成功，聲望大增。但他現在離開倫敦，到蘇薩克斯的荒村中去休養，閒暇時養養蜜蜂，以爲消遣，所以不願把他的大名傳揚出來。我曾向他請求，要把我以前允諾讀者，到了可以發表的時候，務必踐言發表的「第二血跡」一案公諸於世，最後終於得到他的應許，把這件保守了很久的祕密案件公諸同好。但案中若有細節不清楚之處，要請讀者原諒。這是因爲我不得不守祕的緣故。

在某年（大概有十年了）秋天的星期二早晨，有兩個貴客到我們貝克街卑陋的小屋裡來，一個是長得高鼻鷹眼，容貌嚴肅的人，他正是赫赫有名的首相貝林格，做過兩任英國內閣總理。還有一個膚色稍黑，相貌清秀，顯出他閱歷豐富，他就是外交部祕書泰藍勞納·霍伯。他在英國是很有名的政治家。他們並坐在一張長椅上。從他們急切而頹喪的面容上看去，便可知道一定爲了什麼重大的事，才讓他們到這裡來的。首相那雙露出青筋的手，緊握著一柄洋傘的象牙柄頭。他嚴肅的容貌帶著一種陰沉之氣。那位祕書長捻著短小的唇鬚，一手還弄著他錶鍊上的錶墜。

那祕書長道：「福爾摩斯先生，當我今晨八點發現東西掉了之後，我立刻稟知了首相，首相意欲到此求助，所以我們兩人就到你家中來了。」福爾摩斯道：「你們可曾報警嗎？」

首相很敏捷地答道：「先生，我們並不曾報警。我們不想這樣做。我們假使去報警，就無異宣告世人這個秘密了。這一點是我們特別要避免的。」「爲什麼呢？」「因爲這封信很重要。假使洩漏出去，那就會使全歐洲陷入紛亂的局面中。或許這時已不幸披露了，也未可知。和平與戰爭全關係著這一張紙。此張紙假使不能追回，現在雖未公布，戰事卻可能難以避免。因爲竊取這封信的人的目的，就是要大家知道這件事的。」

「我知道了。霍伯先生。我很希望你告訴我，這封信是怎樣弄丟的。」

「福爾摩斯先生，這是幾句話可以講明的。那是封外國君主寫來的信，我們在六天前才接到。因爲這是很重要的信，所以平常我都把它帶在身邊，片刻不離，到了夜裡，便帶到白廳我的寓裡，放在我寢室中的一個文件箱裡。昨夜我進晚餐的時候，的確還在那裡，因爲我那時曾開過箱子，見信安然在內。但今天早晨卻沒了。這文件箱整夜放在我梳妝檯上的鏡子旁，我和我的妻子都是睡眠很淺的人。我們兩人可以發誓，昨夜沒有別的人到我們房裡來的。但這一封信卻眞的不見了。」

福爾摩斯道：「你在什麼時候進餐？」「七點半鐘。」「離你睡時多久呢？」「我因妻子昨夜到外面看戲，所以坐在外屋等她。等到我們回寢室睡覺的時候，已經十一點半了。」「那麼，有四個鐘頭的時間，那文件箱可是沒有人看守的？」

霍伯道：「除了早晨女傭進來灑掃，以及我們有時傳喚我的僕人，或我的妻子的女婢外，沒有人可以無故到我的寢室裡來的。他們又都是很忠心的僕人，服侍我們很久了。並且他們之中也沒有人知道這個放置普通公文的文件箱會有這麼重大的東西。」福爾摩斯道：「可有什麼人知道你放這封信在箱內呢？」「我家中沒有人知道的。」「你的夫人總知道吧？」「先生，她也不知道，我不曾向她提起。一直到今晨那封信丟了，才告訴她的。」

首相聽了，點了點頭，很讚許的樣子。他說道：「我一向知道你忠於你的職務。你能這樣嚴守祕密，連家中最親近的人也不讓她知道，眞是使我佩服。」

祕書長霍伯鞠躬答道：「承蒙您過獎，我非常慚愧。在今天早上以前，我絕沒有把這件事向我的妻子說過。」福爾摩斯道：「她可能猜得到嗎？」「不會的，福爾摩斯先生。她決不可能猜到這件事。並且也沒有別人能猜到這件事的。」「你以前可曾丟掉過文件呢？」「先生，沒有。」「在英國可有別人知道這封信的存在呢？」「內閣的閣員都在昨天才知道，但內閣會議時，首相都愼重囑咐他們嚴守祕密，他們那裡還敢洩漏。天啊！誰想到我會在這幾個鐘頭裡，把它弄丟了呢！」他的臉上頓時露出一種失望的樣子，用手搔著頭。但不久，他尊貴的容貌和溫柔的聲音都回復了原狀。他繼續說道：「閣員以外，部裡還有兩三個人知道這件事。福爾摩斯先生，我敢擔保，除此以外，在英國就沒有人知道了。」「但在國外呢？」「我相信除了寫信的人外，國外也沒有人會知道。

而且他也不是透過他的使臣發信的。」

福爾摩斯想了片刻，遂問道：「現在我要請問這是一封怎麼樣的信呢？爲什麼丟了影響這麼大？」

這兩個政治家彼此很快地看了一眼。那首相稀鬆的眉毛頓時緊蹙了一下。

「福爾摩斯先生，這信的信封是長方形的，很薄，淺藍色的，上面有火漆印，有一隻獅子蹲伏的形狀。這信封上的字跡很有力……」

福爾摩斯說道：「我想這些瑣碎的事，恐怕也是重要且值得注意的。但我想知道的是這件事的根由，也就是這信的內容究竟是什麼？」

「是關於政治上的祕密，關係重大，我恐怕不能告訴你，並且也不必一定要告知你的。假使靠著你的能力，能夠找到像我說的那件東西，便是爲國效勞。而且我當不吝重酬獎賞你。」

福爾摩斯遂笑著起身，說道：「你們兩位是大忙人。但我也很忙，常有許多人來拜訪。我很抱歉，不能幫你們的忙。若這樣繼續下去，也是白費光陰的。」

這首相把腳一蹬，站起來，以一種又敏捷又威猛，平日足夠鎮懾議員的目光瞧著我們。他說道：「我是不慣……」但又縮住了，極力遏制怒氣，重坐到椅子中。我們都坐著靜默了一刻。這老成的政治家聳了一聳他的肩。

他說道：「福爾摩斯先生，我們一定接受你的美意。你的話沒錯。我們若不信任你，卻要你代我們出力，這是沒道理的。」

霍伯也接著說道：「首相的話和我的意思相同。」

「我深信你和你的朋友華生醫生都是可敬的人。我也懇求你，爲了國家的利益，代我竭力把這件事辦好。因爲若讓這封信披露出來，國家將陷入萬劫不復的境地。」「請你們放心地託付我們。」

「這封信是某國元首送來的。他見我國殖民地最近很發達，所以生了嫉妒之心，前來無理取鬧。這信完全是他自己寫的，並且很急地發出，他的臣下也不知道。信語中語句狂悖，含有挑釁的意味。若是一經宣布，會使我國陷入危險的處境。我可以確定地說，這信宣布後一星期，我國必將捲入大戰的漩渦裡去。」

福爾摩斯在一張小紙上，寫下一個名字，拿給首相。

首相點頭道：「不錯，正是此人。這封信無異關係到幾十萬生命和幾百萬金錢的犧牲，不料竟丟了。」福爾摩斯道：「你可曾答覆發信的人呢？」「是的，先生，我們已發給他一個密電了。」「或許他希望這信能夠宣布出來。」「先生，他不會的。我們有充分的理由可以相信，他已覺悟到他所做的事情是不智的，且是出於一時的急躁。倘使這封信宣布之後，對於他和他的國家，會比對我們有更大的不利。」

「倘若是這樣，這封信宣布後會對誰有利呢？爲什麼有人要偷走呢？」

「福爾摩斯先生，這關係到國際局勢。你若想到歐洲的大局，便不難明白了。現在的歐洲大陸實在是一個武裝的營壘。其中可分成兩派，兩派都勢均力敵。我大不列顛保持中立，維持兩端的平衡。倘使我國被逼和其中一個聯盟國家開戰，那麼，必然會使另一個聯盟占優勢，這樣你知道嚴重性了嗎？」

「很明白了。這封信的公布，對於那個發信元首的敵國很有利，可以挑起兩國的戰端。」

「先生，不錯。」

「倘若這封信落在敵人手裡，會把它交給誰呢？」

「送給歐洲任何一個有勢力的國家，便成功了。現在這封信恐怕已快要到那邊去了。」

霍伯先生聽了這話，頭垂至胸前，很大聲地嘆了一口氣。首相用手輕輕拍著他的肩說道：「我親愛的朋友，這是你的不幸，沒有人能夠責備你疏忽的。誰能防到這一著呢。福爾摩斯先生，現在這件事想來你都明白了。你有什麼見教呢？」

福爾摩斯微微搖頭，帶著憂愁的樣子道：「首相，你認為這封信若不能找回來，戰事是一定難免了。」首相道：「我想是的。」「首相，那麼，請你預備打仗吧。」「福爾摩斯先生這事談何容易！」「首相，想來這東西不會在那夜十一點鐘之後遺失。因為我知道霍伯先生與他的夫人從那時候起，直到事發為止，都在室中。那麼，必在昨晚七點鐘到十一點鐘的時候，甚至是在七點過一點的時候丟的。因為盜竊的人既已知道那物件在那裡，當然愈早偷走愈妙。試想倘使像這樣重要的文件在那時被拿走，現在應該到那裡了？沒有人會留著的。這封信早已到了那想得的人手中了。現在還有什麼機會找回？這確實不是我們能力所及了。」

首相從椅子裡站起身來，說道：「福爾摩斯先生，你所說的的確合情合理。我覺得我們的確無能為力了。」

「讓我來想一下。這封信如果是被女傭竊去，或許是男僕……」

霍伯連忙說道：「他們都是多年忠心的僕人，決不會做這種事的。」

「我聽你說過，你的起居室是在二樓，若有人進出，必會被看見的。此外又沒有別的路，可想而知這事必是屋中的人所爲了。這人竊到信之後，會交給誰呢？自然是送給國際間諜，或是做祕密買賣的人了。這些人的姓名我都很熟悉。有三個人可算是主腦人物。我要一處一處地去探訪，看他們是不是都在家。倘使有一個人已經失蹤，或許就是在那一夜出去的，我們便可得到一些端倪，知道這封信是到那裡去了。」

那祕書長說道：「他爲什麼要出走呢？他儘可把這東西送給在倫敦的大使。」

「我想不會的。這些人都是獨立進行工作的，他們和使館不通聲氣。」

首相又點點頭道：「福爾摩斯先生，我想你的話是對的。那人當然要自己去獻上這個有價值的東西，以便得到重賞。現在我把這事全權委託你。我們若發現什麼事情，當再告訴你，我們也希望能早一點聽到你的佳音。霍伯，我們還有許多重要的事情要辦，不能因這件不幸的事，而荒廢責任啊！」

這兩個大政治家遂向我們道別。

我們的貴客走後，福爾摩斯不言不語，點燃煙斗吸煙。靜坐了一刻，好似正在沉思。我遂展開晨報，忽見報上記載著一節殺人新聞，就在昨夜，發生於倫敦。這時我友忽然躍起身來，嘆了一口氣，把煙斗放在火爐架上。

他說道：「是的，沒有什麼妙法可以挽回了。這事已處於岌岌可危的情況，可是還不至絕無希望。假使現在我們知道是什麼人盜取信件，或許這東西還沒有離開他的手中，那麼，只要有錢，就可以購回。還好英國國庫可以做我們的後盾，所以我想最好的一著，就是設法去買回來。那人也不過是想賣得高價，只要出價一多，一定可以買到的。這裡只有三個人有這膽量敢做這種買賣。一個是歐勃斯坦，一個是雷羅德，還有一個是艾邱多・魯克司，我都要去看看他們。」

我向晨報上看了一看，說道：「可是住在高道芬街的艾邱多・魯克司嗎？」「是的。」我道：「你見不到他的面了。」「爲什麼呢？」「昨夜他在自己的屋裡被人暗殺了。」

以前我們在偵探案情時，我友出言，往往會讓我驚奇。現在我覺得很高興，因爲我竟也能讓他聽了我的話後感到驚奇。他對我驚訝地看了一看，遂從我手裡把報紙奪去。這段新聞便是：

「西敏寺謀殺案

昨夜高道芬街十六號發生離奇謀殺案。此屋是十八世紀的舊式建築，面對著西敏寺教堂，後臨泰晤士河，在國會鐘樓的旁邊。屋主是艾邱多・魯克司先生，他平易近人，很受歡迎。並且時常到劇場裡客串，歌聲嘹亮，常常獲得人們的讚揚。魯克司先生三十四歲，獨身，家中只有管家婦波林葛耳太太和一個男僕密敦。昨夜，管家婦很早就到樓上安寢，男僕也在晚上到哈滿司密去探訪朋友。所以十點鐘後，家中只有魯克司先生一人。那時他所做何事，沒有人能知道。但在十一點三刻，警察巴來特經過高道芬街時，見十六號的門半開半掩，他遂敲門，但裡面沒有人回答，只見燈光從前室射出。他就推開大門進去，一直走到室中。見室內亂七八糟。一隻椅子翻倒在地上，椅子旁邊橫倒著一具屍體，就是那個屋主。他一手還握住椅腳，胸口被刀所刺，已死亡。有一把刀抛在一邊，是一柄彎曲的印度匕首，這刀本是掛在室中的牆壁上。用來當裝飾的一種東方武器，卻被兇手取下來利用。但這案子不像是盜劫，因爲室中所有的貴重物件都沒有遺失。魯克司先生交遊很廣，因此和他相識的人知道了這個不幸的消息，都非常惋惜。」

福爾摩斯讀完了這段新聞，靜默良久，然後問我：「華生，你認爲這事怎樣呢？」「不過是偶然巧合罷了。」

「偶然巧合嗎？我所說的三個人物都可能是這一齣戲中的演員。我們要知道，這戲正在上演，他卻『恰巧』被人謀殺了。天底下那有這麼巧的事。華生，不是的。這兩件事是相連的——一定有連帶的關係。我們只要去找出相關的線索，就好著手了。」「但現在警局的人一定都知道了。」

「不見得吧。他們所知道的只有高道芬街的一幕，他們還不明白在白廳發生的那一件事。只有我們知道這兩件事，可以去偵查其中的關連。有一點讓我很懷疑魯克司，因爲西敏寺區的高道芬街和白廳相距不遠，最爲便利，至於其他兩個祕密買賣的人都住在西區，距離很遠。只要魯克司和祕書長的家人串通好，最容易拿到這東西的，東西雖小，其中的利害關係卻很大。咦！誰來了？」

哈德遜太太走進來，手裡托著一隻盤子，盤裡放著一張婦女用的名片。福爾摩斯接了一看，他的眉毛不覺向上一揚，把名片拿給我。他道：「她既然願來求見，就去請喜爾達·泰藍勞納·霍伯夫人進來好了。」

我們的小屋，在早晨已有兩位貴客光臨，

現在，我們更覺得蓬壁生輝，十分榮幸，那位在倫敦最有名的美人，竟也踏進了我們屋內。她是貝爾敏斯特公爵的幼女。我常聽人說起她的美貌，可惜無緣和她相見，今天卻能一睹芳姿，何等榮幸。但我一見她，發現她端莊的面容裡充滿了恐懼。她粉頰慘白，朱唇褪色，雙眸也露出異光，所以她進來時，平常的美麗都被恐懼所掩蔽了。

「福爾摩斯先生，我的丈夫到過這裡嗎？」「是的，夫人，他曾來過的。」「福爾摩斯先生，我請你不要告訴他，我到你這裡來過。」

福爾摩斯向她鞠躬為禮，指著一張椅子請她坐下。說道：「承蒙夫人下顧，我們非常榮幸。請你坐下，然後再告訴我。假使有需相助的地方，我們都願意出力。但若沒有充分理由的事，卻恕我不能順從。」

她遂走過去，背向著窗坐下，儀態非常優美，說道：「福爾摩斯先生，」她說的時候，兩隻套著白手套的手一會兒緊握，一會兒放開，好似很焦急的樣子。「我將明白奉告，願你也明白答覆我。我和我的丈夫非常恩愛，大家推心置腹，無事隱瞞。只有一種事情他不肯給我知道，那就是政治上的事。現在我才知道，昨夜在我家發生了一件不幸的事。我知道有一封信丟了。但因這封信是政治上的祕密，我的丈夫始終不肯向我表明。現在我希望這件事要給我知道才好。但是除了他以外，只有你明白這事的內容。福爾摩斯先生，請你告訴我這事的經過情形和利害關係。請你完全告訴我。福爾摩斯先生，你不要因為我的丈夫囑你守祕而回絕我。我告訴你，假使這事讓我知道，對他多少也有一些益處。那丟掉的信究竟是什麼呢？」「夫人，你要求我的事，眞使我爲難。」她嘆了一口氣，以雙手掩著嬌容，不覺哭了起來。

「夫人，你當明白。假使你丈夫認爲這事不該讓你知道，我基於職業上的本分，也應代人保守祕密。我豈可把他告訴我的事向你洩露呢？你最好不要問起這事。否則請你自己去問他吧。」

「我已問過他了。我到你這裡來，也是萬不得已。但你既然不能告訴我，我也沒有辦法。福爾摩斯先生，不過要請你在一些小事上給我一些指示。」

「夫人，你要詢問什麼？」「我丈夫在政治上的地位，會不會因此而動搖？」「夫人，這信若不能拿回來，自然會受很大的影響。」「唉！」她的嘆氣，好似她的疑惑已解決了。

「還有一個問題，在我丈夫丟掉這東西的時候，他非常驚惶。我猜這信丟了，會讓國家有可怕的損失。是不是呢？」福爾摩斯道：「假使他這樣說過，我也不必隱諱。」「那麼，到底是什麼事呢？」「夫人，這我又不能回答你了！」

「那麼，我也不必再耗費你的時間了。福爾摩斯先生，你不能告訴我這事的祕密，我也不責備你，但請你不要認爲我來此有什麼不好的意思。我雖瞞了他來，只因爲我想分擔他的憂愁，當然急於明白眞相。因此，也請你不要讓他知道我到這裡來過。」她遂向我們告別。走到門邊，回眸一顧。我見她美麗的臉上，眼光震驚，臉色泛白，非常憔悴可憐。

福爾摩斯見她走遠了，遂笑著說道：「華生，你善於觀察婦女的。現在可知她到這裡來做什麼？她眞的要什麼？」我道：「她說得很明白。她的憂愁也是自然的。」「唔！華生，你應想想她的面容和態度都帶著驚恐的神情，然後又不斷地提出問題。你要記得她的出身，那是個不輕易流露感情的社會階層。」我道：「發生了這事，她當然要失卻常度了。」「你也要記得她異常懇切地說，她應當知道這件事，因爲可以讓她丈夫得到益處。她說這句話是什麼意思呢？華生你也該注意她背光而坐，表示她不想讓人察見她的表情。」「是的，她特地揀中這椅子坐的。」「她來此的主因仍使人難測。你當記得瑪凱特一案，我也因那婦人鼻上沒有擦粉而得到線索，遂能探破案情，你怎能輕忽呢？一些看似瑣碎的事情，反而關係重大。許多殺人案件是在細微處發現關鍵的，全靠我們的觀察力罷了。華生，早安。」我道：「你要出去嗎？」「是的，我要到高道芬街走一趟。我必須要去看看魯克司的死狀，或許我心中的懸疑可早一點解決。我自認還沒有什麼具體證據，因此不願多說空言。華生我友，請你在這裡守著，有什麼客人來，請你代我招待。倘使我來得及，當回來和你一同進餐。」

那天以後，一天一天的過去，福爾摩斯總是默然無言，時出時回。有時猛吸著煙，沉沉深思，連進食也不照時間。我問他的話，他也沒什麼一定的回答。由這些情形可看出他的探案沒有什麼進展。他並不向我提起這件事。我卻從報紙上得到一些消息，知道那死者的僕人約翰．密敦曾被警局逮捕，但因爲沒有什麼具體證據，所以隨即被釋放。只是兇手仍不知道是誰。死者室中的很多貴重物件都沒有被竊。死者所有的函件都經過審查，也無損失。只知道死者生前專門研究國際政治，人很健談，熟諳各國的語言，交遊很廣，往來的信札很多。他曾和幾國的政治家深交。他抽屜中的許多函件裡並沒有什麼特別的發現。他認識很多女人，但女朋友很少，沒有一個是他愛戀者。他的生活很規律，也沒與人結怨。所以被暗殺的原因實在神祕莫測。

約翰．密敦的被捕，並沒有什麼充分的證據可以懷疑他，只可算是無聊的舉動。他在那夜曾到哈滿司密訪友，證據明確。但他從朋友處動身回家的時間，還不算晚，照理應在他主人被殺的時間之前到家，因爲路途不遠，不應有太多耽擱。他卻說那夜天氣很好，所以他一路上玩賞風景，回家就稍遲了。等他回到家中，已十二點了。他一見主人被刺，非常悲傷，因爲他們主僕的感情很好。在他的箱子中被搜出一把剃刀，是主人的東西。他辯說這是主人生前賞給他的，並且有管家婦證明他並非撒謊。密敦受主人的雇用已有三年了。最值得注意的一點，便是魯克司始終不曾帶他去過歐洲大陸。有時魯克司到巴黎去，三個月不歸，密敦都留在高道芬街的老屋中，代管門戶。還有那管家婦，在那夜也沒有聽見什麼聲音。因爲若有朋友來看她的主人，儘可以直接進出，用不著她通報的。

這樣過了三天，我讀報紙，知道這案子仍沒有進展。福爾摩斯口裡雖不說什麼，我知道他總有些線索，因他告訴我說警長雷斯特拉也把這事委託他協助。在第四天，忽從巴黎來了一個長電。算是讓這案情明朗了些。那電報登在「每日電訊報」上，說道：

「巴黎警方發現一件事情，可讓上星期一高道芬街發生的命案疑雲盡去。讀者該記得魯克司是在自己屋內被人暗殺。雖有人懷疑他的男僕涉案，因此將這僕人逮捕，但因沒有確實證據，所以隨即被釋放。不過此案始終無法解決。昨天有一位亨利・福諾伊夫人的僕人向巴黎警方報案，說她的主人忽然瘋了。福諾伊夫人住在巴黎奧地利街的一所小屋內。經警局派人查驗，她的病確實已很嚴重，恐怕難以治癒。經過多方偵問，才知亨利・福諾伊夫人上星期二剛從倫敦回來，和西敏寺區的命案關係密切。因為警方拿米歐・亨利・福諾伊的照片和艾邱多・魯克司的照片兩相比較，發現二人原來是同一人。他所以分住在倫郭和巴黎兩處，其中自有原因。米歐・福諾伊是一個在美洲長大的歐洲人。以前他很恨他妻子善妒，使他不安，或許因此使他避居倫敦。至於福諾伊夫人，在上星期一夜裡，沒有人知道他的行蹤。但星期二早晨，有人在查林格洛斯車站瞧見她舉止異常，很像發瘋的樣子，所以更引人注意了。一般認為她或許是在精神病發時前去行兇，或許她受了很大的刺激，遂病發，讓她失去常態。現在她無法說出事情的經過。醫生說她的病很難痊癒了。此外，有目擊證人指出，上星期一晚上曾見一婦女在高道芬街死者的屋房附近徘徊很久。據瞭解就是這一位福諾伊夫人。」

我把這報告讀得很大聲。那時我的朋友已吃完早飯，我便問他道：「福爾摩斯，你對於這事有什麼意見？」

他從椅子邊站起身來，在室中走來走去，說道：「我的好友華生，想你也忍耐好久了。前三天我好像不告訴你什麼，因為其實並沒有可說的事。現在雖然有這個電報從巴黎傳來，對我們也沒什麼幫助。」

「與魯克司的死應該有關。」

「這人的生死是小事。我們所要找的是這一封信，它可以避免一場歐洲的大災難。在過去的三天中，只有一件事，便是沒有消息，沒有什麼動作。我差不多每隔一小時都會接到政府的報告，歐洲各處並沒有動亂發生。假使這封信已流落國外——不，決不會出國的——但是若不曾出國，那東西現在在那裡呢？在誰的手中呢？爲什麼不揭露呢？這是盤旋在我腦中的一個大問題。難道魯克司那夜被殺，和丟掉的信眞的沒有關係嗎？不知這封信可曾到他的手中？倘使被他得到，那麼，在他的函件裡，怎麼會沒有呢？我要如何自己去搜尋，而不被警察懷疑？華生，法律也有使人爲難的時候。大家都知道事態嚴重，我們若能成功，對於人民是大大有益的。我也希望這件事能因我而得到好的結果，那眞是我莫大的榮耀。咦！又是什麼消息來了！」此時，有一封信遞到，福爾摩斯拆開，略一展視，說道：「雷斯特拉好像又有什麼新奇的事了。華生，請你戴上帽子，我們可以一同到西敏寺區去。」

高道芬街我還是第一次去。那房子高而狹長，灰色的牆壁，形式已舊。我們走進去時，見雷斯特拉的警犬正在窗前對我們獰視著。有一個警察開門，引我們進去和雷斯特拉相見。我們到魯克司室中察看時，見屍體已經移走，一切物件也都已安放原處，只留下地毯上的一個血跡。這地毯鋪在室中，是小方形的，並不寬大。地毯邊的地板是方形，形式雖舊，但很精美，光可鑑人。在火爐架上，陳列著各種武器的擺飾，其中一件便是在那夜的悲劇中用過的。在窗邊有一張很好的寫字檯。室中的許多物件都很奢華，像是貴族的住處。

雷斯特拉問道：「巴黎的消息，可看過了嗎？」福爾摩斯點點頭。

雷斯特拉說道：「我們的法國朋友這次似乎說中了。他們所說的很有道理。當福諾伊夫人去找魯克司時。我猜想魯克司一定很驚訝，因他特地瞞著她住在這裡，沒想到她會來。但那時勢不能拒絕她，只好讓她進門。她就告訴他怎樣追尋到此，不斷責備他。他們漸漸起了衝突，遂演出這齣兇殺案來了。看到室中凌亂的情狀，可知兩人必曾爭鬥多時。死者臨死時，還握著椅子腳，分明是想要拿來抵抗用的。此事好像我們親眼所見，很清楚了。」

福爾摩斯睜大了眼睛，說道：「你教我來做什麼呢？」「不錯，還有一件小事，我想你會願意研究的。雖是小事，卻也很稀奇。」福爾摩斯道：「是什麼事？」「你該知道我們自從案發以後，日夜都有人看守，以免東西被搬動。但在今晨屍體抬去掩埋後，室中也已察驗過，所以注意稍鬆懈些。但你看這地毯，並沒釘牢在地板上，只是鋪在上面。我們偶然看見……」「看見什麼呢？」福爾摩斯的臉上似乎有些不耐。

雷斯特拉道：「我敢說這事你一百年也猜不到的。你看見地毯上的血跡了嗎？這血跡很大，那豈不是要浸透地毯呢？」福爾摩斯道：「那是自然的。」「你聽了我的話，必要奇怪。因爲地板上與此血跡相應處並沒有血跡。」「沒有血跡嗎！但一定……」「你一定會說有的，但地板上的確沒有血跡。」

他揭起地毯來，果見地板上沒有血跡。他所說的一點也不錯。

「這地毯的反面也已浸透，論勢一定有痕跡留下的。」

雷斯特拉很得意地笑著，似覺得他今天竟然難倒了有名的偵探家了。

他道：「但我要給你看，那邊還有第二處血跡，和第一塊的位置不同。請你自己看吧。」他說時，把地毯的另一角掀起，果見地板上又有一處血跡。又問道：「福爾摩斯，你對那血跡有何意見？」

「這很簡單，這兩個血跡本是一起的，只不過地毯有人移動過罷了。這地毯是正方形的，且沒釘牢，是很容易移動的。」

「福爾摩斯先生，這個道理我們也不用你解說。因地毯上的血跡，和那個在地板上的血跡，放上去一比，便知是同一地方的。但我要知道的就是有什麼人來移動這地毯，並且爲了什麼？」

我從福爾摩斯臉上的表情看出他很激動。

福爾摩斯道：「雷斯特拉，守門的警察可是一直守在此地的呢？」「是的。」

「請你聽我的話，仔細問問他。不要在我們面前發問，你可帶他到後面去問。我們不妨在這裡等。你可問他怎敢私自放人進來，又讓那人獨在室中。不要問他可有人來。只告訴他，你已知道有人到過室裡了。你要用嚴厲的話恫嚇他，這樣，他就不敢不說了。你須告訴他，他若能認罪且完全說實話，才能得到原諒。請你照我所說的話去做吧。」

雷斯特拉大聲說道：「假使他果真知道，我必要查問出來。」他遂奔到外面。不久，便聽見他威嚇的聲音從後頭傳來。

福爾摩斯這時精神亢奮，向我說道：「華

生，快來。」他很興奮地把地毯掀起，屈著膝跪在地上，試圖抓起每塊方形的地板，果然有塊地板動了，他把它挖起，便露出一個洞。福爾摩斯連忙伸手進去掏摸。但他臉上頓時現出失望的表情，因爲裡面已經空了。他道：「華生，快點，快點放好吧。」

他把那方形的地板挖起，便露出一個洞。

他急忙把這方形的木蓋放好，地毯才剛鋪直，雷斯特拉已走進來了。

福爾摩斯很疲倦地靠在火爐架上，忍不住打了個呵欠。

「福爾摩斯先生，我很抱歉，有勞久待了。我知道你爲了這件事也很疲倦了。現在他已完全承認。麥克佛生，進來，將你不可寬恕的事情講給這兩位先生聽。」

那警察走進室內，臉上顯出很後悔的樣子。

「先生，我以爲這事沒有什麼妨礙的。前晚有個年輕女子走到門前。她是迷路到此的。我因守了一天，非常寂寞，我們遂彼此談了話。」

「那麼，之後有什麼事呢？」

「她稱說在報紙上看到這裡的殺人案，想要順便來看看，增廣些見聞。她的外表是一個有禮貌的年輕婦女，所以我覺得讓她進來看看也沒有什麼妨礙。當她走進室中時，見了地毯上的血跡，忽然暈倒在地。我連忙去取些冷水來，灑在她的臉上，但仍不能讓她甦醒，我遂又到對街的常春藤酒店裡買了一些白蘭地酒回來，但那時那婦人已不見了。我想她必是自己醒過來，覺得慚愧，所以就走了。」

「地毯怎麼會移動呢？」

「先生，我回來的時候，見地毯已皺，我想因爲那婦人曾跌在上面，這地毯又鋪在光滑的地板上，沒有釘牢，所以很容易皺。後來是我把它拉直的。」

雷斯特拉帶著怒氣，說道：「麥克佛生，這是給你的一個教訓，讓你知道凡事不能矇蔽我。你一定認爲你的失職決不會被覺察，但我只要一看室中的地毯，便知這裡有人來過了。幸虧沒有什麼東西損失，也算你好運，不然，你必定要被革職，以後你當格外謹慎。福爾摩斯先生，我爲了這一些小事，又勞二位長途跋涉，非常抱歉，因爲我起初以爲那第二處的血跡也許有別的線索值得研究。」

「是很有意思的。麥克佛生警察，這婦人可是只來過一次呢？」「是的，先生，她只來過一次。」

「你可知道她是誰嗎？」「先生，我不知道她的姓名。她本來是要去應徵打字，弄錯了地址，才到這裡來看看命案的，她是一位美麗溫文的少婦。」

「可是身材窈窕，丰姿綽約呢？」「先生，是的，她非常美麗。她來的時候，對我說：『警察先生，請讓我進去瞧一瞧，好嗎？』她的態度柔媚，使我不忍拒絕，並且認爲給她進去一看，也沒有什麼妨礙的。」

「她身上穿什麼衣服？」「先生，她穿著很長的外衣，直拖到腳上。」「她在什麼時候來的？」「剛好天黑的時候。我買了白蘭地酒回來時，家家戶戶都點燈了。」

福爾摩斯說道：「很好，華生，走吧。我想我們還有別的要事辦呢。」

我們和雷斯特拉告別，走出室時，他還留在室中。這警察過來替我們開門，福爾摩斯忽然轉身站定，手中拿了一件東西給他看，這警察很注意地一看。

他臉上頓時現出驚訝的表情，喊道：「咦，先生！」

福爾摩斯忙以手指按在自己嘴唇上，意思是要他不要聲張，然後又把手重放到胸前的口袋裡，與我轉身便走。他到了街上，不覺大笑。他說道：「妙啊！華生，這一齣戲可說已到最後一幕了。戰爭不會發生了，祕書長霍伯的前程沒有什麼妨礙了，那個寫信的元首也不致再受人民的責備了，首相更不需預備打仗了。這事靠著我們的努力，沒有人會受到什麼損失的。」

我聽了他的話，非常訝異。他的心思這樣靈敏，眞是一個奇人，我便問道：「你都知道了嗎？」「華生，也不完全，還有一二處未能明瞭。但我們得到的不可說少，若再不能解決，那是我們的錯了。我們到白廳去，把這件事弄清楚。」

我們到了祕書長霍伯的府上，福爾摩斯請求與霍伯夫人談話。我們遂被引到晨室裡。

夫人見了我們，不由得粉頰微紅，立現惱色。她說道：「福爾摩斯先生，這是你的不謹愼了。我早對你說過，這事當守密，因爲我怕我丈夫知道我去干涉他的事務，會不高興的。但你卻不踐前言，冒然到這裡來。這分明讓人知道我們中間已發生了什麼事情了。」

「夫人，我是不得已到這裡來的。我是受人囑託，要追回一封重要的信，所以特地前來。夫人，我請你就賜還給我吧。」

她的臉色立變，跳起身來，眼光驚怯，身體也搖搖欲倒。我想她幾乎要暈倒了。她極力鎮住她驚懼的心，臉上現出怒色。

「你——你眞是太侮辱我了，福爾摩斯先生。」

「來，來，夫人，你這樣是沒用的。請你交出那封信來吧。」

她忙奔到警鈴旁邊，呼道：「我要喊僕人來請你們出去了！」

「夫人，請你不要按鈴。若你要這樣，未免辜負我的美意。我到這裡，本是懷著誠心要避免這事洩漏出去的。你只要把信件交給我，諸事就無礙了。若你信任我，我可想辦法解決這件事。若你仍要與我作對，我不得不把你的事宣布出去了。」

她站在那裡，很嚴肅地注視著我友的臉龐，一手按在鈴上，但忍著沒有按動。

「你想嚇唬我。福爾摩斯先生，你到這裡欺迫婦人，這不是大丈夫的行爲。你說你知道這些事，那麼，你知道的是什麼事？」

「夫人，請你坐下。我說出來時，你必會驚倒，使你玉體受傷的。所以你先坐下，我再告訴你。現在請你聽我的話吧。」

「福爾摩斯先生，我給你五分鐘的時間。」

「夫人，一分鐘已足夠了。我知道你曾到魯克司家中去，將這封信送給他，又知道你前夜曾到他室中去，施展靈敏的身手，從地毯下面把這東西安然取回。」

她頓時臉色灰白，眼睛看著福爾摩斯，有

兩次欲言又止。

她過了一會兒喊道：「你瘋了！福爾摩斯先生，你眞是瘋了！」

他從衣袋裡取出一張紙片，上面是夫人的肖像。那是從照片上剪下來的。

福爾摩斯道：「我知道這東西很有用，所以帶了去。那個警察已承認了。」

她慘叫了一聲，不覺低頭倒在椅子裡。

「夫人，這封信已在你這裡，所以已無大礙，我並不要爲難你。我的本分便是把這東西還給你丈夫。好了，請你好好聽我的話，這是你最後一個機會了。」

她仍然倔強，這時候她還不肯認輸，說道：「福爾摩斯先生，我再對你說一次，你太荒謬了。」

福爾摩斯從椅子裡站起身來道：「夫人，我替你感到遺憾，我已盡力給你機會了，但沒有用。」

他遂過去拉動叫人鈴，一個僕人走了進來。他問道：「泰藍勞納·霍伯先生在家嗎？」

「先生，還有一刻鐘他就會回來了。」

福爾摩斯拿出他的錶來一看，說道：「還有一刻鐘，很好，我可在這裡等他。」

這僕人就關上了門出去。霍伯夫人忽然跪倒在福爾摩斯的腳前，她攤開兩手，珠淚已濕透了嬌容。

「唉！福爾摩斯先生，請你饒恕我！看在上帝的分上，饒恕了我！請你不要告訴他！我是愛他的！我不願意讓他有任何不愉快的事。但這件事實在會讓他心碎了。」

福爾摩斯把她扶起來，說道：「夫人，你在這時能夠悔悟，我不勝感幸。但時機不可錯失，這封信在那裡呢？」

她遂站起身來，走到一張寫字檯前，開了抽屜，抽出一個狹長的藍信封來。

「福爾摩斯先生，在這裡，我可發誓，我一直不曾開過。」

福爾摩斯口裡自言自語道：「我們該怎樣設法還他？快點，快點。我們要想個法子！那文件箱在什麼地方？」「仍在他的寢室中。」「這是何等的幸運啊！夫人，快點把那箱子拿到這裡來。」

不久她已回來，手裡帶著一個紅漆的扁箱子。

「你上次怎樣開的？你一定有同樣的鑰匙。是的，你當然有的。快開吧！」

夫人遂從她胸口的袋裡取出一個小鑰匙。那文件箱裡面堆滿了許多紙張。福爾摩斯把這藍色信封塞在裡頭，和別的文件夾雜在一起，重把箱子鎖上，叫她帶回他的寢室裡去。

不久後，福爾摩斯又說道：「現在我們就等他回來，還有十分鐘的時間。霍伯夫人，我還有一個要求。我並不希望你怎樣報答，只請你把這事的眞相告訴我。」

她道：「福爾摩斯先生，我可以完全告訴你實情。但我讓他受這憂愁，實在很慚愧，我眞恨不得把我的手割掉。在倫敦，我可算是最愛丈夫的婦人了。但是假使他知道我做了這件事——我是受人強迫而做的——他一定不能寬恕我了。因他地位高貴，決不能輕恕他人的墮落。福爾摩斯先生！請幫我！我和他的幸福，我們將來的生活，全在這件事上了。」

「夫人，快點吧，時候不多了。」

「福爾摩斯先生，我在未嫁時，因爲一時

熱愛，和人私下通著情書。我認為沒有什麼大害。但若給我丈夫瞧見了，一定要懷疑我不貞，我們的感情也要因此破裂了。但這是幾年以前的事，我也早忘了。近來不知怎樣，這情書卻到了魯克司手裡。他向我恫嚇，要把這些信送給我的丈夫。我不得已向他哀求，他說我若能在我丈夫那裡盜取一封信，他就肯把這情書給我，當做交換品。他告訴我這封信是放在文件箱裡，什麼顏色和大小，因為另有一個間諜把這些細節告訴他。他又對我說，這東西對我丈夫沒有什麼害處。福爾摩斯先生，你若是我，該怎麼做呢？」

「你應老實把事情告訴你的丈夫。」

「我不能的，福爾摩斯先生，我不能的。從一方面看起來，我必會失去我的愛情，但另一方面，我也不知這封信是什麼東西，有什麼害處，真使我左右兩難。但我到底答應他了。我畫了鑰匙的樣子交給他，他遂做了一個同樣的鑰匙給我。我開了文件箱後，悄悄把這封信取出來，假說去戲院看戲，卻到高道芬街去交換了情書。」

「夫人，你在那裡可遇見什麼？」

「我到了那裡，上前敲門，魯克司把門開了。我跟他進去，大門並沒關緊，因為我是和他單獨相見，很膽怯。我記得我進去時，外面另有一個婦人站著。當我們見面後，我把信交給他，他也把我的信取出，放在他的桌上，立刻還給我。這時門外忽有腳步聲傳來。魯克司連忙將地毯揭起，把這封信塞在地板下，重新又遮飾好。之後的事宛如一場惡夢。我忽瞧見一個臉色黝黑的瘋狂婦人，說著法語，大聲喊道：『終於讓我看到了你們兩人在一起了！』

兩人遂爭鬥起來。那婦人從壁上拔下匕首，握在手中，魯克司也舉起椅子來抵禦。我見了十分驚駭，忙從那裡偷奔出來。隔天在報上讀到魯克司被殺的新聞，我覺得很慶幸，因爲我已把情書取回了。但不久我又發現陷入另一種痛苦。我的丈夫因爲失去了那封信，怏怏不樂，使我很擔心。我幾乎要跪在他的腳下，告訴他我做了什麼事。但如果這樣，我就要承認以前的事，何必多此一舉呢？所以我在那天早上到你那裡，就想要知道這事的重要性。後來我忽然轉念，想設法拿回我丈夫失去的那封信。這封信我想仍在魯克司安放的地方。假使沒有那婦人來，我也無法知道他安藏的地方了。我怎樣能到他室中去呢？我到那裡等了兩天，門都沒有開。前夜我去做最後的嘗試，居然成功了。這事你已知道了，我把這封信帶回家裡，但沒有辦法還他，卻不敢向他承認錯誤。所以我本想把它毀掉。天啊！我聽見我丈夫的腳步聲已從樓梯上走來了。」

這時祕書長霍伯突然來到室中，喊道：「有消息嗎？福爾摩斯先生，有消息嗎？」「很有希望。」

他一聽這話，非常高興，說道：「謝謝上帝。首相恰好要到我家用餐，也讓他聽聽。他雖有鎭靜的頭腦，但我知道他自從出事後，還沒有好好的睡過。雅克白，你去請首相上來。」他又對他夫人說道：「親愛的，我們有一些政治上的事情要談，你恐怕不便在此。待會兒我們可以在餐室中再會。」

霍伯夫人遂走了出去。

不久首相進來，態度還很從容，但我從他的目光，和急切的握手中知道他也和霍伯一樣的激動。

「福爾摩斯先生，我知道你一定有什麼消息了。」

我友答道：「完全不礙事了。我曾仔細推敲這件東西究竟掉在何處，每一方面也都已考察過。所以我敢說沒有危險了。」首相道：「福爾摩斯先生，但這總不十分穩妥。我們不能沒有後患。我們總要得到一定的下落才好。」「我有把握可以得到這信，那就是我爲什麼到此地來的原因。我仔細想過，我深信這封信沒有離開過這間房子。」「福爾摩斯先生！」福爾摩斯道：「倘使這封信在外面，必早已被披露了。」霍伯道：「爲什麼那人偷了，反藏在我家裡呢？」「我不信有人偷。」「那麼，怎會不見了呢？」「我不信這東西曾離開過文件箱。」「福爾摩斯先生，這話未免太滑稽了。我保證不在箱裡。」福爾摩斯道：「在星期二以後，你可曾檢查過那文件箱呢？」「沒有，但何必檢查呢？」「你最好去看看。」「我說不必了。」「但我不能信服。我知道曾有這種事發生過。我想這東西或許是夾雜在其他文件中間。」霍伯道：「我把它放在最上面。」「或許有人把箱子搖動了，因此雜在別處。」「不，不，我都看過了。」

這時首相說道：「霍伯，這事很容易解決，你可把文件箱取來，一看便知。」

祕書長遂走過去按鈴，吩咐道：「雅克白，取我的文件箱來。這不過浪費時間罷了。但不這樣，不能使你滿意。謝謝你，雅克白，放在這裡好了。這鑰匙在我錶鍊上。你看這裡有許多文件。這是梅羅公爵的的來函，這是查爾斯·哈台勳爵的報告。還有貝爾格來特的記載，俄德穀稅的章程，馬德里的函件，佛洛爾公爵來函。咦！天啊！這是什麼？貝林格公爵！貝林格公爵！」

首相從他手中奪過一個藍色信封來，大喜道：「是的，正是。這信一點也沒有動過。霍伯，我眞要恭喜你。」

「謝謝你，謝謝你，我心裡何等的安慰啊！這眞是讓人想不到，但是不可能啊！福爾摩斯先生，你眞是個魔術師！你怎麼知道在裡頭呢？」

「因爲我知道並不在別的地方。」

「我眞不敢相信我的眼睛！天下竟有這樣的巧事！」他又狂奔到門口喊道：「我的妻子在那裡？我一定要告訴她萬事無恙了。希爾達！希爾達！」

我們聽見他在樓梯上呼喊的聲音。

首相緊瞧著福爾摩斯道：「先生，我總有些疑惑，這封信怎麼會回到箱子裡的？」

福爾摩斯不覺微微一笑道：「我們也有外交上的祕密，恕我不能奉告。」說完遂取了帽子，和我向首相辭別而出。

附錄一

眞實與虛幻之間——柯南・道爾與福爾摩斯

「倫敦的貝克街上，一個肩掛照相機的遊客在抬頭找尋門牌。商業大厦管理員白拉斯見了便說：『又來了一個。』果然那遊客在門外止步，略一猶豫，然後推門而入，走到擺在大堂的辦公桌前，面帶困惑的神情向白拉斯問路：『我想找二百二十一號B座福爾摩斯的住宅。』」

這已是當天的第十二次，白拉斯重複解釋二一九號到二三三號歷來是阿比國民房屋協會的會址，並非福爾摩斯和華生住宅……每星期都有大堆信件寄給二百二十一號B座福爾摩斯收。郵局總是負責地把這些信件交給阿比國民房屋協會，由協會客氣地簡覆：『收信人已遷，現址不詳。』」（註一）

福爾摩斯這個角色誕生至今已有一百一十年。對於全世界無數的福爾摩斯迷來說，他們絲毫不會懷疑他存在的眞實性。自從柯南・道爾一八八七年賦予他生命之後，這個身材瘦削、有著鷹鉤鼻、頭戴獵帽、肩披風衣、口啣煙斗的人就永遠活在人們的心中。

這個角色創造之初，其實並沒受到太多的關注。一八八六年，柯南・道爾完成了《血字的研究》(A Study in Scarlet)之後，曾寄給「康希爾」雜誌，可是該雜誌並沒有意願刊登。之後，又轉寄了幾家出版社，仍不被採用。最後才由渥德．洛克公司買下，在一八八六年「比頓雜誌耶誕特刊」上發表，並於第二年出版單行本。全世界的福爾摩斯迷大概很難想像，他們心目中的大英雄的問世竟是如此一波三折。

柯南．道爾到底有什麼本事能夠創造出一個這樣活靈活現、家喻户曉的大偵探呢？要瞭解這一點，必須從他的生長背景講起。

柯南．道爾(Arthur Conan Doyle, 1859~1930)出生於蘇格蘭的愛丁堡。從小就對文學有濃厚的興趣。一八七〇年進入隸屬耶穌會的史東尼赫斯特(Stonyhurst)學院就讀(該校是全英國最著名的耶穌會學校)。一八七六年(十七歲)進入愛丁堡大學醫學院就讀。這些求學的過程，對他日後的創作影響深遠。尤其是醫學院強調歸納分析的方法，以及辨識疾病細微差異的臨床訓練，成就他塑造一個以科學方法辦案的偵探。在這段求學期間，他也遇到了一個對他影響至深的人——約瑟夫．貝爾教授(Dr. Joseph Bell)。這位教授在愛丁堡醫學院相當有名，很受學生的喜愛。他有一種特殊的能力，能立刻對一個素未謀面的病人斷出病症，並説出問診病人的職業、個性、生活習慣，以及曾在那裡服役，隸屬什麼兵團等。柯南．道爾對他這種「神奇」的能力相當著迷。而這位貝爾教授也就成了福爾摩斯的原型。柯南．道爾曾回憶到：

加博里歐(Gaboriau)(註二)的作品在處理情節的轉折處不留痕跡，相當吸引我。愛倫・坡筆下那位能幹的杜賓偵探從小就是我的偶像。但是，我是否可能來點特別的呢？我想到了我的老師貝爾。想到他瘦削如鷹的臉龐，他那奇妙的方法，以及對於事情細節一語道破的驚人能力。如果他是一名偵探，一定能將這個迷人，卻欠缺章法的事業導入精確的科學之路。我想試試看是否能夠達到這種效果。在現實生活中都有可能的事，我為何不將它帶入小說中呢？(註三)

在《血字的研究》中，貝爾教授的影像清晰地浮現。當福爾摩斯初次見到華生時就說：「我瞧你到過阿富汗。」這點著實讓華生感到驚訝。華生也形容福爾摩斯：「……身高在六呎以上，因為過分瘦削，顯得頎長無比……他那細長如鷹喙般的鼻子，顯示他機警果斷……。」

一八八一年，柯南・道爾取得了醫師的資格，在一艘貨輪上擔任隨船醫生。次年，開始自己執業。雖然從事醫務工作，但是他仍對文學創作充滿熱情。此時他開始嘗試偵探小說的創作。除了以貝爾為原型創作出福爾摩斯之外，為了推動劇情的發展，他也安排了一個福爾摩斯的最佳拍檔——華生醫生。這個角色的塑造具有相當的意義。他不僅發揮了綠葉陪襯紅花的效用，也似乎產生了一些非預期的結果。這位醫生是福爾摩斯的好友，也可以說是他的助手，他與福爾摩斯經歷相同的事情，卻不像福爾摩斯具有敏銳的觀察與推斷能力（甚至有些遲鈍），因此福爾摩斯得以透過與華生的對話，將他的觀察與推理過程告知讀者，然後由華生以第一人稱的方式講述出來（除了「獅鬣」（The Lion's Mane）、「爲祖國」（His Last Bow）……等篇外）。這種第一人稱的敍述方法，讓讀者很容易地就進入了作者所鋪陳出的情境中。此外，華生這個醫生的身份與柯南·道爾具有高度的重疊性，讀者在閱讀的過程中很容易就把華生等同於柯南·道爾。如此一來就增加了故事的可讀性與可信度。因爲在讀者看來，柯南·道爾是在向大家講述一個「他」與「他的朋友」所共同經歷的眞實故事。再加上他們就住在倫敦貝克街二百二十一號B座（眞有此住址），也過著典型的維多利亞女王時代的生活：坐著大家熟悉的兩輪或四輪馬車出沒於倫敦街頭，有一個女房東兼管家婦負責幫他們傳遞來訪者的名片並引見客人，每天都閱讀「每日電訊報」，有時會去劇院欣賞音樂或看賽馬，遇到急事則去電報局發電報……。凡此種種，難怪讀者會這麼相信福爾摩斯與華生是眞有其人，彷彿走在倫敦的街道上，隨時都可能與他們擦身而過。

由於角色塑造的成功，故事情節懸疑緊湊，使得福爾摩斯探案受到了大家的肯定。一八八九年柯南·道爾繼續發表了第二個長篇《四簽名》（The Sign of Four），獲得了熱烈的迴響。不過他的醫生生涯卻不像他的文學生涯一般順利。他在倫敦的眼科診所門可羅雀，許多作品是他在診療室中完成的。這種窘境促使他在一八九一年決定棄醫從文，專心從事文學創作。

貝爾雖是福爾摩斯的原形，但他決非福爾摩斯的全部。因爲柯南．道爾本身的部分特質也融入其中。由於醫學院的訓練，使得他具備敏銳的分析推理能力，因此對於劇情的鋪陳與推理毫無困難。再加上從小母親就教育他要守法，尊重正義，培養他具備騎士的精神，所以他自然也會把這些精神注入他所創作的角色當中，福爾摩斯和華生都分享了這些特質。他們兩人在劇中協助警方打擊不法，幫助弱小與婦女，或者基於榮譽感與愛國心爲政府效命（例如在「爲祖國」一劇中幫助英國政府破獲德國間諜一案）等，這些正是騎士精神（或者可說是英國紳士精神）的具體展現。

福爾摩斯探案的成功，使得柯南．道爾名利雙收，約稿源源不斷。然而他開始厭倦不停地寫福爾摩斯，他抱怨福爾摩斯佔據他太多的時間，甚至把他的心靈從美好的事物中攫走。因爲柯南．道爾其實更喜歡寫歷史小說（註四）。一八九三年，他寫了「最後問題」(The Final Problem)，讓福爾摩斯與他的死對頭莫理亞提教授（Professor Moriarty)雙雙墜落瑞士的萊亨巴哈瀑布(Reichenbach Falls)中。柯南．道爾覺得鬆了一口氣，終於可以擺脫這個麻煩的公衆英雄，全心投入自己更喜歡的文學創作。不過福爾摩斯的死訊一宣布之後卻引發了讀者的錯愕與抗議(就連作者的母親也提出了抗議)。超過兩萬人取消訂閱連載福爾摩斯的「河濱」雜誌(Strand)，許多人傷心地爲福爾摩斯服喪以示哀悼，甚至有位女士還非常沒禮貌地寫信去指責他，劈頭就罵：「你這個殘忍的畜生！」這種種激烈的反應恐怕連作者都始料未及。儘管如此，柯南．道爾仍不爲所動。直到一九〇三年柯南．道爾才又讓他在「空屋」（The Empty House）一案中戲劇性地復活，重新展開他驚險、刺激的偵探生涯。

柯南．道爾傾畢生之力創作福爾摩斯的系列故事，總共寫了四個長篇，五十六個短篇。在故事的終了，他並沒有明確地交待福爾摩斯的最後去處，只是從故事中我們可以知道，福爾摩斯後來歸隱蘇薩克斯做「養蜂學」的研究。這樣的安排，對於廣大的福爾摩斯迷來說當然是很難接受的。許多人自圓其說地認爲，福爾摩斯明的是去做研究，暗地裡則是轉而爲英國情報局效命了。所以在「爲祖國」一案中可以發現福爾摩斯又重現江湖了！這種說法究竟是讀者一廂情願的解釋，或者果眞如此，其實已沒有深究的必要了。因爲誰會願意殘忍地去戳破心目中的夢想呢？不論如何，可以肯定的是，自從「空屋」一案奇蹟似地復活之後，福爾摩斯與華生就永遠地生活在濃霧瀰漫的倫敦城中了。因爲就如一位研究福爾摩斯的學者史塔列特所言：「在烏有之鄉，在幻想的心裡，福爾摩斯和華生兩人，爲了愛他們的人永生不死。」

註釋

一　摘錄自一九七三年四月號的《讀者文摘》，頁一〇三——一〇四。

二　加博里歐(Gaboriau, Emile, 1823?～1873)，法國的小說家，有法國的愛倫·坡之稱。

三　本段文字摘譯自 Hodgson, John A., (eds.) *Sherlock Holmes: The Major Stories with Contemporary Critical Essays.* Boston: Bedford Books, 1994 (p.4)

四　柯南·道爾的一部歷史小說《白衣團》(The White Company)，曾有人讚美它是自《艾凡侯》(亦有譯爲《薩克遜英雄傳》)(Ivanhoe)以來最好的歷史小說。

附錄二

柯南．道爾(Arthur Conan Doyle)年譜

一八五九年　五月二十二日生於蘇格蘭的愛丁堡。

一八七〇年　進入隸屬於耶穌會的史東尼赫斯特(Stonyhurst)學院就讀。該校是全英國最著名的耶穌會學校。

一八七五年　完成史東尼赫斯特學院的學業，至奧地利的耶穌會學校留學一年。

一八七六年　進入愛丁堡大學的醫學院就讀，在那裡他遇到了對他影響深遠的約瑟夫．貝爾(Dr. Joseph Bell)老師——他就是福爾摩斯的原型。

一八八一年　大學畢業後，在一艘非洲西岸航線的客貨輪上擔任隨船醫生。

一八八二年　開始執業。

一八八五年　與露薏絲．霍金斯(Louise Hawkins)小姐結婚。

一八八六年　完成福爾摩斯探案的第一個長篇《血字的研究》。寄給「康希爾」雜誌，可是該雜誌沒有意願刊登。最後由渥德．洛克公司買下，在「比頓雜誌耶誕特刊」上發表。

一八八七年　《血字的研究》單行本發行。
一八八九年　發表福爾摩斯探案的第二個長篇《四簽名》。
一八九〇年　發表歷史小說《白衣團》(The White Company)。曾有人讚美這部作品是自《艾凡侯》(Ivanhoe)以來最好的歷史小說。
一八九一年　去維也納研讀眼科學。隨後在倫敦開設眼科診所，但生意清淡。決定棄醫從文，專心從事文學創作。
一八九二年　將發表的十二個福爾摩斯探案短篇故事，集結成第一個短篇《冒險史》。
一八九三年　妻子露薏絲罹患肺結核。
　　　　　　在「最後問題」一篇中宣布了福爾摩斯的死訊。暫時結束有關福爾摩斯的創作。
一八九四年　將之前陸續發表的十一個短篇故事，集結成第二個短篇《回憶錄》。
一八九七年　認識琴・賴基(Jean Leckie)小姐，並墜入情網。
一九〇〇年　赴南非，以軍醫的身分參加布爾戰爭(Boer War)。並發表作品《大布爾戰爭》。
一九〇二年　受封騎士爵位。
　　　　　　發表福爾摩斯探案的第三個長篇故事《古邸之怪》。

一九〇三年　由於廣大讀者的要求，福爾摩斯在「空屋」一案中復活了！

一九〇五年　出版福爾摩斯探案的第三個短篇故事集《歸來記》。

一九〇六年　妻子露薏絲去世。

一九〇七年　與琴・賴基小姐結婚。

一九一五年　出版福爾摩斯探案的最後一個長篇《恐怖谷》。

一九一六年　宣布轉向性靈學的研究。

一九一七年　出版福爾摩斯探案的另一個短篇故事集《爲祖國》。

一九一八年　出版《新啓示錄》(The New Revelation)一書。此書是柯南・道爾轉向研究形而上學之後，有關這方面的第一本著作。

一九二七年　出版福爾摩斯探案的最後一個短篇故事集《福爾摩斯個案紀錄》。

（編者案：本局將最後的兩個短篇故事集合併成本系列故事的最後一個短篇《新探案》。）

一九三〇年　七月七日與世長辭。

參考書目

中文部分

呂美玉〈永生不死的福爾摩斯〉，中國時報四十三版，一九九七年二月十六日。

黃永林《中西通俗小說比較研究》，臺北：文津，一九九五年。

彼德・布朗恩 (Peter Browne)〈福爾摩斯永在人間〉，《讀者文摘》四月號，一九七三年。

林　瀅〈「偵探小說迷」倫敦朝聖（上）〉，《推理雜誌》一五一期，一九九七年。

范伯群《偵探泰斗──程小青》，臺北：業強，一九九三年。

范伯群《民國通俗小說鴛鴦蝴蝶派》，臺北：國文天地，一九八九年。

徐淑卿〈推理小說重現江湖〉，中國時報四一版，一九九七年九月十八日。

程盤銘〈福爾摩斯是如何創造出來的？〉，《推理雜誌》一四六期，一九九六年。

程盤銘〈福爾摩斯探案中的社會背景〉，《推理雜誌》一四七期，一九九七年。

程盤銘〈福爾摩斯之前應用推理法的前輩們〉，《推理雜誌》一四八期，一九九七年。

程盤銘〈福爾摩斯探案與偵探小說的定型〉，《推理雜誌》一四九期，一九九七年。

〈福爾摩斯的行業：私家偵探〉，《推理雜誌》一五〇期，一九九七年。
〈福爾摩斯探案在偵探小説中的地位〉，《推理雜誌》一五一期，一九九七年。
〈福爾摩斯年譜〉，《推理雜誌》一五二期，一九九七年。
〈福爾摩斯偵探術〉，《推理雜誌》一五三期，一九九七年。
〈福爾摩斯的俠義精神和越權行爲〉，《推理雜誌》一五四期，一九九七年。
〈福爾摩斯與公家警察〉，《推理雜誌》一五五期，一九九七年。
〈抬舉福爾摩斯成名的選手們〉，《推理雜誌》一五六期，一九九七年。
〈福爾摩斯探案的「眞經」與「僞經」〉，《推理雜誌》一五七期，一九九七年。
〈福爾摩斯探案中的「中國」〉，《推理雜誌》一五八期，一九九七年。

新潮推理編輯室　〈偵探小説的開拓者……柯南．道爾〉，臺北：志文，一九九五年。
〈柯南．道爾的生平與其作品〉，臺北：志文，一九九五年。
〈家喻户曉的福爾摩斯〉，臺北：志文，一九九五年。
〈柯南．道爾年譜〉，臺北：志文，一九九五年。

鄭麗園　〈貝克街二二一號〉，《英國女王有請！》，臺北：聯經，一九九六年。
盧郁佳　〈百分百死亡遊戲〉，聯合報四五版，一九九七年十月二十七日。
魏紹昌　《我看鴛鴦蝴蝶派》，臺北：商務，一九九五年。

英文部分

Doyle, Arthur Conan　Great Works of Sir Arthur Conan Doyle. New York: Chatham River Press, 1984.

Hodgson, John A., Editor　Sherlock Holmes: The Major Stories with Contemporary Critical Essays. Boston: Bedford Books of St. Martin's Press, 1994.

國家圖書館出版品預行編目資料

歸來記 / 柯南・道爾原著；程小青等譯.
-- 修訂一版 . -- 臺北市：世界，1997〔民 86〕
面；公分 -- (福爾摩斯探案全集)
譯自：The return of sherlock holmes
ISBN 957-06-0174-4 (平裝)

873.57　　86015780

福爾摩斯探案全集

歸來記

722-2928

作　者／柯南・道爾
譯　者／程小青等
修訂整理／世界書局編輯部
發行人／閻　初
發行者／世界書局
登記證／行政院新聞局局版臺業字第〇九三一號
地　址／台北市重慶南路一段九十九號
電　話／(〇二)二三一一〇一八三
傳　真／(〇二)二三三一七九六三
郵撥帳號／〇〇〇五八四三—七　世界書局
印刷者／世界書局
出版日期／一九二七年初版一刷
一九九七年十二月修訂一版一刷
定　價／二四〇元